BOLSILLO
7ETA

Título original: *Blood Shot*

Traducción: Eva Rodríguez Halffter

1.ª edición: septiembre 2008

© 1988, by Sara Paretsky
© Ediciones B, S. A., 2008
   para el sello Zeta Bolsillo
   Bailén, 84 - 08009 Barcelona (España)
   www.edicionesb.com

Publicado con acuerdo de Lennart Sane Agency AB.

Ante la imposibilidad de contactar con el propietario de
la traducción, la editorial pone a su disposición todos los
derechos que le son legítimos e inalienables.

Printed in Spain
ISBN: 978-84-9872-112-6
Depósito legal: B. 30.014-2008

Impreso por LIBERDÚPLEX, S.L.U.
Ctra. BV 2249 Km 7,4 Polígono Torrentfondo
08791 - Sant Llorenç d'Hortons (Barcelona)

GOLPE DE SANGRE

SARA PARETSKY

BOLSILLO
ZETA

Para Dominick

Agradecimientos

El escritor que trabaja en un proyecto en el que figura gran cantidad de material técnico contrae muchas deudas. Como en la Declaración de Derechos de la Constitución americana, la enumeración de algunas de ellas no implica que las restantes no se consideren igualmente importantes.

Judy Freeman y Rennie Heath, especialistas en medio ambiente de la Junta de Desarrollo de Chicago Sur (South Chicago Development Commission), me prestaron generosamente su tiempo y sus conocimientos tanto con respecto a la geografía como a las cuestiones económicas que aquejan al sur de Chicago. Jeffrey S. Brown, director de Medio Ambiente de la Velsicol Corporation, y John Thompson, director ejecutivo del Centro de Educación de los Estados Centrales, me proporcionaron valiosas nociones sobre los problemas corporativos y técnicos que podrían surgir en una situación como la que yo había imaginado. Las doctoras Sarah Neely y Susan S. Riter me fueron de gran utilidad a la hora de diagnosticar los problemas que habrían acosado a Louisa Djiak. Y el sargento Michael Black, del Departamento de Policía de Matteson, me ha sido invariablemente de gran ayuda con respecto al trabajo de V. I., gracias a sus observaciones sobre procedimientos policiales, el uso de armas de fuego y otras cuestiones.

Dado que ésta es una obra de ficción, todas las compañías, personas, ingredientes químicos, procesos de fabricación, efectos secundarios clínicos y organizaciones políticas o vecinales son totalmente obra de mi única —y desatada— imaginación. Cuando se hace mención de alguna gran empresa por su nombre, se debe solamente a que sus fábricas constituyen una parte muy conocida del paisaje de Chicago, y omitirlo habría supuesto una excesiva manipulación de la geografía. Por el mismo motivo, se han empleado los distritos verdaderos de la ciudad, sin referencia alguna a los políticos reales que sirven los intereses de los ciudadanos de dichos distritos.

Para los aficionados al pormenor geográfico, hay que decir que se han alterado deliberadamente algunos detalles menores para facilitar el relato. Sin embargo, el sur de Chicago contiene, en efecto, algunas de las últimas tierras pantanosas para aves migratorias del estado de Illinois, y parte de este marjal se conoce realmente con el nombre de laguna del Palo Muerto (Dead Stick Pond).

1

Retorno a la autopista 41

Había olvidado el olor. Aun estando en huelga la Factoría del Sur y cerrados con candados y pudriéndose de herrumbre los Aceros de Wisconsin, por los ventiladores del motor se filtró una penetrante mezcla de vapores químicos. Cerré la calefacción del coche, pero el hedor —no podía llamarse aire— se deslizó por las diminutas rendijas de las ventanas del Chevy, abrasándome los ojos y las mucosas.

Seguía la Ruta 41 hacia el sur. Dos millas atrás había sido la carretera del lago, donde el lago Michigan vomita espuma contra las rocas a la izquierda, y hay lujosas torres de viviendas que miran desdeñosas, a la derecha. A la altura de la calle Setenta y nueve el lago había desaparecido bruscamente. Los patios traseros sofocados de hierbajos que rodeaban la gigantesca fábrica USX del Sur se extendían hacia el este, ocupando alrededor de una milla de terreno entre la carretera y el agua. En el horizonte flotaban pilones, grúas y torres industriales en el aire humoso de febrero. Éste no era ya territorio de viviendas de lujo y playas, sino de vertederos nivelados y fábricas agotadas.

Unas cuantas casitas destartaladas miraban hacia la Factoría del Sur desde el lado derecho de la calle. En algunas faltaban pedazos del revestimiento de madera, o mostraban con vergüenza desconchones en la pintura. En otras, el cemento de los escalones de entrada estaba agrietado y desprendido. Pero las ventanas estaban todas enteras, herméticamente cerradas, y en los patios no había ni una brizna de desperdicio. Puede que la pobreza se hubiera enseñoreado de la zona, pero mi vieja barriada se negaba valientemente a rendirse.

Yo aún recordaba los tiempos en que dieciocho mil hombres se derramaban todos los días desde aquellas casitas aseadas hacia la Factoría del Sur, Aceros de Wisconsin, la planta de ensamblaje de la Ford, o la fábrica de disolventes Xerxes. Recordaba cuando hasta el último detalle de la fachada recibía una capa de pintura primavera sí, primavera no, y los Buicks y Oldsmobiles nuevos eran una característica común del otoño. Pero todo aquello pertenecía a otra vida, tanto para mí como para Chicago Sur.

En la calle Ochenta y nueve giré hacia el oeste, bajando el parasol del coche para protegerme los ojos de la declinante luz de invierno. Más allá de la maraña de cachibaches inservibles, coches mohosos y casas derrumbadas de mi izquierda, estaba el río Calumet. Mis amigos y yo solíamos burlar a nuestros padres para bañarnos en él; ahora, se me revolvía el estómago con la sola idea de meter la cara en aquel agua asquerosa.

La escuela secundaria estaba al otro lado del río. Era una estructura enorme que ocupaba varios acres de suelo, pero su ladrillo rojo oscuro tenía un cierto aspecto hogareño, como un colegio de señoritas decimonónico. La luz que salía por las ventanas y el flujo de jóvenes que atravesaba las inmensas puertas de doble hoja de su extremo oeste aumentaban este efecto acogedor. Apagué el motor, cogí mi bolsa de deportes y me uní a la multitud.

Los techos, altos y abovedados, se habían construido cuando la calefacción era barata y la educación lo bastante respetada para que los ciudadanos desearan escuelas con aspecto de catedrales. Los corredores cavernosos servían a la perfección como cámaras de resonancia de las risas y gritos de aquella tropa. El ruido rebotaba en el techo, las paredes y los armarios metálicos. Me pregunté por qué nunca me habría percatado de aquel alboroto cuando era estudiante.

Dicen que las cosas que se aprenden de pequeño no se olvidan. Habían pasado veinte años desde la última vez que había estado allí, pero en la entrada del gimnasio giré a la izquierda sin pensarlo para seguir el pasillo hasta los vestidores de chicas. Caroline Djiak me esperaba a la puerta, carpeta en mano.

—¡Vic! Creí que quizá te hubieras echado atrás.

Todas las demás llevan aquí media hora. Están ya preparadas, por lo menos las que aún caben en los uniformes. Te has traído el tuyo, ¿no? Está aquí Joan Lacey, del *Herald-Star*, y le gustaría charlar contigo. A fin de cuentas, tú fuiste la mejor jugadora del año del campeonato.

Caroline no había cambiado. Las trenzas cobrizas habían sido sustituidas por un halo rizado que rodeaba su rostro pecoso, pero ésa parecía ser la única diferencia. Seguía siendo pequeña, vigorosa e imprudente.

Entré tras ella en los vestuarios. El alboroto reinante competía con el nivel de ruido de los pasillos. Diez muchachas en diversas etapas de desnudez hablaban entre sí a gritos, pidiendo limas o tampones, o preguntando quién se había llevado el jodido desodorante. En bragas y sostén tenían un aspecto musculoso y compacto, en mucha mejor forma de la que habíamos estado mis amigas y yo a su edad. y desde luego mucho mejor que nuestra forma actual.

En un rincón del vestuario, organizando casi igual revuelo, había siete de las diez Tigresas con las que había ganado el campeonato de categoría AA del estado de Illinois hacía veinte años. Cinco de las siete vestían los antiguos uniformes negro y oro. En algunas, la camiseta se ceñía en la parte del pecho y el pantalón corto parecía ir a rajarse al primer intento de quiebro rápido de su portadora.

La que más prieto llevaba el uniforme podía ser Lily Goldring, nuestra primera encestadora de tiro libre, pero debido a la permanente y la papada no podía asegurarlo. Me pareció que Alma Lowell debía ser la mujer negra que desbordaba la capacidad de su uniforme y llevaba la cazadora de letra tímidamente colgada sobre sus hombros macizos.

Las únicas dos que reconocí sin lugar a dudas fueron Diane Logan y Nancy Cleghorn. Las piernas fuertes y esbeltas de Diane aún servían para una portada de *Vogue*. Ella era nuestra alero estrella, co-capitana, estudiante de honor. Caroline me había dicho que Diane dirigía ahora una próspera agencia de relaciones públicas en el Loop, especializada en la promoción de compañías y figuras negras.

Nancy Cleghorn y yo nos mantuvimos en contacto durante los años de universidad, pero, en todo caso, su rostro fuerte y cuadrado y su encrespado cabello rubio habían cambiado tan poco, que la habría reconocido en cualquier sitio. Ella era la responsable de que me encontrara aquí esta noche. Dirigía los asuntos de medio ambiente de PRECS —Plan de Rehabilitación de Chicago Sur—, del que era subdirectora Caroline Djiak. Cuando ambas se dieron cuenta de que las Tigresas iban a participar en el campeonato regional por primera vez en veinte años, decidieron reunir al antiguo equipo para la ceremonia preliminar. Era publicidad para el barrio, publicidad para PRECS, apoyo al equipo; beneficio para todos.

Nancy sonrió al verme.

—Hola, Warshawski; mueve el culo. Tenemos que estar fuera dentro de diez minutos.

—Qué tal, Nancy. Tengo que estar loca para dejar que me traigas hasta aquí. ¿No sabes que no hay que volver a casa?

Encontré cuatro pulgadas cuadradas para tirar mi bolsa de deportes y me desnudé con rapidez, apretando los vaqueros en la bolsa y poniéndome el descolorido uniforme. Me estiré los calcetines y me até las zapatillas de baloncesto.

Diane me pasó el brazo por los hombros.

—Tienes buen aspecto, Whitey, como si aún pudieras moverte si hiciera falta.

Nos miramos en el espejo. Mientras que algunas de las actuales Tigresas sobrepasaban los seis pies, yo, con mis cinco pies y ocho pulgadas, había sido la más alta de nuestro equipo. El peinado afro de Diane me quedaba más o menos a la altura de la nariz. Negra y blanca, las dos habíamos querido jugar al baloncesto cuando los conflictos raciales irrumpían a diario en los pasillos y los vestidores. No nos teníamos mucha simpatía, pero en el tercer año habíamos impuesto una tregua al resto del equipo y al siguiente febrero lo habíamos llevado al primer torneo femenino de ámbito estatal.

Sonrió, compartiendo mi recuerdo.

—Toda aquella bazofia que nos tragamos parece totalmente trivial ahora, Warshawski. Ven a conocer a la periodista. Di algo agradable de tu antiguo barrio.

Joan Lacey, del *Herald-Star,* era la única columnista de deportes femenina de la ciudad. Cuando le dije que leía sus artículos habitualmente sonrió complacida.

—Cuéntaselo a mi director. O mejor aún, escribe una carta. ¿Qué sensación produce volver a ponerse el uniforme después de tantos años?

—La de ridículo. No he cogido un balón desde que salí de la universidad.

Yo fui a la Universidad de Chicago con una beca de deportes. Esta universidad las otorgaba mucho antes de que el resto del país se enterara de que las mujeres practicaban deportes.

Hablamos unos cuantos minutos, del pasado, de los atletas que se hacen mayores, del cincuenta por ciento de paro del barrio, de las perspectivas del actual equipo.

—Hemos venido para dar apoyo, claro está —dije—. Estoy deseando verlas en la cancha. Aquí dentro tienen todo el aspecto de tomarse los entrenamientos mucho más en serio que nosotras hace veinte años.

—Ya, se quiere reanimar la liga profesional femenina a toda costa. Hay algunas jugadoras de primera en los últimos años de escuela secundaria y en la universidad que no tienen dónde ir.

Joan guardó el cuaderno y le dijo al fotógrafo que saliera

con nosotras al campo para hacer algunas tomas. Las ocho veteranas salimos dispersas al gimnasio, con Caroline correteando a nuestro alrededor como un terrier ansioso.

Diane cogió el balón y lo dribló tras ella por debajo de las piernas, después me lo tiró. Yo giré y lancé. El balón rebotó en la madera y corrí a cogerlo y encestar. Mis antiguas compañeras me dieron un aplauso discordante.

El fotógrafo nos hizo algunas fotos juntas, después otras de Diane y yo jugando un uno contra uno bajo la cesta. El público nos contempló unos momentos, pero el verdadero interés estaba en el equipo actual. Cuando las Tigresas salieron al campo con sus chándals, recibieron una gran ovación. Hicimos un poco de calentamiento con ellas, pero les cedimos el terreno en cuanto fue posible: ésta era su gran noche.

Cuando las chicas del equipo invitado de Santa Sofía salieron con sus chándals rojo y blanco, me escurrí hacia el vestuario para cambiarme a mis ropas civiles. Caroline me encontró cuando terminaba de atarme un pañuelo al cuello.

—¡Vic! ¿Dónde vas? ¡Sabes que me prometiste venir a ver a mamá después del partido!

—Dije que lo intentaría, si podía quedarme por aquí.

—Pero ella cuenta con verte. Apenas puede moverse de la cama de lo mal que está. De verdad, es muy importante para ella.

Vi en el espejo que su rostro se ruborizaba y sus ojos azules se oscurecían con la misma mirada herida que me lanzaba cuando tenía cinco años y no la dejaba venir con mis amigas. Sentí que se me calentaba el ánimo con veinte años de irritación.

—¿Has montado esta farsa del baloncesto para hacerme ir a ver a Louisa? ¿O eso se te ocurrió después?

El rubor de su rostro se volvió grana.

—¿Cómo farsa? Estoy intentando hacer algo por esta comunidad. ¡Yo no soy una de esas niñas de ahí te quedes que se van a vivir al Sector Norte abandonando a las personas a su suerte!

—¡Vamos, que, según tú, si me hubiera quedado aquí

habría podido salvar Aceros de Wisconsin. O evitar que los gilipollas de USX se ventilaran una de las últimas fábricas en funcionamiento de por aquí! —Cogí mi chaquetón marinero del banco y metí los brazos en las mangas con rabia.

—¡Vic! ¿Dónde vas?

—A mi casa. Voy a salir a cenar y quiero cambiarme de ropa.

—No, por favor. Te necesito —dijo con un fuerte gemido. Sus ojos grandes se desbordaron de lágrimas, preludio de sus chillonas protestas ante su madre o la mía de que estaba siendo mala con ella. Me trajo a la memoria todas aquellas ocasiones en que Gabriella había venido a la puerta —diciendo «¿qué más te da, Victoria? Llévate a la niña contigo»— con tal fuerza, que apenas pude contenerme para no darle a Caroline un manotazo en la boca ancha y trémula.

—¿Para qué me necesitas? ¿Para cumplir una promesa que hiciste sin consultarme?

—Mamá ya no va a vivir mucho —me gritó—. ¿No es eso más importante que tu puñetera cena?

—Desde luego. Si fuera un compromiso social, llamaría y diría perdóneme, la mocosa de mi vecina me ha metido en un asunto que no puedo dejar. Pero la cena es con un cliente. Tiene el genio vivo pero paga puntualmente y quiero mantenerlo contento.

Las lágrimas resbalaban ya sobre las pecas.

—Vic. Nunca me tomas en serio. Te dije cuando hablamos de esto lo importante que sería para mamá que vinieras a verla. Y se te olvidó totalmente. Te crees que aún tengo cinco años y que nada de lo que diga o piense importa.

Eso me calló la boca. Ahí tenía razón. Y si Louisa estaba tan enferma, realmente debía ir a verla.

—En fin, de acuerdo. Llamaré para cambiar el plan. Por última vez.

Las lágrimas desaparecieron de inmediato.

—Gracias, Vic. No lo olvidaré. Sabía que podía contar contigo.

—Lo que quieres decir es que sabías que podías engatusarme —le dije desabrida.

Rió.

—Voy a enseñarte dónde están los teléfonos.

—Todavía no estoy senil; los encontraré sin tu ayuda. Y no, no me voy a largar cuando mires hacia otro lado —añadí, viendo su expresión ansiosa.

Sonrió.

—¿Lo juras por Dios?

Era una vieja promesa, aprendida del borracho Tío Stan de mi madre, que la utilizaba para demostrar que estaba sobrio.

—Lo juro por Dios —asentí solemnemente—. Sólo espero que Graham no se sienta tan dolido que decida no pagar su factura.

Encontré los teléfonos públicos cerca de la entrada y perdí unas cuantas monedas de 25 centavos antes de dar con Darrough Graham en el club Cuarenta y Nueve. No le sentó bien —había hecho reserva en el Filagree—, pero conseguí terminar la conversación con una nota amistosa. Colgándome la bolsa al hombro, me dirigí nuevamente al gimnasio.

2

El estirón de la niña

Santa Sofía se lo puso duro a las Tigresas, dominando durante gran parte del segundo tiempo. El juego fue intenso, a ritmo mucho más rápido de lo que había sido en mis años baloncestísticos. Dos oportunidades para las Tigresas se malograron cuando sólo quedaban siete minutos, y la cosa tenían mal aspecto. Entonces la base más fuerte del Santa Sofía salió a tres minutos del final. La mejor alero de las Tigresas, que había estado inmovilizada toda la noche, revivió, marcando ocho puntos no contestados. El equipo de casa ganó 54-51.

Me encontré dando gritos de ánimo con la misma vehemencia que los demás. Incluso sentí un cierto afecto nostálgico por mi propio equipo colegial, lo cual me sorprendió: mis recuerdos de adolescencia están tan dominados por la enfermedad y muerte de mi madre, que supongo que había olvidado que también hubo sus buenos momentos.

Nancy Cleghorn se había marchado para asistir a una junta, pero Diane Logan y yo nos unimos al resto del antiguo equipo en los vestuarios para felicitar a nuestras sucesoras y desearles lo mejor en las semifinales regionales. No nos quedamos mucho tiempo: era evidente que nos consideraban excesivamente mayores para poder entender lo que es el baloncesto, no digamos ya para haberlo jugado.

Diane se acercó para despedirse.

—No hay dinero en este mundo para forzarme a revivir mi adolescencia —me dijo, rozando su mejilla con la mía—. Me vuelvo a la Costa Dorada. Y definitivamente me quedo allí. Cuídate, Warshawski.

Me dejó con un temblor fugaz de zorro plateado y Opium.

Caroline revoloteaba con ansiedad en torno a los vestuarios, temiendo que me fuera sin ella. Estaba tan tensa que empecé a sentir una cierta inquietud sobre lo que fuera a encontrarme en su casa. Se comportaba exactamente igual que aquel fin de semana que me arrastró a su casa desde la universidad, en teoría porque Louisa tenía mal la espalda y necesitaba ayuda para cambiar una ventana rota. Una vez estuve allí supe que Louisa esperaba de mí una explicación de por qué Caroline había donado la sortijita de perlas de su madre a la marcha para recoger fondos en la Vigilia de San Wenceslao.

—¿Es cierto que Louisa está muy mal? —inquirí cuando finalmente salimos de los vestuarios.

Me miró con seriedad.

—Está muy enferma, Vic. No te va a resultar agradable verla.

—¿Qué más me tienes programado?

Su pronto rubor le inundó las mejillas.

—No sé de qué me hablas.

Salió airadamente abriendo la puerta del colegio.

Yo la seguí despacio, a tiempo de verla meterse en un coche muy machacado estacionado con gran parte del motor en mitad de la calle. Bajó la ventanilla cuando pasé por su lado para gritarme que nos veríamos en su casa y arrancó con un chirrido de ruedas. Yo iba algo alicaída cuando abrí la puerta del Chevy y me senté en su interior.

Mi desaliento aumentó cuando giré para tomar la calle Houston. La última vez que había estado allí había sido en 1976 cuando murió mi padre y yo volví para vender la casa. En aquella ocasión vi a Louisa, y a Caroline, que tenía catorce años y seguía mis pasos con resolución —incluso hizo un intento de jugar al baloncesto, pero con sus cinco pies de estatura ni siquiera su incansable energía consiguió abrirle la entrada al primer nivel.

Aquélla había sido la última vez que había hablado con alguno de los vecinos que habían conocido a mis padres. Mi padre, apacible y jovial, había suscitado auténtica pena. Gabriella, fallecida hacía diez años por entonces, un respeto remiso. A fin de cuentas, las demás mujeres de su manzana habían tenido que rascar, ahorrar y dividir por cinco cada centavo para alimentar y cobijar a sus familias igual que ella.

Ahora que estaba muerta, glosaban las excentricidades que les habían inducido a mover la cabeza con desaprobación; llevar a la niña a la ópera con diez dólares extra en lugar de comprarle un abrigo nuevo para el invierno. No bautizarla ni llevarla a las hermanas de San Wenceslao para su instrucción. Aquello les había alterado lo bastante para enviarle a la directora, madre María José Nosecuántos, un día y provocar una confrontación memorable.

Quizá la insensatez mayor para ellas fuera el empeño de mi madre en que yo asistiera a la universidad, y su exigencia de que fuera la Universidad de Chicago. Gabriella sólo se conformaba con lo mejor, y había decidido cuando yo tenía dos años que aquélla era la mejor de Chicago. Posiblemente, a su parecer, no pudiera compararse con la Universidad de Pisa. Igual que los zapatos que se compraba en Callabrano de la calle Morgan no tenían comparación con los de Milán. Pero se hacía lo que se podía. Así pues, a los dos años de morir mi madre me fui con una beca a lo que mis vecinos llamaban la Universidad Roja, una parte de mí asustada y la otra ansiosa por conocer sus demonios. Después de aquello, realmente no había vuelto nunca a casa.

Louisa Djiak era la única mujer de la calle que siempre defendió a Gabriella, muerta o viva. Pero es que ella era dueña de Gabriella. Y mía también, pensé con una ráfaga de resquemor que me sorprendió. Comprendí que aún me picaba la rabia por todos aquellos gloriosos días de verano que tuve que pasar cuidando a la niña, o haciendo mis tareas con la criatura berreando a mi espalda.

En fin, la criatura había crecido, pero seguía berreando sus exigencias en mi oído. Paré el coche detrás de su Capri y apagué el motor.

La casa era más pequeña de lo que yo recordaba, y más cochambrosa. Louisa no tenía ánimos para lavar y almidonar los visillos cada seis meses, y Caroline pertenecía a una generación que evitaba enfáticamente semejantes labores. Si lo sabría yo, que formaba parte de ella.

Caroline me esperaba a la puerta, aún inquieta. Sonrió brevemente, tensa.

—Mamá está contentísima de que estés aquí, Vic. Ha esperado todo el día sin probar el café para tomárselo contigo.

Me condujo a través del comedor, reducido y atestado, hasta la cocina diciendo por encima del hombro:

—No debería ya tomar café. Pero le resultaba muy difícil dejarlo —además de tantas cosas como han cambiado—. Así que llegamos al acuerdo de una taza al día.

Empezó a atarearse en el fogón, acometiendo la preparación del café con enérgica ineficiencia. Pese al rastro de agua vertida y al café molido esparcido sobre el fogón, dispuso con esmero una bandeja con servicio de porcelana, servilleta de tela y la flor del geranio de una lata colocada en la ventana. Finalmente sacó un platito de helado adornado con una hoja de geranio. Cuando cogió la bandeja bajé de la banqueta de la cocina donde me había encaramado, para seguirla.

La alcoba de Louisa estaba a la derecha del comedor. En cuanto Caroline abrió la puerta el olor a enfermedad me sacudió como una fuerza física, trayéndome a la memoria el hedor a medicamentos y a carne en decadencia que había flotado en torno a Gabriella en el último año de su vida. Me clavé las uñas en la palma de la mano derecha y me forcé a entrar en la habitación.

Mi primera reacción fue de shock, pese a creer que me había preparado. Louisa estaba sentada y recostada en la cama, tenía el rostro macilento y teñido de un extraño gris verdoso bajo el cabello ralo. Sus manos deformes salían por las mangas flojas de un gastado jersey rosa. Pero cuando las levantó para saludarme con una sonrisa, capté un destello de aquella mujer joven y hermosa que había alquilado la casa de al lado cuando estaba encinta de Caroline.

—Qué gusto verte, Victoria. Sabía que vendrías. En ese sentido eres como tu madre. Y además te pareces a ella, aunque tienes los ojos grises de tu papá.

Me arrodillé junto a la cama y la abracé. Bajo el jersey, sentí sus huesos diminutos y quebradizos.

Una tos desgarradora le sacudió el cuerpo entero.

—Perdona. Son tantos malditos cigarrillos y durante tantos años. Aquí la señorita me los esconde; como si pudieran ponerme peor de lo que estoy.

Caroline se mordió los labios y se colocó junto a la cama.

—Te he traído el café, mamá. A ver si así te olvidas de los cigarrillos.

—Ya, mi única taza. Dichosos médicos. Primero te atiborran con tantas mierdas que no sabes si vienes o vas. Y entonces, cuando ya te tienen atada de las patas traseras, te quitan todo lo que puede ayudarte a pasar el tiempo. Te digo, mujer, que no te veas nunca así.

Tomé la gruesa taza de porcelana de manos de Caroline y se la entregué a Louisa. Le temblaban las manos ligeramente y apretó la taza contra el pecho para afirmarla. Me incorporé sentándome en una silla de respaldo recto cercana a la cama.

—¿Quieres quedarte un rato a solas con Vic, mamá? —preguntó Caroline.

—Sí, claro. Anda, hija. Sé que tienes cosas que hacer.

Cuando la puerta se cerró detrás de Caroline dije:

—Siento de veras verte así.

Hizo un gesto como de desprecio.

—Bah, qué demonios. Estoy harta de pensar en ello, y ya hablo del asunto con los malditos médicos más que suficiente. Quiero que me hables de ti. Sigo todos tus casos cuando aparecen en los papeles. Tu madre estaría muy orgullosa de ti.

Reí.

—No estoy segura. Ella aspiraba a que fuera cantante concertista. O en todo caso una abogada muy cotizada. Puedo imaginármela si viera cómo vivo.

Louisa me puso una mano huesuda sobre el brazo.

—No lo creas, Victoria. No lo creas ni por un instante. Tú sabes cómo era Gabriella; le habría dado su última camisa a un mendigo. Acuérdate cómo me defendió cuando la gente vino a tirar huevos y mierda a mis ventanas. No. Es posible que hubiera querido verte viviendo mejor. Qué demonios, yo también lo quisiera para Caroline. Con su inteligencia, su formación y todo lo demás, podría hacer algo mejor que andar por este agujero. Pero estoy muy orgullosa de ella. Es honrada y trabajadora, y lucha por lo que cree. Y tú eres igual. No, señor. Si Gabriella te viera ahora estaría tan orgullosa como la que más.

—En fin, no podríamos haber salido adelante sin tu ayuda cuando estuvo tan enferma —farfullé, incómoda.

—Mierda, niña. ¿Mi única oportunidad de compensarla por todo lo que había hecho por mí? Aún la veo cuando aquellas señoras tan decentes de San Wenceslao desfilaban ante mi puerta. Gabriella salió como una locomotora y casi las tira al Calumet.

Soltó una carcajada breve y ronca que al convertirse en un ataque de tos la dejó sin resuello y levemente amoratada. Quedó en silencio durante unos minutos, sofocada, con el aliento entrecortado y jadeante.

—Cuesta creer que a la gente le importara tanto una adolescente soltera y preñada, ¿verdad? —dijo al fin—. Tenemos a la mitad de la población sin trabajo en esta comunidad; así es la vida y la muerte, muchacha. Pero en aquel entonces supongo que aquello les parecía el fin del mundo. Hasta mi madre y mi padre, digo, echándome a la calle de aquel modo. —Su expresión se reconcentró un minuto—. Como si fuera todo culpa mía o algo así. Tu madre fue la única que se puso de mi parte. Incluso cuando mis padres cedieron y admitieron por fin que Caroline estaba viva, nunca la perdonaron de verdad por haber nacido ni a mí por traerla al mundo.

Gabriella nunca hacía las cosas a medias: yo la ayudé a cuidar a la criatura para que Louisa pudiera trabajar en el turno de noche de Xerxes. Los días que tenía que llevar a Caroline a casa de sus abuelos eran mi peor tormento. Rígidos, faltos de humor, no me dejaban entrar en la casa a menos que me quitara los zapatos. Un par de veces llegaron incluso a bañar a Caroline fuera antes de admitirla en sus prístinos portales.

Los padres de Louisa andaban tan sólo en torno a los sesenta; la misma edad que tendrían Gabriella y Tony de estar aún vivos. Debido a que Louisa tenía una niña y vivía sola, yo siempre la consideré como parte de la generación de mis padres, pero sólo me llevaba cinco o seis años.

—¿Cuándo has dejado de trabajar? —pregunté. Yo llamaba a Louisa ocasionalmente, cuando mi imaginación culpable evocaba la imagen de Gabriella, pero había pasado bastante tiempo desde la última vez. El sur de Chicago revoloteaba con excesiva angustia en el fondo de mi espíritu para buscar voluntariamente su retorno a mi vida, y hacía dos años que no hablaba con Louisa. En aquel momento no me había dicho nada de sentirse mal.

—Ah, llegué a un punto en que no me tenía en pie; debe hacer alrededor de un año. Así que entonces me pusieron en incapacitación. Ha sido en los últimos seis meses cuando ya no he podido levantarme en absoluto.

Levantó la ropa para descubrir sus piernas. Eran como ramitas, con débiles huesos como de pájaro, pero jaspeadas de gris verdoso como su cara. Las manchas lívidas de sus pies y sus tobillos denunciaban los puntos donde sus venas habían renunciado a transportar más sangre.

—Son los riñones —me dijo—. Los puñeteros no me dejan orinar como es debido. Caroline me lleva dos o tres veces a la semana y me meten en la maldita máquina, que dicen que me limpia, pero entre tú y yo, hija, yo preferiría que me dejaran marchar en paz. —Levantó una mano delgada—. Pero no vayas a contárselo a Caroline; hace todo lo posible para conseguir lo mejor para mí. Y además lo paga la compañía, o sea que no tengo la sensación de esquilmarle los ahorros. No quiero que me tenga por desagradecida.

—No, no —le dije en tono tranquilizador, cubriéndola con la ropa suavemente.

Ella volvió sobre los viejos tiempos de la calle, la época en que sus piernas habían sido esbeltas y fuertes, cuando solía irse a bailar después de salir del trabajo a media noche. Habló de Steve Ferraro, que quería casarse con ella, y de Joey Pankowski, que no quería, y de que si tuviera que volver a vivir, volvería a hacerlo todo igual, porque tenía a Caroline, pero para Caroline anhelaba algo distinto, algo mejor que quedarse en Chicago Sur matándose a trabajar hacia una vejez prematura.

Por fin cogí los dedos huesudos y los apreté suavemente.

—Tengo que irme, Louisa. Hay veinte millas hasta mi casa. Pero volveré.

—Bueno, pues ha sido estupendo volver a verte, niña. —Ladeó la cabeza hacia un lado y sonrió maliciosamente—. Supongo que no podrás arreglártelas para pasarme un paquete de cigarrillos, ¿verdad?

Reí.

—No los toco ni con un remo, Louisa. Eso lo hablas con Caroline.

Le mullí las almohadas y le encendí la televisión antes de marchar para ver a Caroline. Louisa nunca había sido muy amiga del besuqueo, pero me apretó la mano fuertemente durante unos segundos.

3

La guardiana de mi hermana

Caroline estaba sentada en la mesa del comedor, comiendo pollo frito y haciendo anotaciones sobre un gráfico de colores. La pequeña superficie estaba totalmente cubierta por caóticos montones de papeles: informes, revistas, propaganda. Una gran pila cercana a su codo izquierdo oscilaba inestable al borde de la mesa. Al oírme entrar en la habitación, dejó el lápiz.

—Salí a comprar pollo al Kentucky mientras estabas con mamá. ¿Quieres un poco? ¿Qué te ha parecido? Impresionante, ¿no?

Moví la cabeza con consternación.

—Es tremendo verla así. ¿Y tú cómo lo llevas?

Hizo una mueca.

—La cosa no fue tan mal hasta que las piernas dejaron de sostenerla. ¿Te las ha enseñado? Sabía que lo haría. Es terriblemente duro para ella no poderse valer. Para mí lo más difícil fue cuando comprendí que llevaba mucho tiempo enferma antes de que yo me diera cuenta de nada. Ya conoces a mamá; no se queja por nada del mundo, especialmente tratándose de algo tan íntimo como los riñones.

Se pasó una mano grasienta entre sus rizos rebeldes.

—Hasta hace tres años, cuando de repente noté la cantidad de peso que había perdido, no empecé a ver que algo le pasaba. Entonces salió que llevaba mucho tiempo sintiéndose decaída —mareada y eso, los pies se le dormían—, pero no quería decir nada que pudiera poner en peligro su empleo.

La historia me resultaba deprimentemente familiar. La gente del elegante Sector Norte iba al médico cuando se rozaba el dedo del pie, pero en Chicago Sur la gente contaba con tener una vida dura. Eran muchas las personas que sufrían mareos y pérdida de peso; era la clase de cosas que los mayores se guardaban para sí.

—¿Estás contenta con los médicos que la tratan?

Caroline terminó de mordisquear el muslo de pollo y se chupó los dedos.

—No están mal. Vamos a la Ayuda al Cristiano porque es allí donde Xerxes tiene el seguro médico, y hacen todo lo posible. Es decir, no le funcionan nada los riñones —lo llaman fallo renal agudo— y al parecer puede tener algún problema de médula ósea y un principio de enfisema. Ése es realmente nuestro único problema, que no para de pensar en sus dichosos cigarrillos. Demonio, puede que hayan contribuido a ponerla así para empezar.

Yo dije torpemente:

—Si está en tan mal estado, los cigarrillos no la van a poner peor, ¿sabes?

—¡Vic! No le habrás dicho eso a ella, ¿verdad? Tengo ya que pelearme con ella unas diez veces al día. Si creyera que estás de su parte, más me valdría renunciar de una vez. —Dio un enfático manotazo en la mesa; el oscilante montón de papeles voló por el suelo—. Yo estaba segura que por lo menos tú me respaldarías en esto.

—Ya sabes lo que pienso de fumar —le dije molesta—. Creo que Tony estaría vivo hoy si no hubiera tenido un vicio de dos paquetes diarios; aún sigo oyéndole resollar y toser en mis pesadillas. Pero ¿cuánto tiempo va a robarle a la vida de Louisa fumar a estas alturas? Está ahí metida sola, sin más compañía que la tele. Lo único que digo es que le aliviaría mentalmente y no va a agravarle físicamente.

Caroline apretó la boca en una línea inflexible.

—No. No quiero ni hablar de ello.

Suspiré y me agaché para ayudarla con los papeles sueltos. Cuando los tuvimos otra vez reunidos la miré con rece-
lo: había vuelto a caer en su ánimo tenso y abstraído.

—Bueno, ya va siendo hora de que me largue. Espero
que las Tigresas vuelvan a salirse con la suya.

—Yo... Vic. Tengo que hablar contigo. Necesito tu ayuda.

—Caroline, he venido, he brincado con el uniforme de
baloncesto por ti. He visto a Louisa. No es que me sepa mal
el rato que he pasado con ella, pero ¿cuántos puntos más hay
en tu agenda esta noche?

—Quiero contratarte. Profesionalmente. Necesito que
me ayudes como detective —dijo desafiante.

—¿Para qué? ¿Le has dado el dinero de PRECS a la fun-
dación de la Iglesia Cuaresmal y ahora quieres que lo recu-
pere?

—¡Maldita sea, Vic! ¿Podrías dejar de comportarte
como si aún tuviera cinco años y tomarme en serio unos
minutos?

—Si querías contratarme, ¿por qué no me has dicho algo
por teléfono? —pregunté—. Esta aproximación tuya pasito
a pasito no es precisamente la más indicada para que te tome
en serio.

—Quería que vieras a mamá antes de hablarte de esto
—susurró, mirando el gráfico—. Creí que si veías lo mal que
está lo considerarías más importante.

Me senté al borde de la mesa.

—Caroline, dímelo todo de una vez. Te prometo que te
voy a escuchar con la misma seriedad que a cualquier otro
posible cliente. Pero cuéntamelo todo, principio, medio y
fin. Entonces sabremos si realmente necesitas un detective,
si tengo que ser yo, y todo lo demás.

Tomó aliento y dijo rápidamente:

—Quiero que encuentres a mi padre.

Quedé en silencio unos instantes.

—¿No es ése un trabajo de detective? —inquirió.

—¿Sabes quién es? —pregunté suavemente.

—No, eso es en parte lo que quiero que descubras. Ya

ves lo mal que está mamá, Vic. Va a morirse pronto. —Procuró mantener un tono pragmático en la voz, pero le tembló levemente—. Sus padres siempre me han tratado como, no sé, diferente a como tratan a mis primos. Como de segunda clase, creo. Cuando muera quiero tener algo que se parezca a una familia. En fin, es posible que mi padre resulte ser un cretino de mierda. La clase de tipo que sería el que permite que una chica pase por lo que pasó mi madre cuando estaba embarazada. Pero es posible que tenga padres que me quieran. Y si no los tiene, por lo menos yo lo sabría.

—¿Qué dice Louisa? ¿Le has preguntado?

—Por poco me mata. Por poco se mata; se descompuso de tal manera que estuvo a punto de asfixiarse, gritándome que era una desagradecida, que ella se había dejado la vida trabajando por mí, que nunca me faltó de nada, que por qué puñetas tenía que meter las narices en algo que no era asunto mío. Me di cuenta de que con ella no podía atar cabos. Pero tengo que saberlo. Y sé que tú puedes hacerlo.

—Caroline, quizá sea mejor para ti no saberlo. Aun si supiera cómo acometerlo, porque las personas perdidas no figuran demasiado en mi trabajo, si le resulta tan doloroso a Louisa acaso fuera preferible no enterarse.

—¡Tú sabes quién es!, ¿no? —exclamó.

Moví la cabeza.

—No tengo ni idea, no te miento. ¿Por qué creíste que lo sabría?

Bajó los ojos.

—Estoy segura de que mamá se lo dijo a Gabriella. Pensé que quizá Gabriella te lo habría dicho a ti.

Me acerqué para sentarme a su lado.

—Es posible que Louisa se lo dijera a mi madre, pero si lo hizo, no era la clase de cosa que Gabriella creería conveniente comunicarme. Por Dios santo que no sé quién es.

Al oírme decir eso sonrió levemente.

—Entonces, ¿lo buscarás?

Si no la hubiera conocido toda mi vida habría sido más fácil decir que no. Mi especialidad son los delitos financieros. Encontrar personas exige un tipo de destrezas determinado, y cierta clase de contactos que yo nunca me he molestado en cultivar. Y aquel hombre había desaparecido hacía más de un cuarto de siglo.

Pero además de gimotear, de burlarse y pegarse a mí cuando yo no quería, Caroline me había adorado. Cuando me fui a la universidad venía a la estación corriendo si volvía para el fin de semana, con sus trenzas cobrizas revoloteándole alrededor de la cabeza y sus piernas rechonchas trotando con todas sus fuerzas. Hasta se aficionó al baloncesto por mí. A punto estuvo de ahogarse al seguirme un día nadando en el lago Michigan cuando tenía cuatro años. Los recuerdos eran interminables. Sus ojos azules me miraban aún con total confianza. No quería hacerlo, pero no podía evitar corresponderle.

—¿Tienes alguna idea de cómo empezar la búsqueda?

—Bueno, ya sabes. Tuvo que ser alguien que viviera en el Sector Este. Ella no iba a ningún otro sitio. Vamos, ni siquiera había estado en el Loop hasta que tu madre nos llevó allí para ver los adornos de Navidad cuando yo tenía tres años.

El Sector Este era un barrio exclusivamente de blancos al este de Chicago Sur. Estaba separado de la ciudad por el río Calumet, y sus residentes llevaban vidas en gran medida provincianas y endogámicas. Los padres de Louisa seguían viviendo allí en la casa donde ella se había criado.

—Ya es algo —dije animosa—. ¿Cuál calculas tú que sería la población en 1960? ¿Veinte mil personas? Y sólo la mitad eran hombres. Y muchos de ellos niños. ¿Tienes alguna otra idea?

—No —dijo tercamente—. Por eso necesito un detective.

Antes de que pudiera contestar sonó el timbre de la puerta. Caroline consultó su reloj.

—Puede que sea la tía Connie. A veces viene así de tarde. Vuelvo enseguida.

Salió con una carrerita hacia el recibidor. Mientras hablaba con la visita hojeé una revista dedicada a la industria de la eliminación de residuos, preguntándome si sería lo bastante lunática para buscar al padre de Caroline. Miraba fijamente la fotografía de un incinerador gigantesco cuando Caroline volvió a la habitación. Nancy Cleghorn, mi antigua compañera de baloncesto que ahora trabajaba en PRECS, la seguía.

—Qué hay, Vic. Siento irrumpir así, pero quería comentarle una cuestión a Caroline.

Ésta me dirigió una mirada de disculpa y preguntó si me importaría esperar unos minutos antes de concluir.

—En absoluto —dije cortésmente, preguntándome si estaba condenada a pasar la noche en Chicago Sur—. ¿Quieres que me vaya a la otra habitación?

Nancy movió la cabeza negativamente.

—No es privado. Sólo irritante.

Se sentó y se desabrochó el abrigo. Se había quitado el uniforme de baloncesto y llevaba un vestido de color tostado con un pañuelo rojo y se había maquillado, pero con todo seguía teniendo un aspecto desaliñado.

—Llegué a la reunión con tiempo de sobra. Ron me estaba esperando; Ron Kappelman, nuestro abogado —dijo dirigiéndose a mí—, y nos dimos cuenta de que no estábamos en el orden del día. Entonces Ron se fue a hablar con el gordo cretino de Martin O'Gara, diciendo que nosotros habíamos presentado nuestros papeles con mucha antelación y hablado con el secretario por la mañana para cerciorarnos de que nos había incluido. Entonces O'Gara monta todo un número de que no sabe qué demonios está pasando, y llama al secretario del consejo y desaparece un rato. Cuando vuelve nos dice que nuestra solicitud presentaba tantos problemas legales que habían decidido no considerarla para aquella noche.

—Queremos construir aquí una gran planta de reciclaje de disolventes —me explicó Caroline—. Tenemos financiación, incluso terrenos, tenemos productos que han pasado todas las pruebas concebibles de la Agencia de Protección del Medio Ambiente, y tenemos algunos clientes a la puerta: Xerxes y Glow-Rite. Significaría por lo menos cien puestos de trabajo, y la oportunidad de abrir brecha en la mierda que se traga el suelo.

Se volvió nuevamente hacia Nancy.

—¿Entonces cuál es el problema? ¿Qué dijo Ron?

—Estaba tan rabiosa que no me salían las palabras.

Ron estaba tan furioso que me temí que fuera a romperle el pescuezo a O'Gara, si es que lo encontraba debajo de los rollos de grasa. Pero llamó a Dan Zimring, ya sabes, el abogado de la Agencia de Protección del Medio Ambiente. Dan dijo que nos acercáramos a su casa, o sea que nos fuimos y él lo miró todo despacio y dijo que no podía estar mejor.

Nancy se revolvió los cabellos ensortijados de tal modo que se le quedaron alborotadamente encrespados. Tomó distraída un pedazo de pollo.

—Te voy a decir cuál es el problema para mí —estalló Caroline, con las mejillas acaloradas—. Probablemente le llevaron la solicitud a Art Jurshak; ya sabes, cortesía profesional o alguna mandanga de ésas. Creo que él la bloqueó.

—Art Jurshak —repetí—. ¿Sigue siendo concejal aquí? Debe andar por los ciento cincuenta años.

—No, no —dijo Caroline con impaciencia—. Tiene sesenta y tantos. ¿No te parece, Nancy?

—Sesenta y dos, creo —contestó con la boca llena de pollo.

—No hablo de su edad —dijo Caroline con impaciencia—. Digo que Jurshak debe estar intentando bloquear la planta.

Nancy se chupó los dedos. Buscó algún sitio para depositar el hueso y finalmente lo volvió a dejar en la bandeja con el resto del pollo.

—No veo por qué piensas eso, Caroline. Puede haber mucha gente a la que no le apetezca tener aquí un centro de reciclaje.

Caroline la miró con los ojos entornados.

—¿Qué dijo O'Gara? Porque debió dar alguna razón para no darnos audiencia.

Nancy frunció el ceño.

—Dijo que no debíamos hacer propuestas como ésa sin el respaldo de la comunidad. Le dije que la comunidad estaba con nosotros al ciento por ciento, y me preparé para enseñarle copias de todas las peticiones y demás, y entonces soltó una risita simpática y dijo, no al ciento por ciento, que él sabía de personas que no nos apoyaban en absoluto.

—Pero ¿por qué Jurshak? —pregunté, interesada a mi pesar—. ¿Por qué no Xerxes, o la Mafia, o algún competidor de reciclaje de disolventes?

—Por la relación política —contestó Caroline—. O'Gara es presidente de la junta de zonificación porque es amiguete de toda la vieja guardia del Partido Demócrata.

—Pero, Caroline, Art no tiene ningún motivo para hacernos la contra. En nuestra última reunión incluso se comportó como si fuera a apoyarnos.

—No lo dijo con todas las letras —respondió Caroline sombría—. Y lo único que hace falta es alguien dispuesto a ponerle delante de las narices una contribución para la campaña lo bastante sustanciosa para que cambie de opinión.

—Supongo que sí —asintió Nancy con desgana—. Pero simplemente prefiero no pensarlo.

—¿Por qué estás tan a buenas con Jurshak de repente? —inquirió Caroline.

Esta vez le tocó a Nancy ruborizarse.

—No lo estoy. Pero si está en contra de nosotros va a ser casi imposible conseguir que O'Gara nos dé una audiencia. A menos que nos presentemos con un soborno lo bastante grande para hacer reaccionar a Jurshak. Bueno, ¿cómo me entero de quién está contra la planta, Vic? ¿No eres ahora detective o algo así?

La miré frunciendo las cejas y dije apresuradamente:

—O algo así. El problema es que tenéis demasiadas posibilidades en un revoltijo político como éste. La Mafia. Ellos están en muchos de los planes de eliminación de vertidos de Chicago. Quizá se piensen que vais a quitarles el terreno. O Regreso al Edén. Ya sé que en teoría están a favor del medio ambiente de hoz y coz, pero últimamente han estado recogiendo mucho dinero gracias a los gestos teatrales que están haciendo aquí en Chicago Sur. Es posible que no quieran que nadie les estorbe sus tácticas para reunir fondos. O el Distrito Sanitario: puede que les estén untando para que miren a otro lado en la contaminación de la zona y no quieran perder esos ingresos. O puede que Xerxes no...

—¡Ya basta! —protestó—. Desde luego tienes razón. Podrían ser todos o cualquiera de ellos. Pero, de estar en mi lugar, ¿dónde mirarías antes?

—No lo sé —respondí abstraída—. Probablemente me arrimaría a alguien del personal de Jurshak. Para saber si las presiones salían de allí para empezar. Y si fuera así, por qué. Eso te ahorraría el recorrido por un número infinito de posibilidades. Y además no estarías rozándote con personas dispuestas a ponerte unas botas de cemento sólo por preguntar.

—Tú conoces a algunos de los que trabajan con Art, ¿no? —preguntó Caroline a Nancy.

—Sí, sí, claro. —Jugueteó con otro pedazo de pollo—. Pero es que no he querido... En fin. Todo sea por la causa del derecho y la justicia, digo yo.

Cogió su abrigo y se dirigió hacia la puerta. Permaneció unos instantes mirándonos, después apretó los labios con firmeza y salió.

—Pensé que quizá quisieras ayudarla a averiguar quién está contra la planta —dijo Caroline.

—Ya lo sé, encanto. Y aunque sería divertidísimo, mi presupuesto no soporta más que trabajar para un solo cliente en Chicago Sur a la vez.

—¿Significa eso que vas a ayudarme? ¿Que vas a encontrar a mi padre? —Los ojos azules se oscurecieron de emoción—. Tengo para pagarte, Vic. De veras. No te pido que lo hagas gratis. Tengo ahorrados mil dólares.

Mis tarifas normales son de doscientos cincuenta al día, más gastos. Incluso con un veinte por ciento de descuento familiar, tenía la impresión de que a ella se le iba a terminar el dinero antes de que yo terminara mi investigación. Pero nadie me había obligado a aceptar. Yo era un agente libre, gobernada sólo por mis propios caprichos, y por el sentimiento de culpa.

—Te enviaré un contrato para la firma mañana —le dije—. Y no se te ocurra coger el teléfono cada media hora para exigirme resultados. Esto va a tardar.

—No. Vic. No te preocupes —sonrió trémula—. No puedo expresarte lo que significa para mí que me ayudes en esto.

4

Padres e hijos

Aquella noche, en sueños, volví a ver a Caroline de pequeñita, con su cara sonrosada llena de manchones rojos por el llanto. Mi madre estaba detrás de mí encargándome que cuidara a la cría. Cuando desperté a las nueve el sueño gravitaba pesadamente sobre mi cabeza, envolviéndome en un letargo. El trabajo que había aceptado hacer me llenaba de aversión.

Encontrar al padre de Caroline por mil dólares. Encontrar al padre de Caroline en contra de la oposición, rotundamente expresada, de Louisa. Si sus sentimientos por aquel tipo seguían siendo tan violentos a estas alturas, probablemente sería mejor que se quedara sin descubrir. Suponiendo que aún estuviera vivo. Suponiendo que viviera en Chicago y no fuera un viajante de comercio en busca de un poco de diversión a su paso por la ciudad.

Al fin, saqué un pie como de plomo por debajo de la ropa. La habitación estaba fría. El invierno había sido tan suave que había cerrado el radiador para evitar que se cargara el ambiente, pero al parecer la temperatura había bajado por la noche. Volví a meter la pierna bajo la manta unos instantes, pero el movimiento había quebrado la cáscara de mi indolencia. Alcé las ropas con fuerza y me levanté.

Cogiendo una sudadera del montón de ropa de una silla, me apresuré hacia la cocina para prepararme un café. Tal vez hiciera demasiado frío para ir a correr. Abrí la cortina de la ventana que miraba al patio trasero. El cielo era plomizo y un viento del este soplaba desperdicios contra la valla. Iba a soltar la cortina cuando una nariz negra y dos patas aparecieron en la ventana, seguidos de un agudo ladrido. Era Peppy, la perra retreiver dorada que compartía con mi vecino del piso de abajo.

Abrí la puerta, pero no quiso entrar. Por el contrario, brincó en torno al pequeño porche, indicando que el tiempo era perfecto para correr y que hiciera el favor de darme prisa.

«Bueno, ya voy», rezongué. Apagué el agua y fui al salón para hacer mis ejercicios de calentamiento. Peppy no comprendía por qué no me encontraba a punto y lista nada más salir de la cama. Cada pocos minutos lanzaba un ladrido conminatorio desde el fondo. Cuando finalmente aparecí con el chándal y los zapatos de deporte, salió despedida escaleras abajo, volviéndose en cada descansillo para comprobar que seguía aún tras ella. Cuando abrí la puerta del callejón emitió pequeños gruñidos de éxtasis, pese a que hacemos el mismo recorrido juntas tres o cuatro veces a la semana.

A mí me gusta correr unas cinco millas. Dado que esto sobrepasa la capacidad de Peppy, ésta se detiene en un estero cuando llegamos a la altura del lago. Pasa el rato hociqueando patos y ratas almizcleras, revolcándose en el barro o en peces podridos cuando los encuentra, y se lanza hacia mí con la lengua colgando y una sonrisa satisfecha cuando regreso nuevamente hacia el oeste. La última milla hasta casa la hacemos con un trote suave y luego se la entrego a mi vecino. El señor Contreras sacude la cabeza, nos come vivas a las dos por dejar que la perra se ensucie, y después pasa una grata media hora cepillándole el pelo hasta devolverle su reluciente rojo dorado.

Esta mañana, estaba esperando como de costumbre cuando regresamos.

—¿Cómo ha ido la carrera, niña? No habrás dejado a la

perra meterse en el agua, espero. Con este tiempo tan frío no conviene que se moje, ¿sabes?

Permaneció en la puerta dispuesto a charlar indefinidamente. Es maquinista jubilado, y la perra, sus comidas y yo constituimos la mayor parte de su entretenimiento. Yo me escabullí en cuanto pude, pero eran casi las once cuando salí de la ducha. Tomé el desayuno en la alcoba mientras me vestía, sabiendo que si me sentaba con un café y el periódico me daría toda clase de excusas para remolonear. Dejando los platos sobre la cómoda, me puse un pañuelo de lana al cuello, cogí mi bolso y mi chaquetón del recibidor, donde los había tirado la noche anterior, y salí en dirección sur.

El viento batía sobre el lago. Las olas de diez pies de altura se estrellaban contra la barrera rocosa y escupían dedos de agua sobre la carretera. El espectáculo de la naturaleza, iracunda, desdeñosa, me hizo sentir insignificante.

No hubo ni un solo detalle de deterioro que no percibiera mientras seguía la serpenteante carretera hacia el sur. La pintura blanca estaba descascarillada y la puerta de entrada combada en el viejo club de campo Playa del Sur, en su día símbolo de la opulencia y distinción de la zona. De niña, yo imaginaba que al hacerme mayor montaría a caballo por sus reservados caminos de herradura. El recuerdo de semejantes fantasías me produce ahora una cierta vergüenza; los aditamentos de casta no encajan bien en mi conciencia adulta. Pero habría deseado mejor suerte para el club que la de pudrirse lentamente a manos del Distrito Parque, sus actuales e indiferentes propietarios.

El sur de Chicago mismo tenía un aspecto moribundo, con su vida congelada en algún momento cercano a la Segunda Guerra Mundial. Cuando pasé ante la principal zona comercial vi que la mayoría de los establecimientos tenía ahora nombres españoles. Por lo demás, su aspecto era muy parecido al que habían tenido cuando yo era pequeña. Las cochambrosas paredes de cemento seguían enmarcando chabacanos escaparates de vestidos de comunión de nailon blanco, zapatos de vinilo, muebles de plástico. Las mujeres, cubiertas con abrigos raídos, seguían llevando pañolones de algodón en la cabeza, que inclinaban para protegerse del viento. En las esquinas, cerca de las ubicuas tabernas de escaparate, había hombres de mirada vacía y ropas ajadas. Siempre los había habido, pero el masivo paro de las fábricas había hinchado su número a la sazón.

Había olvidado el truco para entrar en el Sector Este y tuve que girar hasta la calle Noventa y cinco, donde un anticuado puente levadizo cruza el río Calumet. Si Chicago Sur no había cambiado desde 1945, el Sector Este se metió en formol cuando Woodrow Wilson era presidente. Cinco puentes forman el único vínculo del barrio con el resto de la ciudad. Sus pobladores viven en un terco aislamiento, intentando recrear las aldeas de Europa oriental de sus abuelos. No miran bien a las personas del otro lado del río; se diría que todo el que vive al norte de la calle Setenta y uno conduce un tanque soviético a juzgar por la recepción que le deparan.

Crucé con el coche bajo las macizas piernas de hormigón de la carretera interestatal hacia la calle Ciento seis. Los padres de Louisa vivían al sur de la Ciento seis, en la calle Ewing. Imaginaba que la madre estaría en casa y esperaba que el padre no estuviera. Se había jubilado hacía unos años de la pequeña imprenta que dirigía, pero tenía muchas ocupaciones en los Caballeros de Colón y en su albergue para Veteranos de Guerras Exteriores, y era posible que estuviera comiendo con los muchachos.

La calle estaba atestada de casitas bien cuidadas levantadas en terrenos obsesivamente aseados. No se veía en la calle ni una brizna de papel. Art Jurshak atendía a esta parte de su distrito con mano amorosa. Regularmente aparecían cuadrillas para la limpieza de las calles o para hacer reparaciones, las aceras se habían construido tres o cuatro pies por encima del nivel original del suelo. En el sur de Chicago había numerosos socavones abiertos donde se había hundido el asfaltado más reciente, pero en el Sector Este no aparecía ni una sola grieta entre aceras y casas. Al salir del coche sentí como si hubiera debido hacerme un fregado quirúrgico antes de visitar esta barriada.

La casa de los Djiak estaba a mitad de manzana. Sus ventanas encortinadas relucían en el aire opaco, y el porche brillaba a fuerza de restregarlo. Pulsé el timbre, intentando hacer acopio de la suficiente energía mental para hablar con los padres de Louisa.

Martha Djiak apareció en la puerta. Su rostro cuadrado y surcado de arrugas estaba plantado en un ceño apropiado para despedir vendedores ambulantes. Tras unos momentos me reconoció y el ceño se aligeró levemente. Abrió la puerta interior dejando cerrada la contrapuerta. Vi que llevaba un delantal cubriéndole el delantero replanchado del vestido; jamás la había visto en casa sin delantal.

—Vaya, Victoria. Ha pasado mucho tiempo desde la última vez que trajiste a la pequeña Caroline a hacernos una visita, ¿verdad?

—Sí, desde luego —asentí apáticamente.

Louisa no permitía a Caroline que fuera a casa de los abuelos sola. Si ella o Gabriella no podían llevarla, me daban cincuenta centavos para el autobús y cuidaban de encargarme que me quedara con Caroline hasta que llegara la hora de volver a casa. Yo nunca entendí por qué la señora Djiak no podía venir a buscar a Caroline. Quizá Louisa temiera que su madre intentara retener a la niña para que no se criara con una madre soltera.

—Ya que estás aquí, quizá te apetezca una taza de café.

El tono no era efusivo, pero ella nunca fue muy expresiva. Acepté con todo el ánimo que pude reunir y me abrió la contrapuerta con cuidado de no tocar el cristal con la mano. Yo me deslicé en el interior todo lo discretamente que pude, recordando quitarme los zapatos en el diminuto recibidor antes de seguirla hasta la cocina.

Como yo había esperado, estaba sola. La tabla de planchar estaba abierta ante la cocina con una camisa extendida encima. Dobló la camisa, la dejó en la cesta de la ropa, y plegó la tabla con movimientos rápidos y silenciosos. Cuando todo estuvo guardado en el minúsculo recodo a espaldas de la nevera, puso agua a hervir.

—He hablado con Louisa esta mañana. Me dijo que habías ido a verla ayer.

—Sí —afirmé—. Es duro ver a una persona tan activa postrada de esa manera.

La señora Djiak echó cucharadas de café a la cafetera.

—Hay muchas personas que sufren más con menos motivo.

—Y muchas personas llevan vidas como la de Atila, rey de los hunos, y nunca tienen ni un grano. Así son las cosas, ¿no?

Tomó dos tazas de un estante y las colocó escrupulosamente en la mesa.

—Me han dicho que ahora eres detective. No parece un trabajo muy femenino, ¿verdad? Es como Caroline, trabajando en el desarrollo de la comunidad, o como ella lo llame. No entiendo por qué vosotras dos no os habéis casado, y tenéis una casa, una familia.

—Supongo que porque estamos esperando a que llegue un hombre que sea tan estupendo como el señor Djiak —dije.

Me miró con seriedad.

—Eso es lo malo de vosotras. Os creéis que la vida es romántica, como aparece en las películas. Un hombre formal que traiga la paga todos los viernes vale mucho más que todas las cenas elegantes y las flores.

—¿Era ése también el problema de Louisa? —pregunté en voz queda.

Apretó los labios en una línea delgada y volvió a la cafetera.

—Louisa tenía otros problemas —dijo brevemente.

—¿Como cuáles?

Bajó un azucarero con tapa del armario que había sobre la cocina y lo puso en medio de la mesa con una jarrita de crema. No dijo nada hasta no terminar de servir el café.

—Los problemas de Louisa ya son viejos. Y nunca han sido asunto tuyo.

—¿Y de Caroline? ¿Le atañen algo a ella? —Tomé un sorbo del café cargado que Louisa seguía preparando al antiguo estilo europeo.

—No tienen nada que ver con ella. Mejor le habría ido si hubiera aprendido a no meter las narices en los armarios de los demás.

—El pasado de Louisa tiene mucho que ver con Caroline. Louisa se está muriendo y Caroline se siente muy sola. Quiere saber quién es su padre.

—¿Y por eso has venido? ¿Para ayudarla a remover toda esa basura? Debía avergonzarse de no tener padre, en vez de hablarlo con todo el mundo.

—¿Qué tiene que hacer? —pregunté con impaciencia—. ¿Matarse porque Louisa no se casara con el hombre que la dejó preñada? Cualquiera diría que fue todo culpa de Louisa y Caroline. Louisa tenía dieciséis años; quince cuando se quedó embarazada. ¿No cree que el hombre tuvo alguna responsabilidad en el asunto?

Apretó la taza con tal fuerza que temí que la porcelana fuera a quebrarse.

—Los hombres... se controlan con dificultad. Eso se sabe —dijo con voz apagada—. Louisa debió provocarle. Pero nunca quiso admitirlo.

—Lo único que quiero saber es su nombre —dije con toda la calma posible—. Creo que Caroline tiene derecho a saberlo si lo desea. Y derecho a saber si la familia de su padre le puede dar algo de afecto.

—¡Derechos! —exclamó amargamente—. ¡Los derechos de Caroline! ¡Los de Louisa! ¿Y el derecho a una vida tranquila y decente? Eres igual que tu madre.

—Sí —dije—. Para mí eso es un cumplido.

A mi espalda alguien giró una llave en la puerta trasera. Martha palideció levemente y dejó la taza de café.

—No hables de nada de esto delante de él —me dijo apremiante—. Dile que habías ido a ver a Louisa y te has pasado por aquí. Prométemelo, Victoria.

Hice un gesto agrio.

—Bueno, en fin, si no hay más remedio.

Cuando Ed Djiak entró en la habitación, Martha dijo alegremente:

—¿Ves quién ha venido a vernos? ¡Quién diría que es aquella misma Victoria pequeñita!

Ed Djiak era alto. Las líneas de su cara y su cuerpo eran alargadas, como un cuadro de Modigliani, desde su rostro largo y cavernoso hasta sus dedos, largos también, colgantes. Caroline y Louisa habían heredado el atractivo porte, bajo y anguloso, de Martha. Dios sabe de quién habían heredado su temperamento vivo.

—De modo, Victoria, que fuiste a la Universidad de Chicago y te hiciste demasiado buena para el viejo barrio, ¿eh? —Carraspeó y colocó una bolsa de comida sobre la mesa—. Traigo las manzanas y las chuletas de cerdo, pero las judías no tenían buen aspecto y no las he comprado.

Martha sacó los alimentos rápidamente y los guardó, además de la bolsa, en sus compartimientos correspondientes.

—Victoria y yo estábamos tomándonos un café, Ed. ¿Quieres una taza?

—¿Crees que soy una vieja dama que bebe café a mitad del día? Dame una cerveza.

Se sentó en el extremo de la pequeña mesa. Martha se desplazó hasta la nevera, que estaba inmediatamente al lado de su marido, y sacó una Pabst de la bandeja inferior. La escanció con cuidado en una jarra de cristal y tiró la lata a la basura.

—He estado viendo a Louisa —le dije—. Siento verla en tan mal estado. Pero tiene un ánimo impresionante.

—Nosotros hemos sufrido por su culpa durante veinticinco años. Ahora le toca a ella sufrir un poco, ¿no? —Fijó sus ojos en mí con mirada burlona, iracunda.

—Dígamelo con todas las letras, señor Djiak —dije en tono ofensivo—. ¿Qué es lo que ha hecho para hacerles sufrir tanto?

Martha emitió un ruido leve con la garganta.

—Victoria trabaja de detective ahora, Ed. ¿No te parece estupendo?

Él no le prestó la menor atención.

—Eres igual que tu madre, ¿sabes? Se comportaba como si Louisa fuera una especie de santa, en vez de la puta que en realidad era. Tú no eres mejor. ¿Que qué me hizo? Se preñó. Usó mi nombre. Se quedó en el barrio exhibiendo a la niña en lugar de irse con las hermanas como habíamos dispuesto que hiciera.

—¿Louisa se preñó? —repetí—. En el sótano con una espátula de cocina, supongo. ¿No participó ningún hombre?

Martha se tragó el aliento nerviosamente.

—Victoria. No nos gusta hablar de esas cosas.

—No, no nos gusta —corroboró Ed desabridamente, volviéndose hacia ella—. Tu hija. No pudiste controlarla. Veinticinco años se pasaron los vecinos murmurando a mi espalda, y ahora tengo que aguantar que me insulte en mi propia casa la hija de esa zorra italiana.

Sentí que me subía el calor a la cara.

—Es usted repugnante, Djiak. Le aterran las mujeres. Odia a su propia mujer y a su hija. No me extraña que Louisa buscara algo de afecto en otra persona. ¿Quién le jaleó tanto? ¿El cura de su parroquia?

Se levantó con fuerza de la mesa, tirando la jarra de cerveza, y me golpeó en la boca.

—¡Sal de esta casa, zorra asquerosa! ¡No se te ocurra volver con tu mente depravada y tu lengua corrompida!

Me levanté despacio y fui hasta quedar frente a él, con la cara lo bastante cerca a la suya para oler la cerveza en su aliento.

—*No* te tolero que insultes a mi madre, Djiak. Cualquier otra inmundicia de esa letrina que tienes por cabeza la paso. Pero si vuelves a insultar a mi madre otra vez delante de mí te rompo el pescuezo.

Fijé en él mi mirada fiera hasta que volvió la cabeza inquieto.

—Adiós, señora Djiak. Gracias por el café.

Ella estaba de rodillas secando el suelo cuando llegué a la puerta de la cocina. La cerveza me había empapado los calcetines. En el recibidor me detuve para quitármelos, metiendo los pies desnudos en los deportivos. La señora Djiak vino detrás, limpiando mis huellas húmedas.

—Te rogué que no le hablaras de eso, Victoria.

—Señora Djiak, lo único que quiero es el nombre del padre de Caroline. Dígamelo y no volveré a molestarles.

—No vuelvas. Ed llamará a la policía. O hasta te puede descargar un tiro él mismo.

—Ya. Bueno, la próxima vez que venga traeré la pistola. —Saqué una tarjeta del bolso—. Llámeme si cambia de opinión.

No dijo nada, pero tomó la tarjeta y se la guardó en el bolsillo del delantal. Abrí la puerta inmaculada y la dejé en la entrada con el ceño fruncido.

5

Los sencillos goces de la infancia

Permanecí sentada en el coche un largo rato antes de que mi ira fuera apaciguándose y mi respiración volviera a la normalidad. «¡Cuánto nos ha hecho sufrir!», parodié con saña. Pobre adolescente, asustada, valerosa. Qué coraje no tendría que haber reunido simplemente para decir a los Djiak que estaba embarazada, no digamos ya para no ir al hogar de madres solteras que le habían buscado. Algunas compañeras mías de escuela con menor resistencia que ella regresaron contando historias espantosas de trabajo agotador, habitaciones espartanas y mala alimentación, un castigo de nueve meses bien dosificado por las monjas.

Me sentí ferozmente orgullosa de mi madre por haberse enfrentado a sus pontificantes vecinos. Recuerdo la noche que desfilaron ante la casa de Louisa, arrojando huevos y vociferando insultos. Gabriella salió al porche delantero y los humilló cara a cara. «Sois cristianos, ¿no?», les dijo en su inglés de fuerte acento extranjero. «Pues vuestro Cristo va a sentirse muy orgulloso de vosotros esta noche.»

Los pies desnudos estaban empezando a helárseme dentro de los zapatos. El frío fue devolviéndome poco a poco la serenidad. Encendí el coche y abrí la calefacción. Cuando tuve los pies calientes me dirigí hacia la calle Ciento doce y giré al oeste hasta la avenida L. La hermana de

Louisa, Connie, vivía allí con su marido, Mike, y sus cinco hijos. Ya que estaba peinando el Sector Sur podía incluirla a ella.

Connie tenía cinco años más que Louisa, pero seguía viviendo con sus padres cuando su hermana se quedó embarazada. En el Sector Sur vivías en casa hasta que te casabas. En el caso de Connie, vivió con sus padres aun después de casarse hasta que ella y su marido tuvieron dinero ahorrado para una casa propia. Cuando al fin compraron una de tres dormitorios, ella dejó el trabajo para dedicarse a ser madre: otra tradición del Sector Sur.

Comparada con su madre, Connie era una mujer bastante desaseada. Había una pelota de baloncesto en el diminuto césped delantero, y hasta mi mirada inexperta podía detectar que el porche no se había fregado en el pasado reciente. Pero los cristales de la contrapuerta y de las ventanas frontales relucían sin una sola raya, y ni una huella de dedos desfiguraba la madera de sus marcos.

Connie apareció en la puerta cuando toqué el timbre. Sonrió al verme, pero nerviosamente, como si sus padres la hubieran llamado para advertirle que pasaría por allí.

—Ah. Ah, eres tú, Vic. Yo... estaba a punto de irme a la tienda, en realidad.

Su rostro largo y anguloso no era apto para la mentira. Su piel, rosada y pecosa como la de su sobrina, enrojeció al hablar.

—Es una pena —dije secamente—. Hace diez años que no nos vemos. Tenía esperanzas de ponerme al día con los niños y Mike, y demás.

Permaneció con la puerta abierta.

—Ah. Has ido a ver a Louisa, ¿no? Mamá... mamá me ha dicho que no está muy bien.

—Louisa está en un estado terrible. Por lo que dice Caroline, creo que no se puede hacer nada por ella salvo intentar mantenerla cómoda. Me hubiera gustado que alguien me informara antes; habría venido hace meses.

—Lo siento... no creímos... Louisa no quería molestarte,

y mamá no quería... no creía. —Se interrumpió, sonrojándose más intensamente que nunca.

—Tu madre no quería que viniera a remover el cotarro. Lo comprendo. Pero aquí estoy, y voy a hacerlo de todos modos, o sea que por qué no aplazas cinco minutos tu visita a la tienda y hablas conmigo.

Tiré de la contrapuerta hacía mí mientras hablaba y me acerqué a ella con un ademán que yo pretendía que fuera apaciguador y persuasivo. Connie retrocedió vacilante. La seguí al interior de la casa.

—Esto... ¿quieres una taza de café? —Se retorcía las manos como una colegiala frente a un maestro severo, no como una mujer que araña los cincuenta con una vida propia.

—Un café me parece estupendo —dije animosa, esperando que mis riñones pudieran asimilar una taza más.

—La casa está hecha un desastre —dijo Connie disculpándose, mientras recogía un par de zapatillas de gimnasia que estaban a la puerta.

Yo jamás digo una cosa así a las visitas; ya es evidente que no he colgado la ropa ni he sacado los periódicos ni pasado el aspirador en dos semanas. En el caso de Connie, no se veía de qué podía estar hablando aparte de las zapatillas de gimnasia. Los suelos estaban fregados, las sillas colocadas en ángulos rectos entre sí, y no había ni un libro ni un papel que desfigurara la estantería del salón que cruzábamos para dirigirnos hacia la parte trasera de la casa.

Me senté ante la mesa de formica verde mientras Connie llenaba la cafetera eléctrica. Esta pequeña desviación de su madre me alentó levemente: si era capaz de pasar del pucherillo a la cafetera de filtro, quién sabe hasta dónde estaría dispuesta a llegar.

—Tú y Louisa no os habéis parecido nunca, ¿verdad? —pregunté bruscamente.

Volvió a enrojecer.

—Ella era la guapa. La gente espera menos de ti si eres guapa.

La conmovedora torpeza de su respuesta resultó casi insoportable.

—¿Es que tu madre no la hacía ayudar en casa?

—Bueno, es que era más pequeña. Tenía que hacer menos cosas que yo. Pero ya conoces a mamá. En casa se limpiaba todo, todos los días, se usara o no. Cuando se enfadaba con nosotras nos hacía fregar las pilas y los retretes por debajo. Yo juré que mis hijas nunca tendrían que hacer esas cosas. —Apretó los labios en una línea dura de agravios revividos.

—No tiene ninguna gracia —dije consternada—. ¿Y te parece que Louisa te dejó cargar con el muerto demasiadas veces?

Sacudió la cabeza.

—No era tanto culpa suya como de la forma en que la trataban. Ahora lo comprendo. ¿Sabes?, Louisa podía ser respondona y a mi padre le parecía gracioso. Por lo menos cuando era pequeña. Pero ni siquiera a ella se lo toleró cuando creció.

—Y al hermano de mi madre le gustaba ver cantar y bailar a Louisa cuando venía. Era tan menuda y tan mona que era como tener una muñeca en casa. Cuando se hizo mayor, ya era demasiado tarde, claro. Para meterla en cintura, quiero decir.

—Pues lo hicieron a fondo —comenté—. Con lo de echarla de casa y todo lo demás. Aquello debió de asustarte a ti también.

—Sí, mucho. —Se frotaba las manos una y otra vez con el paño que había cogido para secar la pequeña mancha de agua que había quedado al llenar la cafetera—. Al principio, ni siquiera me dijeron lo que pasaba.

—¿Quieres decir que no sabías que estaba embarazada? —pregunté con incredulidad.

Se sonrojó tan fuertemente que creí que la piel iba a empezar a rezumarle sangre.

—Sé que no vas a entenderlo —dijo con una voz que era poco más que un susurro—. Tú hacías una vida tan distinta.

Tuviste novios antes de casarte. Lo sé por mamá... mamá sigue un poco tu vida.

—Pero cuando Mike y yo nos casamos, yo ni siquiera sabía... no sabía... yo... las monjas no hablaban de esas cosas en el colegio. Mamá, claro, no podía... no podía decir una palabra. Si Louisa dejó de tener el... el período... no me habría dicho nada. De todos modos es probable que ni supiera lo que significaba.

Le brotaron lágrimas a los ojos sin quererlo. Sus hombros se agitaron al intentar contener los sollozos. Se enrolló las manos con el paño tan fuertemente que las venas de los brazos se le hincharon. Me levanté de la silla y le puse una mano sobre los hombros trémulos. No se movió, ni dijo nada, pero tras unos minutos se apaciguaron las convulsiones y su respiración se hizo más normal.

—¿O sea que Louisa se quedó embarazada porque no sabía lo que hacía o que podía venirle un niño?

Asintió con la cabeza en silencio.

—¿Sabes quién pudo haber sido el padre? —pregunté suavemente, sin quitarle la mano del hombro.

Movió la cabeza.

—Papá... no nos dejaba salir con chicos. Decía que no había pagado tanto dinero para llevarnos a un colegio católico para que luego anduviéramos... anduviéramos persiguiendo muchachos. A muchos chicos les gustaba Louisa, claro, pero ella... no habría estado saliendo con ninguno de ellos.

—¿Recuerdas los nombres de alguno de ellos?

Volvió a mover la cabeza.

—No; hace tanto tiempo. Sé que el dependiente de la tienda de ultramarinos le compraba refrescos cuando Louisa iba. Creo que se llamaba Ralph. Ralph Sow-no sé qué más. Sower o Sowling o algo así.

Se volvió hacia la cafetera.

—Vic, lo terrible es... yo le tenía tantos celos que, al principio, me alegré de que estuviera metida en un lío.

—Dios, Connie, supongo que sí. Si yo tuviera una hermana de la que todo el mundo dijera que era más guapa que yo, y a la que achucharan y mimaran mientras a mí me mandaban a misa, le habría metido un hacha en la cabeza en vez de esperar a que se quedara embarazada y la echaran de casa.

Se volvió para mirarme asombrada.

—¡Pero, Vic! Tú eres tan... tan serena. Nada te hacía mella. Ni siquiera cuando tenías quince años. Cuando tu madre murió, mamá dijo que Dios te había dado una piedra por corazón, porque estuviste calmadísima. —Se cubrió la boca con la mano, mortificada, y empezó a disculparse.

—Qué coño, no me daba la gana de lloriquear en público delante de todas aquellas mujeres como tu madre, que nunca dijeron ni una buena palabra de Gabriella —dije, herida—. Pero créeme que en privado lloré todo lo que quise. Y, además, Connie, de eso se trata. Mis padres me querían. Creían que podía hacer lo que me propusiera. Por eso, aunque pierda los estribos unas cien veces a la semana, no es lo mismo que si hubiera tenido que pasarme la vida oyendo a mis padres decirme lo estupenda que era mi hermana pequeña y que yo era un asco. Tranquilízate, Connie. Deja tu alma en paz.

Me miró titubeante.

—¿Lo dices de verdad? ¿A pesar de lo que acabo de decir y esas cosas?

La cogí por los hombros y la volví para mirarla de frente.

—Lo digo de verdad, Connie. ¿Y ahora qué tal si nos tomamos el café?

Después charlamos sobre Mike y su trabajo en la planta de manipulación de residuos, y del joven Mike y su afición a jugar al fútbol, y de sus tres hijas, y del más pequeño que tenía ocho años y era tan inteligente que realmente creía que debían procurar mandarle a la universidad, aunque a Mike le ponía nervioso porque decía que la universidad hacía creer a las personas que estaban por encima de sus padres y de su barrio. Este último comentario me hizo sonreír interiormente —imaginaba la voz de Ed Djiak advirtiendo a Connie: «¿No querrás que el niño salga como Victoria, verdad?»—, pero escuché pacientemente durante cuarenta y cinco minutos antes de correr la silla hacia atrás y ponerme en pie.

—Ha sido estupendo volver a verte, Vic. Me... alegro de que vinieras —me dijo en la puerta.

—Gracias, Connie. Que te vaya bien. Y saluda a Mike de mi parte.

Volví al coche lentamente. El talón del zapato izquierdo me rozaba el tobillo. Saboreé aquel dolor como tiendes a hacer cuando te sientes como una rata. Un poco de dolor: son los dioses que te permiten expiar el daño que has causado.

¿Cómo me había enterado yo de las cosas de la vida? Un poco en los vestuarios del colegio, otro poco por Gabriella, otro por la entrenadora del equipo de baloncesto, una mujer tranquila y sensata menos en el campo de juego. ¿Cómo se las arreglaría Connie en la escuela superior para que ninguna de sus amigas le diera alguna pista? La recordaba a los catorce años, alta, desgarbada, tímida. Quizá no tuviera ninguna amiga.

Eran sólo las dos. Tenía la sensación de haberme pasado un día entero cargando cajas en el muelle en lugar de unas cuantas horas bebiendo café con antiguas amistades del barrio. Me sentía como si ya me hubiera ganado los mil dólares, y no sabía siquiera dónde empezar a buscar. Metí la marcha del coche y me dirigí otra vez hacia tierra firme.

Seguía teniendo húmedos los calcetines; llenaban el coche de olor a cerveza y sudor, pero cuando abrí la ventanilla el aire frío me resultó excesivo para los pies descalzos. Mi irritación aumento con las molestias; lo que quería era detenerme en una gasolinera y llamar a Caroline a PRECS para decirle que no había trato. Fuera lo que fuera lo que su madre hubiera hecho hacía un cuarto de siglo sería mejor dejarlo discretamente en paz. Desgraciadamente, me encontré girando en la calle Houston cuando debiera haber seguido hacia el norte, la carretera del lago y la liberación.

El lugar tenía peor aspecto a la luz del día que por la noche. Había coches estacionados en todo espacio posible. Uno había sido abandonado en la calle, con manchas negras en el capó y el parabrisas donde el fuego había abrasado el bloque del motor. Dejé el Chevy frente a una toma de agua. Si las patrullas de tráfico eran aquí tan asiduas como los barrenderos, probablemente podría dejarlo allí hasta el día del juicio sin que me multaran.

Fui hacia la parte trasera, donde Louisa solía dejar una llave sobre la cornisa del pequeño porche. Allí seguía. Al abrir la puerta, una cortina se agitó bruscamente en la casa de al lado. En pocos minutos toda la manzana sabría que una desconocida había entrado en casa de los Djiak.

Oí voces en el interior de la casa y saludé en voz alta para que supieran que estaba allí. Cuando llegué a la habitación de Louisa comprobé que tenía la televisión a todo volumen; lo que yo había tomado por visitas era sólo la serie *Hospital General*. Llamé con los nudillos con todas mis fuerzas. El volumen bajó y la voz chirriante de Louisa contestó:

—¿Eres tú, Connie?

Abrí la puerta.

—Soy yo, Louisa. ¿Cómo vas?

Su rostro delgado se iluminó con una sonrisa.

—Bien, bien, mujer. Entra. Ponte cómoda. ¿Qué tal?

Acerqué a su cama la silla de respaldo recto.

—Acabo de hacer una visita a Connie y a tus padres.

—¿Ah, sí? —Me miró con cautela—. Madre no fue nunca lo que se dice hincha tuya. ¿Qué andas buscando, pequeña Warshawski?

—Repartir alegría y verdad. ¿Por qué detestaba tanto tu madre a Gabriella, Louisa?

Encogió los hombros huesudos bajo la rebeca.

—Gabriella no era muy partidaria de la hipocresía. No se calló lo que pensaba de que mamá y papá me pusieran en la calle.

—¿Por qué lo hicieron? —pregunté—. ¿Se enfadaron contigo sólo por estar embarazada, o tenían algo en particular contra el muchacho... el padre?

Durante unos minutos permaneció callada, con la mirada fija en la televisión. Finalmente se volvió hacia mí.

—Tendría que sacarte de casa con una patada en el culo por meterte en eso. —Tenía la voz calmada—. Pero sé lo que ha pasado. Conozco a Caroline y sé que siempre has comido de su mano. Fue ella quien te hizo venir, ¿verdad? Quiere saber quién fue su padre. La muy desgraciada, terca, mimada. Cuando yo la puse verde te llamó a ti. ¿No es así?

Yo tenía la cara caliente de vergüenza, pero le dije dulcemente:

—¿No crees que tiene derecho a saberlo?

Apretó los labios fuertemente.

—Hace veintisiete años un puñetero malnacido quiso destrozarme la vida. No quiero que Caroline se acerque siquiera a él. Y si tú eres la hija de tu madre, Victoria, harás lo posible por evitar que Caroline fisgue en ese asunto en lugar de ayudarla.

Le brotaron lágrimas a los ojos.

—Quiero mucho a esa cría. Parece como si la estuviera pegando o echándola a la calle. Hice todo lo que pude para conseguir que probara una vida distinta a la mía y no estoy dispuesta a que se vaya todo por la alcantarilla.

—Lo has hecho estupendamente, Louisa. Pero ya es mayor. No necesita protección. ¿No puedes dejar que tome su propia decisión en este asunto?

—¡Maldita sea, no, Victoria! ¡Y si vas a seguir con el tema, te largas de aquí y no vuelvas!

El rostro se le enrojeció bajo su pátina verdosa y empezó a toser. Era mi día de apuntarme tantos con las mujeres Djiak, consiguiendo enfurecerlas a todas en orden descendente de edad. No me faltaba más que decirle a Caroline que abandonaba para hacer el completo.

Esperé a que se calmara el paroxismo, y después llevé la conversación suavemente hacia temas que eran del gusto de Louisa, hacia sus años jóvenes después del nacimiento de Caroline. Después de hablar con Connie comprendía por qué Louisa los había disfrutado como un tiempo de libertad y diversión.

Finalmente me marché hacia las cuatro. Durante todo el

trayecto de vuelta a casa metida en el tráfico de hora punta, escuché las voces de Caroline y Louisa debatir en mi imaginación. Entendía el fuerte anhelo de Louisa de proteger su intimidad. Se estaba muriendo, además, lo cual prestaba mayor peso a sus deseos.

Al mismo tiempo era sensible al temor de Caroline al aislamiento y la soledad. Y después de haber visto de cerca a los Djiak, comprendía que quisiera encontrar otros parientes. Incluso si su padre resultaba ser un verdadero canalla, no podía tener una familia más demente que la que Caroline ya conocía.

Por último decidí buscar a los dos hombres de los que Louisa había hablado anoche y aquella tarde: Steve Ferraro y Joey Pankowski. Trabajaban juntos en la empresa Xerxes, y era posible que ella hubiera conseguido su empleo a través de su amante. Intentaría, asimismo, localizar al dependiente de ultramarinos que había mencionado Connie, Ron Sowling o como se llamara. El Sector Este era una barriada tan estable, tan inmutable, que cabía la posibilidad de que la tienda siguiera perteneciendo a las mismas personas y que recordaran a Ron y a Louisa. Si Ed Djiak se había pasado por allí haciendo de padre duro, puede que hubiera dejado un recuerdo indeleble.

El tomar una decisión, aunque sea una componenda, siempre produce un cierto alivio. Llamé a un viejo amigo y pasé una noche muy grata en la avenida Lincoln. La ampolla de mi tobillo izquierdo no me impidió bailar hasta después de medianoche.

6

La fábrica del Calumet

Por la mañana me preparé temprano, al menos temprano para mí. Hacia las nueve había hecho ya mis ejercicios. Saltándome la carrera, me vestí para el mundo corporativo con un traje sastre azul marino que en teoría debía darme un aspecto decidido y competente. Endurecí mi corazón a los inoportunos ladridos de Peppy y me dirigí hacia el Sector Sur por tercer día consecutivo. En lugar de seguir por el lago, aquella mañana fui por el oeste siguiendo una autovía que me descargaría en el Distrito Industrial del Calumet.

Ha pasado más de un siglo desde que el Cuerpo de Ingenieros del Ejército y George Pullman decidieran convertir en centro industrial el extenso e irregular marjal entre el lago Calumet y el lago Michigan. No fue solamente Pullman, claro está: Andrew Carnegie, el juez Gary y una hueste de caciques menores participaron también, trabajando el asunto entre sesenta y setenta años. Habían cogido una zona de unas cuatro millas cuadradas y la habían llenado de tierra, de arcilla extraída del lago Calumet, de fenoles, crudos, sulfato ferroso y otras mil sustancias de las que ni sabía nada ni quería saberlo.

Cuando salí de la autovía a la calle Ciento tres, tuve la conocida sensación de estar aterrizando en la luna, o de volver a la tierra tras una carnicería nuclear. Es posible que haya vida en el cieno oleaginoso que rodea el lago Calumet, pero no es del tipo que pueda identificarse fuera del microscopio o de una película de Steven Spielberg. No se ven árboles ni hierba ni pájaros. Solamente algún que otro perro asilvestrado, con las costillas protuberantes y los ojos enrojecidos por la locura y el hambre.

Las instalaciones de Xerxes estaban en el centro de aquel antiguo cenagal, en la calle Ciento diez, al este de Torrence. El edificio era antiguo, levantado a principios de los cincuenta. Desde la carretera vi su letrero. XERXES. REY DE LOS DISOLVENTES. El color púrpura había decaído en un rosa indefinido, mientras que el logotipo, una corona con una X doble dentro, prácticamente había desaparecido.

Construida con bloques de cemento, esta planta tenía la forma de una U gigantesca cuyos brazos entraban en el río Calumet. De aquel modo, los disolventes fabricados en ella podían transportarse fácilmente en barcazas y los productos residuales echarse al río. Ya no los vierten en el río, claro está: cuando se aprobó la Ley de Limpieza de Aguas, Xerxes practicó unas enormes lagunas en el río para depositar sus residuos, con paredes de arcilla que proporcionaban una precaria barrera entre el río y las toxinas.

Aparqué el coche en el patio de grava y me abrí paso con cuidado entre surcos grasientos hasta una entrada lateral. El fuerte olor, que recordaba al de un cuarto de revelar, no había cambiado desde los tiempos en que iba en el coche con mi padre para dejar a Louisa si había perdido el autobús.

No había estado nunca en el interior de la fábrica. En lugar del horno atestado y ruidoso de mi imaginación, me hallé en un corredor vacío. Era largo y mal alumbrado, con suelo de cemento y paredes de ladrillos de ceniza que ascendían toda la altura del edificio, produciéndome la impresión de encontrarme en el fondo de un pozo de mina.

Siguiendo un brazo de la U en dirección al río, llegué al fin hasta una serie de cubículos abiertos en la pared. Las separaciones estaban hechas del cristal esmerilado que se emplea en las mamparas de ducha; veía luz y movimientos a través de ellas pero no distinguía formas. Llamé en la puerta del centro. No abriéndome nadie giré el pomo y entré.

Allí penetré en una combadura del tiempo, una habitación larga y estrecha cuyo mobiliario no parecía haber cambiado desde que se construyera el edificio hacía treinta y cinco años. Las paredes estaban forradas de archivadores de un verde oliva deslustrado y de escritorios metálicos pavonados de gris colocados en sentido transversal a las puertas. Del techo de placas antisonoras pendían tubos fluorescentes. Todas las demás puertas daban a esta habitación pero estaban cegadas con archivadores.

Cuatro mujeres de edad mediana con guardapolvos morados estaban sentadas ante los escritorios. Trabajaban sobre inmensas balas de papel con una tenacidad digna de Sísifo, apuntando partidas, repasando facturas y sirviéndose de máquinas de sumar anticuadas con dedos experimentados y rechonchos. Dos estaban fumando. El olor de los cigarrillos se mezclaba con el aroma químico a cuarto oscuro en acre armonía.

—Perdonen la interrupción —dije—. Estoy buscando la oficina de personal.

La mujer más cercana a la puerta dirigió hacia mí sus ojos cargados e indiferentes.

—No quieren contratar a nadie.

Volvió a sus papeles.

—No busco trabajo —dije pacientemente—. Solamente quiero hablar con el jefe de personal.

Las cuatro levantaron la mirada hacia mí, sopesando mi traje, mi relativa juventud, intentando dilucidar si era de una agencia estatal o medioambiental. La mujer que había hablado indicó con una sacudida de su cabello castaño descolorido hacia una puerta frente a la que me había dado acceso.

—Hay que cruzar la fábrica —dijo lacónicamente.

—¿Puedo llegar por el interior o tengo que salir?

Una de las fumadoras dejó su cigarrillo con desgana y se puso en pie.

—Yo la llevo —dijo con voz ronca.

Las demás miraron hacia el trasnochado reloj eléctrico frente a sus mesas.

—¿Vas a parar entonces? —preguntó una mujer flácida desde el fondo.

Mi guía se encogió de hombros.

—Pues sí.

Las demás parecieron mortificadas: había sido más rápida que ellas en pensar otro modo de escatimarle cinco minutos al sistema. Una de ellas corrió atrás su silla esperanzada, pero la primera en hablar dijo severamente:

—Con una basta para eso. —Y la rebelde en potencia volvió a su puesto rápidamente.

Seguí a mi guía saliendo por la segunda puerta. Al otro lado se encontraba el infierno que yo había temido cuando en un principio entré en la fábrica. Nos hallábamos en un espacio débilmente alumbrado que se extendía a todo lo largo del edificio. Por el techo corrían tubos de acero inoxidable que a tramos iban por debajo, de tal modo que te sentías suspendido en una especie de laberinto de acero que se hubiera derrumbado sobre uno de sus costados. De los tubos del techo salían silbando pequeñas nubecillas de vapor, llenando de vaho el laberinto. Grandes letreros rojos de NO FUMAR pendían de la pared cada treinta pies. A intervalos, había enormes calderos colgados de los tubos, inmensas ollas para un aquelarre de brujas gigantescas. Las figuras vestidas de blanco que atendían aquel lugar podrían haber sido sus parientes.

Pese a que en realidad el aire olía aquí mejor que en el exterior, unos cuantos trabajadores llevaban mascarillas para respirar. Me pregunté por qué no las llevarían la mayoría de ellos, y si sería prudente que mi guía y yo tomáramos este atajo por la fábrica. Intenté preguntárselo entre el siseo y el matraqueo de los tubos, pero al parecer ella había decidido que yo debía ser una espía de OSHA o algo parecido y no me contestó. Cuando una válvula que había por encima de nosotras lanzó un eructo tan fuerte que di un salto, sonrió ligeramente pero no dijo nada.

Bordeando hábilmente el laberinto, me condujo hacia la puerta situada en línea diagonal a aquella por la que habíamos entrado a la planta. Nos encontramos en otro corredor estrecho de bloques de ceniza, el cual constituía la base de la U. Me llevó por él, girando a la izquierda para seguir el segundo brazo en dirección al río. A medio camino, se detuvo en una puerta con un letrero que rezaba CANTINA. SÓLO PARA EMPLEADOS.

—El señor Joiner está por aquí. La tercera puerta a la derecha. La puerta que dice ADMINISTRACIÓN.

—Muchas gracias por todo —dije, pero había desaparecido ya en el interior de la cantina.

La puerta que indicaba ADMINISTRACIÓN era también de cristal esmerilado pero la habitación a que daba acceso tenía un aspecto algo más distinguido que aquel Tártaro donde había visto a las cuatro empleadas. El suelo de cemento estaba cubierto de moqueta, no linóleo. El revestimiento de planchas de fibra del techo y de madera de las paredes creaba la ilusión de un espacio íntimo en el interior del túnel de bloques.

Una mujer vestida de calle estaba sentada ante una mesa con un moderno distribuidor telefónico y una máquina de escribir eléctrica menos moderna. Como las empleadas con las que había topado, era de edad mediana. Pero tenía el cutis terso bajo una generosa capa de maquillaje, y se había vestido con esmero, si no con gusto, con un fresco vestido camisero rosa con grandes perlas de plástico en la garganta y las orejas.

—¿Quieres algo, bonita? —preguntó.

—Quisiera ver al señor Joiner. No tengo cita, pero no tardo más de cinco minutos. —Busqué una tarjeta de visita en mi bolso y se la entregué.

Soltó una risita.

—Huuy bonita, éste no puedo ni pronunciarlo.

Ésta no era una de esas oficinas del Loop donde las recepcionistas te someten a un interrogatorio estilo KGB antes de acceder a regañadientes a enterarse si el señor Tal te puede recibir. Levantó el teléfono y le comunicó al señor

Joiner que fuera había una señorita que preguntaban por él. Repitió la risita, dijo que no lo sabía y colgó.

—Está ahí detrás —dijo risueña, señalando por encima del hombro—. La puerta del centro.

Tres pequeñas oficinas se habían excavado en la pared que había a su espalda, cada una de unos ocho pies cuadrados. La puerta de la primera estaba abierta y eché un vistazo a su interior con curiosidad. No había nadie, pero toda una serie de papeles y una pared cubierta de gráficos de producción indicaban que era una oficina en activo. Un letrerito junto a la puerta central anunciaba que era sede de GARY JOINER, CONTABILIDAD, SEGURIDAD Y PERSONAL. Llamé quedamente y entré.

Joiner era un hombre joven, quizá tuviera los treinta años, con el cabello castaño claro rapado tan corto que se confundía con su piel sonrosada. Miraba con el ceño fruncido un montón de registros del libro mayor pero levantó los ojos cuando entré. Tenía la tez a manchones rojizos y me sonrió con ojos preocupados, inocentes.

—Gracias por dedicarme este tiempo —le dije vivamente, estrechándole la mano. Le expliqué quién era—. Por motivos personales, que nada tienen que ver con Xerxes, estoy intentando encontrar a dos hombres que trabajaron aquí a principios de los años sesenta.

Saqué de la cartera una hoja de papel en que había escrito los nombres de Joey Pankowski y Steve Ferraro y se la extendí. Había pensado una historia para justificar el querer encontrarlos, algo aburrido sobre haber sido testigo de un accidente, pero no quería ofrecerle mis razones a menos que me las pidiera. Contrariamente a la confianza de Gobbels en la gran mentira, yo creo en la mentira aburrida: que tu historia sea lo bastante pesada para que nadie la cuestione.

Joiner estudió el papel

—No creo que estos señores trabajen aquí. Solamente empleamos ciento veinte personas, por tanto sabría los nombres. Pero yo sólo llevo aquí dos años, o sea que si son de los años sesenta...

Se volvió hacia un archivador y hojeó algunas carpetas. De pronto me sorprendió la ausencia total de terminales de ordenador, tanto aquí como en el resto de la fábrica. La mayor parte de los encargados de personal y contabilidad habrían buscado los nombres de empleados en una pantalla.

—Nada. Claro que, como ve, apenas tenemos sitio para los archivos actuales. —Describió un arco con el brazo extendido tirando al suelo parte de las hojas de contabilidad. Se sonrojó fuertemente al agacharse a recogerlas—. Si una persona se marcha o se jubila o lo que sea y no tenemos ningún asunto con ella, ya sabe, algún pleito en curso con la compañía, enviamos los archivos a nuestro almacén de Stickney. ¿Quiere que lo compruebe?

—Sería estupendo. —Me levanté—. ¿Cuándo puedo llamarle? ¿Sería demasiado pronto el lunes?

Me aseguró que el lunes sería un buen día: él vivía al oeste y podía pasar por el almacén de camino a casa esa misma noche. Escribió una nota en su agenda concienzudamente, insertando el pedazo de papel con los nombres. Cuando salí de la habitación, había vuelto ya a sus registros.

7

Los muchachos del cuarto trasero

Estaba ya harta de la ciudad, de la contaminación y de vidas estrechas y penosas. Cuando llegué a casa me puse unos vaqueros, llené un maletín, y me fui con la perra a pasar el fin de semana en Michigan. Pese a estar el agua demasiado fría y encrespada para nadar, pasamos dos días vigorizantes en la playa, corriendo, persiguiendo palos o leyendo, conforme a nuestras particulares preferencias. Cuando volví a Chicago a última hora del domingo tenía la sensación de haberme ventilado a fondo la cabeza. Entregué la perra al receloso señor Contreras, y me dirigí escaleras arriba a meterme en la cama.

Le había dicho al tipo de personal de Xerxes que le llamaría por la mañana, pero cuando desperté decidí personarme allí. Si tenía las direcciones de Pankowski y Ferraro podría ir a verles y acaso aclarar aquel embrollo en una mañana. Y si se le había olvidado parar en el almacén de Stickney, una visita personal le haría reaccionar mejor que una llamada telefónica.

Había llovido por la noche, convirtiendo el patio de grava de Xerxes en un charco fangoso y grasiento. Aparqué tan cerca de la entrada lateral como me fue posible y avancé cuidadosamente por el barrizal. Dentro, el cavernoso corredor estaba frío; cuando llegué a la granulada entrada de vidrio del departamento administrativo tiritaba ligeramente.

Joiner no estaba en la oficina, pero su poco curiosa secretaria me dirigió jovialmente hacia un ancón de carga donde vigilaba un embarque. Seguí el corredor hasta el extremo del río del alargado edificio. Unas pesadas puertas de acero, difíciles de abrir, daban acceso al embarcadero. Al otro lado se hallaba un mundo de barro y algarabía.

Las puertas correderas de acero que cerraban el compartimiento de carga estaban abiertas por dos de sus lados. Al fondo, frente a mí, el Calumet lamía suavemente las paredes, sus salobres aguas verdes y turbias a causa del chaparrón. Una barcaza de cemento yacía inmóvil en el agua turbulenta. Una cuadrilla de estibadores descargaba de ella grandes barriles, haciéndolos rodar por el suelo de hormigón con un traqueteo que retumbaba, intensificándose, en las paredes de acero.

La otra puerta daba paso a un cargadero de camiones. Allí había una falange de camiones-cisterna plateados colocados en fila, con aspecto de vacas amenazantes conectadas a una máquina ordeñadora de tecnología avanzada, mientras recibían disolventes desde un enrejado de tubos altos. Sus motores diesel vibraban, llenando el aire de un alboroto insistente y haciendo imposible entender los gritos de los hombres que se movían entre ellos.

Observé un grupo que deliberaba en torno a un hombre con una tablilla de notas. La luz era débil en exceso para distinguir las caras pero supuse que el hombre sería Joiner y me dirigí hacia él. Una persona salió disparada de detrás de una caldera y me cogió del hombro.

—¡Zona de casco! —me vociferó en el oído—. ¿Qué hace aquí?

—¡Gary Joiner! —vociferé yo—. Tengo que hablar con él.

Me acompañó de vuelta a la entrada y me pidió que esperara. Le vi acercarse al grupo confabulante y dar un golpecito en el brazo a una de las figuras. Sacudió la cabeza en dirección al lugar donde me encontraba. Joiner dejó la tablilla en un barril y vino hacia mí con paso vivo.

—Ah —dijo—. Es usted.

—Sí —asentí—. Estaba en el barrio y he creído mejor pasarme por aquí en lugar de llamar. Comprendo que es un mal momento para hablar con usted. ¿Quiere que le espere en su oficina?

—No, no. Esto... no he encontrado nada sobre esos hombres. No creo siquiera que trabajaran aquí.

Aun en aquella penumbra me di cuenta de que su piel a manchas se enrojecía.

—Seguro que el almacén es un caos —dije comprensiva—. Nadie tiene tiempo para ocuparse de archivos cuando tiene entre manos una fábrica.

—Sí —asintió con vehemencia—. Sí, eso desde luego.

—Soy investigadora de profesión. Si me diera algún tipo de autorización podría echar un vistazo por allí. Ya sabe, para comprobar si los documentos están fuera de sitio o algo así.

Pestañeó nerviosamente paseando la mirada por la habitación.

—No, no. El desorden no ha llegado a ese punto. Esos tipos no trabajaron nunca aquí. Ahora tengo que irme.

Se fue apresuradamente antes de que pudiera decir nada más. Empecé a seguirle, pero incluso si el capataz me dejara pasar, no sabía cómo arreglármelas para que Joiner me dijera la verdad. No le conocía, no conocía la fábrica, no tenía la menor idea de por qué me mentía.

Volví lentamente por el corredor hasta mi coche, pisando distraídamente un charco rezumante que me dejó el zapato derecho cubierto de una densa adherencia de fango. Blasfemé en voz alta; eran unos zapatos de vestir que me habían costado más de cien dólares. Al sentarme en el coche e intentar limpiar el barro, me manché la falda de cieno oleaginoso. Sintiéndome indignada con el mundo entero, arrojé el zapato petulantemente al asiento trasero y me calcé otra vez los deportivos. Aun cuando Caroline no me hubiera enviado a la fábrica, la hacía responsable de mi infortunio.

Mientras atravesaba Torrence en el coche, dejando atrás fábricas herrumbrosas de aspecto más cochambroso que nunca a causa de la lluvia, me pregunté si Louisa habría llamado a Joiner, pidiéndole que no me ayudara si aparecía por allí. Sin embargo, no me parecía que su cabeza funcionara de aquel modo: me había dicho que me ocupara de mis asuntos, y por lo que a ella atañía, eso era exactamente lo que yo estaba haciendo. Acaso los Djiak hubieran acudido a Xerxes llenos de santa indignación, pero pensé que eran miopes en exceso para intuir cómo podría yo conducir una investigación. Lo único que veían era el daño que Louisa les había hecho.

Por otra parte, si Joiner no quería hablarme de los dos hombres debido a que la compañía tenía algún conflicto con ellos —un pleito, por ejemplo— él lo habría sabido cuando estuve allí el viernes. Pero la primera vez que hablé con él era evidente que no sabía nada de ellos.

No lograba entenderlo, pero la idea de un pleito legal me sugirió otro sitio donde buscar a los dos hombres. Ni Pankowski ni Ferraro estaban en la guía telefónica, pero era posible que todavía existieran las antiguas listas de votantes de los distritos electorales. Giré a la derecha en la calle Noventa y cinco y me dirigí hacia el Sector Este.

Las oficinas del distrito electoral seguían en el aseado edificio de ladrillo de dos plantas de la avenida M. Hay toda una serie de cuestiones que pueden llevarte a las dependencias del jefe local de tu partido, desde buscar solución para unas multas de tráfico hasta el modo de entrar en la plantilla municipal. Los policías del barrio salen y entran continuamente por esto o aquello, y aunque la zona de mi padre había sido la avenida Milwaukee Norte, había venido con él aquí más de una vez. El cartel que cubría toda la parte visible de la fachada norte del edificio, en el que se afirmaba que Art Jurshak era concejal y Freddy Parma jefe de partido del distrito, no había cambiado. Y el local comercial contiguo seguía albergando la agencia de seguros que había proporcionado a Art Jurshak su primer asidero en la comunidad.

Sacudí gran parte del cieno de mi zapato derecho y volví a calzarme los tacones. Después de limpiarme la falda con un Kleenex lo mejor que pude, entré en el edificio. No reconocía a ninguno de los hombres que holgazaneaban en la oficina de la planta baja, pero a juzgar por sus edades y su aire de confundirse con el mobiliario, pensé que probablemente se remontaban hasta mi infancia.

Había tres. Uno de ellos, un hombre canoso que fumaba el puro corto y abultado que solía ser el distintivo de cargo de los políticos curtidos del Partido Demócrata, estaba enfrascado en las páginas deportivas. Los otros dos —el uno calvo, el otro con una mata de pelo blanca estilo Tip O'Neil— hablaban gravemente. Pese a sus diferentes peinados, tenían un extraordinario parecido, con los rostros rasurados rojizos y mofletudos y sus cuarenta libras de sobra colgando cómodamente sobre los cinturones de sus pantalones lustrosos.

Me miraron de reojo cuando entré pero no dijeron nada: era mujer y desconocida. Si venía de la alcaldía, no me vendría mal bajarme los humos. Si era cualquier otra persona, no podía prestarles ningún servicio.

Los dos que hablaban estaban repasando las virtudes de sus respectivas camionetas, Chevy frente a Ford. Por estos lares nadie compra marcas extranjeras; es de mal gusto estando en paro tres cuartas partes de la industria siderúrgica.

—Buenas —dije en voz alta.

Levantaron la vista con desgana. El lector del periódico no se movió, pero le vi enderezar las páginas expectante.

Cogí una silla con ruedas.

—Soy abogada —dije, sacando una tarjeta del bolso—. Busco a dos hombres que vivían por aquí, hará unos veinte años.

—Pues ve a la policía, hija; ésta no es la oficina de objetos perdidos —dijo el calvo.

El periódico vibró con aprecio.

Me golpeé la frente.

—¡Maldita sea! Cuánta razón lleva. Cuando yo vivía aquí a Art le gustaba ayudar a la comunidad. Digo yo que eso demuestra cuánto han cambiado las cosas.

—Pues sí, nada es como antes. —El Calvete parecía ser el portavoz designado.

—¡Menos el dinero que cuesta una campaña electoral —dije lúgubremente—. Eso sigue costando mucho, según dicen.

El Calvete y el Canoso intercambiaron una mirada precavida: ¿iba yo a hacer algo honorable largándoles un poco de dinero, o formaba parte de la última camada de artistas federales de la trampa buscando sorprender a Jurshak en el acto de apretarle las clavijas al ciudadano? El Canoso habló.

—¿Por qué buscas a esos tipos?

Me encogí de hombros.

—Lo de siempre. Un antiguo accidente de coche en que estuvieron implicados en el 80. Por fin se ha dirimido. No es mucho dinero, dos mil quinientos cada uno. No merece grandes esfuerzos para rastrearlos, y si están jubilados tendrán sus retiros en cualquier caso.

Me puse en pie, pero percibí sus pequeñas calculadoras resonándoles en el cerebro; el lector del periódico había dejado caer sobre las rodillas las hazañas de Michael Jordan para unirse al ejercicio telepático. Si gestionaban un encuentro, ¿de cuánto sería el pellizco razonable? Digamos unos seiscientos, serían doscientos por cabeza.

Los otros dos cabecearon y el Calvete volvió a hablar.

—¿Cómo dijiste que se llamaban?

—No lo he dicho. Y probablemente tenga razón; tendría que haber acudido a la policía para empezar. —Me dirigí lentamente hacia la puerta.

—Eh, hermana, espera un momento. ¿No ves que era una broma?

Me volví con aspecto vacilante.

—Bueno, si creen ustedes... Son Joey Pankowski y Steve Ferraro.

El Canoso se levantó y deambuló hacia una fila de archivadores metálicos. Me pidió que le deletreara los nombres, laboriosamente, letra a letra. Iba moviendo los labios mientras leía los nombres de los antiguos registros de votantes; finalmente se animó.

—Aquí está: 1985 fue el último año en que se inscribió

Pankowski, y el 83 Ferraro. ¿Por qué no nos traes la orden de pago? Podemos cobrarlo por medio de la gestoría de Art y ocuparnos de que estos señores reciban el dinero. Les pedimos que vuelvan a inscribirse y así te ahorras otro viaje aquí.

—Ah, muy agradecida —dije con seriedad—. El problema es que me tienen que firmar un finiquito personalmente. —Pensé unos instantes y sonreí—. Lo mejor será que me den sus direcciones y me paso a verlos esta tarde, para comprobar que efectivamente siguen viviendo aquí. El mes que viene, cuando entreguen la libranza simplemente se la envío por correo a ustedes.

Lo consideraron con parsimonia. Finalmente coincidieron, nuevamente sin una palabra, en que nada había de mal en la idea. El Canoso apuntó las direcciones con letra grande y redonda. Le di las gracias amablemente y volví otra vez hacia la salida.

En el momento que abría la puerta entró un joven con ademán vacilante, como si no estuviera seguro de ser bien acogido. Tenía el cabello rizado y cobrizo y llevaba un traje azul marino de lana que acrecentaba la asombrosa belleza de su rostro. No recordaba haber visto nunca a un hombre de facciones tan perfectas; podría haber servido de modelo para el *David* de Miguel Ángel. Cuando sonrió tímidamente su aspecto me resultó vagamente familiar.

—¿Qué hay, Art? —dijo el Calvete—. Tu padre está en el centro.

El joven Art Jurshak. Art el viejo no había sido nunca tan atractivo, pero al sonreír el muchacho debió recordarme los carteles propagandísticos de su padre.

Se sonrojó.

—No importa. Sólo quería mirar algunos archivos del distrito. No os importa, ¿verdad?

El Calvete encogió un hombro con impaciencia.

—Eres socio de la compañía del viejo. Puedes hacer lo que quieras, Art. De todos modos creo que me voy a tomar algo. ¿Vienes, Fred?

El hombre canoso y el lector de periódicos se levantaron. Lo de comer me pareció una idea excelente. Hasta un detective con un mísero estipendio a la vista tiene que comer alguna vez. Los cuatro salimos, dejando al joven Art solo en medio de la habitación.

El restaurante de Fratesi seguía donde yo lo recordaba, en la esquina de la Noventa y siete y Ewing. A Gabriella le eran antipáticos porque servían cocina de Italia meridional en lugar de los platos del Piamonte a que estaba acostumbrada, pero la comida era buena y solía ser un lugar donde ir en ocasiones especiales.

Hoy no había lo que se dice un gentío para la comida. Los adornos que rodeaban la fuente en el centro del salón, que solían encantarme de pequeña, habían caído en el abandono. Reconocí a la envejecida señora Fratesi tras el mostrador, pero sentí que el lugar se había vuelto triste para mí y no quise identificarme. Comí una ensalada compuesta de lechuga tierna y un tomate rancio y una *frittata* que era sorprendentemente ligera y estaba sazonada con delicadeza.

En el pequeño servicio de señoras del fondo quité de la falda los pedazos de barro más visibles. No tenía un aspecto fabuloso, pero acaso ello encajara mejor con la barriada. Pagué la cuenta, unos humildes cuatro dólares, y me fui. No sabía que todavía te dieran pan y mantequilla en Chicago por menos de cuatro dólares.

Mientras duró la comida consideré mentalmente varias formas de aproximación a Pankowski y Ferraro. Si estuvieran casados, las mujeres en casa, niños, no querrían saber nada de Louisa Djiak. O quizá sí. Quizá les devolviera a los felices días de antaño. Por último decidí que tendría que guiarme por el olfato.

La casa de Steve Ferraro era la más cercana al restaurante, de modo que me dirigí allí en primer lugar. Era una más de las interminables formaciones de casitas individuales del Sector Este, pero algo más destartalada que la mayoría de sus vecinos. Mi ojo crítico de ama de casa advirtió que el porche no se había barrido recientemente, y a la contrapuerta de cristal no le habría venido mal un fregado.

Pasó un intervalo de tiempo largo después que hube llamado al timbre. Volví a apretarlo y estaba a punto de marcharme cuando oí la cerradura de la puerta interior. En ella apareció una mujer mayor, de poca estatura, de cabello ralo y aspecto amenazador.

—Sí —dijo con una sola sílaba brusca y con fuerte acento.

—*Scusi* —dije yo—. *Cerco il signor Ferraro*.

Su rostro se iluminó marginalmente y me contestó en italiano. ¿Para qué lo quería? ¿Un pleito antiguo por el que al fin iban a pagarle? ¿A él o a sus herederos?

—Sólo a él —dije firmemente en italiano, pero se me cayó el alma a los pies. Sus siguientes palabras confirmaron mis temores: *il signor Ferraro* era su hijo, su único hijo, y había muerto en 1984. No, no se había casado. En una ocasión habló de una chica compañera de trabajo, pero *madre de dio,* la muchacha tenía un hijo; fue un alivio que aquello no prosperara.

Le entregué mi tarjeta, con el ruego de llamarme si se le ocurría alguna otra cosa, y me puse en camino hacia la avenida Green Bay sin grandes esperanzas.

Otra vez abrió la puerta una mujer, esta vez más joven, quizá incluso de mi edad, pero excesivamente gruesa y estropeada para poder estar segura. Me dirigió la mirada fría de pez reservada para los representantes de seguros y los Testigos de Jehová y se dispuso a cerrarme la puerta en las narices.

—Soy abogada —dije rápidamente—. Busco a Joey Pankowski.

—Vaya una abogada —dijo con desdén—. Pues pregunte por él en el cementerio Reina de los Ángeles. Allí es donde ha pasado los dos últimos años. Por lo menos eso ha contado. Conociendo a ese sinvergüenza, probablemente hizo que se moría para irse por ahí con su última querindanga.

Parpadeé levemente ante aquella andanada.

—Lo siento, señora Pankowski. Es un antiguo caso que ha tardado bastante en resolverse. Cuestión de unos dos mil quinientos dólares, no vale la pena que se moleste.

Los ojos azules se le hundieron casi en las mejillas.

—No tan deprisa, señora. Esos dos mil quinientos que tiene es un dinero que me merezco yo. Dios sabe que he sufrido mucho con ese sinvergüenza. Y cuando se murió ni siquiera tenía seguro de vida.

—No sé —dije puntillosa—. Su hijo mayor...

—El pequeño Joey —dijo con presteza—. Nacido en agosto de 1963. Está en el servicio militar. Podría guardárselo hasta que vuelva a casa el próximo enero.

—Me dijeron que había otro hijo. Una niña nacida en 1962. ¿Sabe algo de ella?

—¡El muy cerdo! —chilló—. ¡El muy cerdo embustero y tramposo. Me jodía cuando estaba vivo y ahora que se ha muerto sigue jodiéndome!

—¿O sea que sabe lo de la niña? —pregunté, sorprendida ante la idea de que mi pesquisa pudiera haber concluido tan fácilmente.

Movió la cabeza negativamente.

—Pero conozco a Joey. Pudo haber tenido una docena de hijos antes de preñarme a mí con el pequeño Joey. Si esa joven se cree que es la primera, lo único que puedo decirle es que mejor haría en poner antes un anuncio en el *Heraldo del Pequeño Calumet*.

Saqué un billete de veinte dólares del bolso y lo sostuve en la mano con indiferencia.

—Probablemente podríamos adelantarle algo del pago. ¿Sabe de alguien que pudiera decirme con certeza si tuvo otros hijos antes del pequeño Joey? ¿Un hermano, quizá? ¿El cura?

—¿Cura? —rio cascadamente—. Tuve que pagar extra simplemente para que me dejaran llevar sus huesos al Reina de los Ángeles.

Pero estaba devanándose el cerebro, intentando no mirar directamente al dinero. Al fin dijo:

—¿Sabe quién podría saberlo? El médico de la fábrica. Tenía charlas con ellos todas las primaveras, les sacaba sangre, les hacía el historial. Joey dijo una vez que sabía de todos ellos más que Dios.

No pudo decirme su nombre; si Joey lo había mencionado en alguna ocasión no sería normal que lo recordara después de tanto tiempo, ¿verdad? Pero tomó el dinero con dignidad y me pidió que volviera si pasaba por allí.

—No espero ver el resto —añadió con inesperada jovialidad—. Sabiendo lo que sé de ese sinvergüenza. Si mi padre no le hubiera obligado, no se habría casado conmigo. Y entre usted y yo, mejor me habría ido.

8

El buen doctor

Louisa y Caroline volvían del centro de diálisis cuando pasé a verlas. Ayudé a Caroline a colocar a Louisa en la silla de ruedas para cubrir el corto camino hasta la puerta. Diez minutos de esfuerzo laborioso tardamos en subirla los cinco escalones, mientras se apoyaba pesadamente en mi hombro para impulsarse en cada ascenso y descansaba después hasta volver a tomar aliento para el siguiente.

Cuando estuvo metida en la cama, su respiración había pasado a un jadeo entrecortado y estertoroso. Me alarmó un poco aquel ruido y el tinte amoratado bajo su piel cérea y verdosa, pero Caroline la trataba con una eficiencia alegre, dándole oxígeno y masajes en los hombros huesudos hasta que pudo volver a respirar sola. Por mucho que me irritara Caroline, no podía por menos que admirar su inquebrantable buena voluntad en el cuidado de su madre.

Me dejó sola con Louisa mientras se preparaba algo ligero de comer. Louisa estaba adormilándose, pero recordó al médico de Xerxes con una risita ahogada: Chigwell. Le llamaban Chigwell el Chinche porque siempre les estaba chupando la sangre. Esperé hasta que estuvo profundamente dormida antes de liberar mi mano de la presión de sus dedos huesudos.

Caroline daba vueltas por el comedor, con su cuerpo menudo vibrando de ansiedad.

—He querido llamarte todos los días, pero me he forzado a no hacerlo. Especialmente la semana pasada cuando mamá me dijo que habías pasado a verla y te había ordenado que no lo buscaras. —Estaba comiendo un sándwich de mantequilla de cacahuete y le salían las palabras confusamente—. ¿Te has enterado de algo?

Moví la cabeza.

—He rastreado a los dos tipos que mejor recuerda Louisa, pero han muerto los dos. Es posible que uno de ellos pudiera ser tu padre, pero no tengo realmente modo de saberlo. Mi única esperanza es el médico de la compañía. Al parecer solía compilar datos abundantes sobre los empleados, y la gente dice al médico cosas que no diría a nadie más. Hay también un dependiente que trabajaba en el ultramarinos de la esquina hace veinticinco años, pero Connie no logró recordar su nombre.

Advirtió mi tono de duda.

—¿No crees que fuera ninguno de esos tipos?

Fruncí los labios, intentando expresar mis dudas con palabras. Steve Ferraro había querido casarse con Louisa, con criatura y todo. Ello parecía indicar que la había conocido después del nacimiento de Caroline, no antes. Joey Pankowski podría, en efecto, haber sido la clase de tipo que hubiera dejado a Louisa embarazada y la hubiera abandonado después sin más averiguaciones. Eso encajaría. El ambiente represivo de la casa, la total ignorancia sobre el sexo de Connie y Louisa, podría muy bien haberse encandilado con algún tarambana. Pero en ese caso, ¿por qué se descomponía ahora de tal manera? A menos que hubiera absorbido el radical temor al sexo de los Djiak hasta tal punto que el solo recuerdo de aquello la aterrara. Pero eso no encajaba con el recuerdo que yo guardaba de Louisa joven.

—No lo sé —dije al fin débilmente—. Simplemente no me da buena espina.

Sostuve un debate interior de un minuto, después añadí:

—Creo que tienes que prepararte para el fracaso. Mi fracaso, quiero decir. Si no descubro nada por medio del médico o consigo rastrear al dependiente, voy a tener que tirar la toalla.

Frunció el entrecejo ferozmente.

—Vic, *cuento* contigo.

—No volvamos otra vez a esa matraca, Caroline. Estoy rendida. Te llamaré dentro de un día o dos y entonces hablamos.

Eran casi las cuatro, hora de que el atasco de la tarde coagulara el tráfico. Faltaba poco para las cinco y media cuando terminé de sudar las veinte y pico millas hasta casa. Cuando llegué, el señor Contreras me paró para indagar sobre las cardas que había permitido que su sagrada perra adquiriera en su cola cobriza. La perra por su parte salió y se mostró dispuesta para una carrera. Los escuché a los dos con toda la paciencia que pude acopiar, pero pasados cinco minutos de rociada ininterrumpida me marché bruscamente en mitad de la frase y me dirigí a mi casa en el tercer piso.

Me quité el traje sastre y lo dejé en el suelo del recibidor donde con seguridad no olvidaría llevarlo al tinte al día siguiente. No sabía qué hacer con el zapato, de modo que lo dejé con el traje; quizás en la tintorería sabrían de algún sitio donde pudieran resucitarlo.

Mientras se llenaba la bañera saqué mi montón de guías telefónicas urbanas y suburbanas de debajo del piano. No había ningún Chigwell en la zona metropolitana. Era natural. Probablemente también él habría muerto. O se habría retirado a Mallorca.

Me serví un dedo de whisky y caminé pesadamente hasta el cuarto de baño. Mientras yacía medio sumergida en la anticuada bañera, se me ocurrió que acaso estuviera en las listas telefónicas de médicos. Salí del agua con impulso y entré en la alcoba para llamar a Lotty Herschel. Ésta se disponía a marcharse de la clínica que dirige cerca de la esquina de Irving Park y Damen.

—¿No puede esperar hasta mañana por la mañana, Victoria?

—Sí, claro, puede esperar. Pero es que quiero quitarme

este monstruo de encima lo antes posible. —Le esbocé la historia de Caroline y Louisa todo lo concisamente que pude—. Si consigo localizar a ese Chigwell, no me queda más que otra pista que investigar y después puedo volver al mundo real.

—Sea eso lo que sea —dijo secamente—. No sabes el nombre de pila de ese hombre o su especialidad, ¿verdad? No, claro. Probablemente medicina industrial, ¿humm?

Oí el susurro de las páginas de la guía al pasar.

—Chan, Chessick, Childress. Ningún Chigwell. Pero mi guía no es completa. Probablemente Max la tenga. ¿Por qué no le das un telefonazo? ¿Y por qué aguantas que esa Caroline te lleve por la calle de la amargura? La gente te avasalla sólo si te dejas, querida.

Con ese comentario alentador colgó el teléfono. Intenté llamar a Max Loewenthal, que era director ejecutivo del hospital Beth Israel, pero ya se había ido a casa. Como habría hecho cualquier persona sensata. Sólo Lotty permanecía en su clínica hasta las seis, y es evidente que el trabajo del detective no acaba nunca. Aun si no haces más que responder voluntariamente a las manipulaciones de una antigua vecina.

Vertí el resto del whisky por la pila y me puse la ropa de deporte. Cuando estoy de talante febril lo mejor es hacer ejercicio. Recogí a Peppy en casa del señor Contreras —tanto él como la perra son incapaces de rencores—. Para cuando Peppy y yo volvimos a casa, jadeantes, me había sacado el malestar del cuerpo. El viejo me frió unas chuletas de cerdo y estuvimos sentados bebiendo su repugnante *grappa* y charlando hasta las once.

Por la mañana localicé a Max sin dificultades. Escuchó mi saga con su habitual urbanidad educada, me pidió que esperara cinco minutos y volvió con las nuevas de que Chigwell estaba jubilado pero vivía en la zona suburbana de Hindsdale. Max me dio incluso su dirección y su nombre de pila, que era Curtis.

—Tiene setenta y nueve años, V. I. Si no tiene ganas de hablar, no le aprietes —concluyó, sólo medio en broma.

—Muchísimas gracias, Max. Intentaré contener mis impulsos animales, pero los viejos y los niños suelen despertar mis peores instintos.

Rio y colgó el teléfono.

Hindsdale es un antiguo pueblo unas veinte millas al oeste del Loop, cuyos altos robles y airosas residencias iban paulatinamente siendo absorbidos por la extensión urbana. No es el paradero más elegante de Chicago y alrededores, pero es un lugar que conserva una cierta aureola de tradicional compostura. Esperando no desentonar con esta atmósfera de buen tono, me puse un vestido negro de falda amplia y botones dorados. Completaba el conjunto una cartera de piel. Eché un vistazo al traje azul marino en el suelo del recibidor al salir, pero decidí que podía aguantar un día más.

Cuando se va desde la ciudad a las zonas periféricas del norte o el oeste, lo primero que se advierte es su discreta pulcritud. Después del día pasado en Chicago Sur tuve la sensación de haber entrado en el paraíso. Pese a estar los árboles desnudos de hojas y la hierba apelmazada y parda, todo estaba barrido y aseado en espera de la primavera. No tenía una fe absoluta en que la esterilla parda se volvería verde, pero no podía siquiera imaginar qué habría que hacer para crear algo de vida en el cenagal que rodeaba la fábrica Xerxes.

Chigwell vivía en una de las calles antiguas cercana al centro del pueblo. Era una casa de dos pisos y estructura neogeorgiana, cuyo revestimiento de planchas de madera relucía de blancura a la luz opaca del día. Sus contraventanas, amarillas y bien cuidadas, y unos cuantos árboles añosos y arbustos creaban un aire de señorial armonía. Un porche cerrado con tela metálica miraba hacia la calle. Seguí el camino de losas entre los arbustos hasta la puerta del costado y toqué el timbre.

Pasados unos minutos se abrió la puerta. Ésa es la segunda cosa que se percibe en la periferia: cuando llamas al timbre la gente abre las puertas, no te observa por mirillas ni descorre cerrojos.

Una mujer mayor con un severo traje azul oscuro apareció en la puerta con el ceño fruncido. Era un ceño que parecía habitual en su expresión, no dirigido a mí personalmente. Le ofrecí una sonrisa viva y eficiente.

—¿Señora Chigwell?

—*Señorita* Chigwell. ¿La conozco a usted?

—No, señora. Soy investigadora profesional y me gustaría hablar con el doctor Chigwell.

—No me ha dicho que esperara a nadie.

—Bueno, señora, es que nos gusta hacer nuestras indagaciones sin avisar. Si le dejamos a la persona mucho tiempo para pensarlo, sus respuestas tienden a parecernos forzadas.

Saqué una tarjeta del bolso y se la entregué, avanzando unos pocos pasos.

—V. I. Warshawski. Servicios de investigaciones financieras. Si hiciera el favor de decirle que estoy aquí, no le entretendré más de media hora.

No me invitó a entrar, sino que tomó la tarjeta con desgana y volvió hacia el interior de la casa. Eché un vistazo a las casas de ventanas cerradas que había a un lado y otro de la calle. Lo tercero que se advierte en la periferia es que podrías estar en la luna. En un barrio de ciudad o de pueblo, aletearían los visillos cuando los vecinos intentaran ver a aquella desconocida que venía a ver a los Chigwell. A continuación vendrían las llamadas telefónicas y los comentarios en la lavandería. «Sí, su sobrina. Ya sabes, la que se mudó a vivir a Arizona hace un montón de años.» Aquí, ni una sola cortina se estremeció. Ninguna voz chillona anunció la presencia de críos pequeños recreando guerra y paz. Tuve la incómoda sensación de que con todo su ruido y su mugre, prefería la ciudad.

La señorita Chigwell volvió a materializarse en la puerta.

—El doctor Chigwell ha salido.

—Ha sido un tanto repentino, ¿no? Cuándo cree usted que volverá?

—No... no me lo ha dicho. Será un buen rato.

—Entonces esperaré un buen rato —dije apaciblemente—. ¿Va a invitarme a pasar o prefiere que espere en el coche?

—Será mejor que se vaya —dijo intensificando el ceño—. No desea hablar con usted.

—¿Cómo lo sabe, señora? Si no está, no le ha podido decir nada de mí.

—Yo sé con quién desea y no desea hablar mi hermano. Y si quisiera verla me lo habría dicho —cerró la puerta con toda la fuerza que pudo, dada la edad de ambas y la gruesa moqueta del suelo.

Volví al coche y lo trasladé a un lugar donde fuera claramente visible desde la puerta. La emisora WNIV estaba radiando un ciclo de canciones de Hugo Wolf. Me recosté en el asiento, con los ojos entornados, escuchando la voz aterciopelada de Kathleen Battle, preguntándome qué sería lo que ponía tan nervioso a Curtis Chigwell de hablar con una investigadora.

En la media hora que estuve esperando vi una persona pasar por la calle. Empezaba a tener la impresión de hallarme en un decorado cinematográfico y no formar parte en modo alguno de la comunidad humana, cuando la señorita Chigwell apareció en el camino de losas. Avanzó resuelta hacia el coche, su cuerpo delgado rígido como el armazón de un paraguas e igualmente huesudo. Me bajé cortésmente.

—Tengo que pedirle que se vaya, joven.

Sacudí la cabeza.

—Estoy en propiedad pública, señora. No hay ley que me prohíba estar aquí. No tengo la música a todo volumen ni estoy vendiendo droga ni haciendo nada que la ley pueda considerar una molestia.

—Si no se va ahora mismo, voy a llamar a la policía en cuanto entre en casa.

Me admiró su valor: se necesitan agallas para enfrentarse a una joven desconocida teniendo setenta y tantos años. Pude advertir que el miedo se mezclaba con la determinación en sus ojos pálidos.

—Soy procuradora de tribunales, señora. No tengo ningún inconveniente en explicarle a la policía por qué quiero hablar con su... ¿hermano, no?

Aquello era sólo parcialmente cierto. Cualquier abogado colegiado es procurador de tribunales, pero a ser posible prefiero no hablar nunca con la policía, especialmente suburbana, que detesta a los detectives urbanos por principio. Afortunadamente, la señorita Chigwell, impresionada (eso esperaba yo) por mi proceder profesional, no me exigió placa ni comprobante. Apretó los labios hasta que casi le desaparecieron en el rostro anguloso y volvió a la casa.

Apenas me hube instalado otra vez en el coche, volvió al camino y me hizo enérgicas señas de que me acercara. Cuando llegué donde se encontraba a un lado de la casa me dijo ásperamente:

—La va a recibir. No ha salido de aquí, claro. No me gusta mentir por él, pero después de tantos años es difícil negarse. Es mi hermano. Gemelo, por eso le he malacostumbrado mucho y desde hace mucho tiempo. Pero no creo que eso le interese demasiado.

Mi admiración por ella iba en aumento, pero no sabía cómo expresárselo sin parecer condescendiente. La seguí en silencio al interior de la casa. Atravesamos un pasillito que se abría al garaje. Había un bote de remos apoyado pulcramente contra la pared al lado de la puerta. Más allá se veía toda una serie de ordenadas herramientas de jardinería.

La señorita Chigwell me condujo rápidamente hasta el salón. No era grande, pero era gratamente proporcionado, con muebles de chinz colocados frente a una chimenea de mármol sonrosado. Mientras iba a buscar a su hermano estuve fisgoneando un poco.

En el centro de la repisa había un hermoso reloj antiguo del tipo que tiene esfera de esmalte y péndulo de latón. Tenía figuras de porcelana a ambos lados, pastorcillas, vihuelistas. En los estantes empotrados de una esquina se veían unas pocas fotos viejas de familiares, una de las cuales mostraba a una pequeña vestida con un almidonado traje marinero muy orgullosa junto a su padre ante un barco de vela.

Cuando volvió la señorita Chigwell con su hermano, era evidente que habían estado discutiendo. Las mejillas de éste, de contorno más suave que el rostro anguloso de su hermana, estaban acaloradas y tenía los labios comprimidos. Ella empezó a hacer las presentaciones, pero él la interrumpió bruscamente:

—No me hace falta que fiscalices mis asuntos, Clio. Soy perfectamente capaz de arreglármelas solo.

—Pues a ver cuándo empiezas —dijo ella con encono—. Si tienes alguna cuestión con la ley quiero saber lo que es ahora, no el mes que viene o cuando te sientas lo bastante valiente para contármelo.

—Lo siento —dije—. Al parecer he causado algún conflicto del modo más involuntario. No hay cuestión ninguna con la ley que yo sepa, señorita Chigwell. Sencillamente necesito cierta información sobre unas personas que trabajaron en la fábrica Xerxes de Chicago Sur.

Miré a su hermano.

—Me llamo V. I. Warshawski, doctor Chigwell. Soy abogada e investigadora privada. Y he sido contratada a consecuencia de un pleito cuya resolución adjudica cierta cantidad de dinero a la testamentaría de Joey Pankowski.

Cuando él optó por hacer caso omiso de mi mano extendida miré a mi alrededor y elegí una butaca cómoda para sentarme. El doctor Chigwell permaneció en pie. En aquella postura tiesa se parecía a su hermana.

—Joey Pankowski trabajó en la fábrica Xerxes —proseguí—, pero murió en 1985. Pues bien, existe alguna posibilidad de que Louisa Djiak, que también trabajaba allí, tuviera una hija cuyo padre fuera Pankowski. Esta hija tiene también derecho a una parte del dinero, pero la señora Djiak está muy enferma y no coordina bien; no hemos conseguido que nos diga claramente quién es el padre.

—No puedo ayudarla, jovencita. No recuerdo ninguno de esos nombres.

—En fin, tengo entendido que usted hizo análisis de sangre e historiales médicos a todos los empleados al llegar la primavera durante una serie de años. Si fuera tan amable de volver y buscar en sus archivos, quizá encontrara...

Me interrumpió con una violencia que me sorprendió.

—No sé con quién ha estado hablando, pero eso es absolutamente falso. No tolero que me molesten y me sermoneen en mi propia casa. Ahora haga el favor de salir de aquí o llamo a la policía. Y si es usted procuradora de tribunales, se lo cuenta desde la cárcel. Me volvió la espalda sin esperar respuesta y salió de la habitación.

Clio Chigwell le observó al salir, con el ceño más fruncido que nunca.

—Va a tener que marcharse.

—Hizo esos análisis —dije—. ¿Por qué se descompone de esa manera?

—No sé nada del asunto. Pero no le puede pedir que viole la confianza de sus pacientes. Ahora váyase, por favor, a menos que desee hablar con la policía.

Me puse en pie todo lo imperturbablemente que pude dadas las circunstancias.

—Tiene mi tarjeta —le dije en la puerta—. Si se le ocurre algo, llámeme.

9

Estilos de vida de los ricos y famosos

Había empezado a caer una fina llovizna. Permanecí en el coche con los ojos fijos en el parabrisas, mirando cómo se estrellaba la lluvia contra el cristal grasiento. Pasado un rato lo puse en marcha, esperando robar un poquito de calor al ruidoso motor.

¿Qué había en el nombre de Pankowski para descomponer a Chigwell de tal modo? ¿O era yo? ¿Le habría llamado Joiner diciéndole que se cuidara de detectives polacas y de las preguntas que hacían? No, no podía ser eso. De ser así, Chigwell no habría accedido nunca a recibirme. Y, además, Joiner no debía conocer a Chigwell. El médico tenía casi ochenta años; habría pasado mucho tiempo desde su jubilación cuando Joiner entró en la fábrica hace dos años. Es decir que tuvo que haber sido la mención o bien de Pankowski o de Louisa. Pero ¿por qué?

Me pregunté con creciente inquietud qué sería lo que sabía Caroline y no se había molestado en decirme. Recordaba con todo detalle aquel invierno en que me había pedido que pleiteara contra una orden de desalojo presentada a Louisa. Tras una semana de correr entre los tribunales y el propietario, vi un artículo en el *Sun-Times* titulado «Otra clase de adolescentes». En él se veía a una radiante Caroline de dieciséis años en el comedor de beneficencia que había montado con el dinero del alquiler. Aquél fue el último grito de auxilio de Caroline al que respondí durante diez años, y estaba empezando a pensar que quizá debiera haberlo ampliado a veinte.

Rebusqué en el asiento trasero para coger un Kleenex y encontré la toalla que había llevado a la playa el verano pasado. Una vez hube limpiado un agujerito en el parabrisas puse el coche en marcha al fin y me dirigí hacia la autovía. Me atormentaba la indecisión entre llamar a Caroline y decirle que no había trato y mi insaciable curiosidad de niña elefante por enterarme qué era lo que había alterado tan terriblemente a Chigwell.

Al fin no hice absolutamente nada. Después de haber batallado entre el tráfico de medio día del Loop llegué a mi oficina, donde me esperaban mensajes de varios clientes; pesquisas que había dejado a un lado mientras removía la escoria del problema de Caroline. Uno era de un antiguo cliente que requería mi ayuda en medidas de seguridad para computadores. Le remití a un amigo mío que es experto en la materia y acometí otros dos asuntos. Se trataba de investigaciones financieras de rutina, mi pan de cada día. Resultaba grato trabajar en algo donde sabía localizar tanto el problema como la solución, y pasé la tarde fisgando en los archivos del edificio del estado de Illinois.

Regresé a mi oficina hacia las siete para mecanografiar mis informes. Me iban a suponer quinientos dólares; dado que ambos clientes pagaban con prontitud quería llevar las facturas al correo.

Matraqueaba alegremente en mi vieja Olympia Standard cuando sonó el teléfono. Miré mi reloj de pulsera. Casi las ocho. Número equivocado. Caroline. Quizá Lotty. Descolgué el teléfono al tercer timbrazo, justamente antes de ponerse en marcha el contestador automático.

—¿Señorita Warshawski? —Era la voz de un anciano, frágil y temblorosa.

—Sí —dije.

—Quisiera, por favor, hablar con la señorita Warshawski. —Temblona y todo, era una voz segura, acostumbrada a dar órdenes por teléfono.

—Al habla —respondí con toda la paciencia que me fue posible. No había comido y soñaba con un filete y un whisky.

—Al señor Gustav Humboldt le gustaría verla. ¿Cuándo sería conveniente acordar una cita?

—¿Puede decirme para qué quiere verme? —Volví unos espacios atrás y utilicé corrector blanco para tapar un error. Cada vez es más difícil encontrar líquido corrector y cinta de máquina en estos tiempos de procesadores de textos, por tanto cerré el bote cuidadosamente para ahorrar.

—Tengo entendido que es un asunto confidencial, señorita. Si está libre esta noche, podría verla ahora. O mañana por la tarde a las tres.

—Espere un momento que compruebe mi agenda —dejé el teléfono y cogí el *Quién es quién en el comercio de Chicago* de lo alto de mi archivador metálico. La parte de Gustav Humboldt ocupaba columna y media en letra pequeña. Nacido en Bremerhaven en 1904. Emigró en 1930. Presidente y primer accionista de Químicas Humboldt, fundada en 1937, con fábricas en cuarenta países, ventas de 8 billones de dólares en 1986, activo de 10 billones, director de esto, miembro de aquello. Cuartel general en Chicago. Pues claro. Había pasado ante el edificio Humboldt un millón de veces al bajar por la calle Madison, una vieja y práctica estructura sin los ostentosos vestíbulos de los modernos gigantes.

Levanté el teléfono.

—Podría pasarme hacia las nueve y media esta noche —propuse.

—Muy bien, señorita Warshawski. La dirección es edificio Roanoke, planta doce. Le diré al portero que esté al tanto de su coche.

El Roanoke era una anciana señorona de la calle Oak, uno de los seis o siete edificios que bordean el trecho entre el lago y la avenida Madison. Había sido construido en las primeras décadas de este siglo, y albergado a personas como los McCormick, los Swift y otra gentuza. Hoy día, si tuvieras un millón de dólares para invertir en vivienda y estuvieras emparentado con la familia real inglesa quizá fueran tan amables de dejarte entrar tras un año o dos de indagaciones intensivas.

Establecí un récord de mecanografía a dos dedos y tuve informes y facturas metidas en sus sobres para las ocho y media. Tendría que olvidarme del filete y el whisky —no quería mostrarme remolona con alguien que podía apañarme para toda la vida— pero tuve tiempo para una sopa y una ensalada en el pequeño restaurante italiano que hay subiendo por Wabash desde mi oficina.

En el servicio del restaurante comprobé que el pelo se me había encrespado en torno a la cabeza a causa de la llovizna de la mañana, pero al menos el traje negro conservaba su aspecto aseado y profesional. Me apliqué un maquillaje ligero y recogí el coche del garaje subterráneo.

Eran exactamente las nueve y media cuando me detuve en el semicírculo cubierto por un toldo verde del Roanoke. El portero, resplandeciente en su librea del mismo verde, inclinó la cabeza cortésmente mientras le daba mi nombre.

—Ah, sí, señorita Warshawski. —Tenía la voz afrutada y un tono avuncular—. El señor Humboldt la espera. ¿Quiere darme las llaves del coche?

Me condujo al vestíbulo. En la mayoría de los edificios para ricos que se construyen en estos tiempos figura un vestíbulo de cristal y cromados con plantas monstruosas y colgantes, pero el Roanoke se había levantado cuando la mano de obra era más barata y más diestra. El suelo era un intrincado mosaico de formas geométricas y las paredes recubiertas de madera tenían una greca de figuras egipcias.

Un hombre mayor, vestido también con uniforme verde, estaba sentado en una silla junto a unas puertas dobles de madera. Se puso en pie cuando vio entrar al portero.

—La señorita va a ver al señor Humboldt, Fred. Yo les comunicaré que está aquí mientras tú la acompañas arriba.

Fred abrió la puerta —aquí no se oían los clics de los controles remotos— y me llevó hasta el ascensor con paso solemne. Le seguí al interior de una jaula espaciosa con moqueta de flores y un banco lujosamente tapizado adosado a la pared del fondo. Me senté tranquilamente cruzando las piernas, como si el servicio personal de ascensor fuera para mí cosa de todos los días.

La puerta del ascensor se abrió en lo que podría ser el salón-recibidor de una mansión: baldosas de mármol blanco grisáceo con veta rosa, cubiertas por aquí y por allá con alfombras probablemente confeccionadas en Persia cuando el abuelo del Ayatollah era una criatura. El salón parecía formar un atrio, con el ascensor en el centro, pero antes de que pudiera avanzar de puntillas hasta la estatua de mármol del rincón izquierdo para empezar a explorar, se abrió la puerta de madera tallada que había frente a mí.

En ella apareció un viejo con traje de mañana. A través de algunos mechones de pelo fino y blanco se veía un cuero cabelludo rosáceo. Inclinó la cabeza brevemente, una reverencia simbólica, pero sus ojos azules eran gélidos y distantes. Poniéndome a la altura de la solemnidad de la ocasión, metí la mano en mi bolso y le entregué una tarjeta sin decir palabra.

—Muy bien, señorita. El señor Humboldt va a recibirla. Si es tan amable de seguirme...

Caminaba con paso lento, ya fuera por su avanzada edad o por sus ideas sobre el ademán apropiado para el mayordomo, dándome tiempo a mirarlo todo atónita aunque confiaba que con cierta discreción. Aproximadamente a medio camino de toda la longitud del edificio, abrió una puerta a la izquierda y la sostuvo para permitirme entrar. Al observar los libros que cubrían tres paredes y el opulento mobiliario de cuero rojo frente a la chimenea que había en la cuarta, mi aguda intuición me dijo que estábamos en la biblioteca. Había un hombre sanguíneo, fuerte sin ser corpulento, sentado frente al fuego con un periódico. Al abrirse la puerta dejó el periódico y se levantó.

—Señorita Warshawski. Qué amable por su parte venir en plazo tan breve. —Extendió una mano firme.

—No tiene importancia, señor Humboldt.

Me indicó con la mano un sillón de cuero al otro lado de la chimenea, frente a él. Sabía por la entrada del *Quién es quién* que tenía ochenta y cuatro años, pero podría haber dicho que tenía sesenta sin sorprender a nadie. Su cabello poblado mostraba aún algún vestigio de rubio claro, sus ojos azules eran despiertos y despejados y su rostro casi falto de arrugas.

—Anton, tráenos un coñac —¿bebe usted coñac, señorita Warshawski?—, y después ya nos arreglamos solos.

El mayordomo desapareció durante un par de minutos, durante los cuales mi anfitrión inquirió cortésmente si el fuego no era excesivamente caluroso para mí. Antonio regresó con una botella de cristal y copas anchas, nos sirvió, colocó cuidadosamente la botella en el centro de una mesita a la derecha de Humboldt, removió el fuego con las tenazas. Comprendí que tenía curiosidad con respecto a las intenciones de Humboldt y buscaba modos de remolonear, pero Humboldt le despidió con ligereza.

—Señorita Warshawski, tengo una cuestión delicada que hablar con usted, y le ruego sea indulgente si no lo hago con la máxima elegancia. Después de todo, soy industrial, un ingeniero industrial más a sus anchas entre productos químicos que entre jóvenes bonitas.

Había venido a América ya adulto; aún después de casi sesenta años conservaba un leve acento.

Sonreí burlona. Cuando el propietario de un imperio de diez billones de dólares empieza a disculparse por su estilo, ha llegado el momento de agarrar tu bolso con fuerza y contarte los dedos.

—Estoy segura de que se subestima, señor.

Me dirigió una mirada rápida de reojo y decidió que aquello merecía una carcajada ronca.

—Veo que es usted una mujer prudente, señorita Warshawski.

Bebí un sorbo de coñac. Era pasmosamente suave. Por favor, que me llame muchas veces a consulta, pedí al dorado líquido.

—Puedo ser temeraria si hace falta, señor Humboldt.

—Bien, eso está muy bien. De modo que es investigadora privada. ¿Y le resulta un trabajo en que puede ser prudente y temeraria al mismo tiempo?

—Me gusta ser mi propio jefe. Y no tengo deseo de llegar a serlo hasta el nivel que ha logrado usted.

—Sus clientes hablan maravillas de usted. Hoy mismo, mientras charlaba con Gordon Firth mencionó lo agradecida que estaba la junta directiva de Ajax a sus esfuerzos.

—Me alegro mucho de saberlo —dije, recostándome en el sillón y tomando otro sorbo.

—Gordon se ocupa de gran parte de mis seguros, claro. Claro. Gustav llama a Gordon y le comunica que necesita diez toneladas de seguros y Gordon dice no faltaba más y treinta jóvenes de ambos sexos trabajan un mes a ochenta horas semanales para dejarlo todo listo y después ambos se estrechan las manos cordialmente en el club Standard y se agradecen mutuamente las molestias que se han tomado.

—De modo que pensé que podría echarle una mano con una de sus investigaciones. Después de escuchar el caluroso informe de Gordon me di cuenta que era usted inteligente y discreta y no inclinada a abusar de una información que se le diera confidencialmente.

Con mucho esfuerzo conseguí no saltar en el asiento y llenarme toda la falda de coñac.

—No puedo imaginar dónde coinciden nuestras respectivas esferas de acción, señor. Por cierto, este coñac es excelente. Es como beber un buen licor de malta.

Ante aquello Humboldt soltó una carcajada estrepitosa y auténtica.

—Estupendo, querida señorita Warshawski. Estupendo. ¡Recibir con tanta serenidad mis palabras y después alabar mi licor con el más sutil insulto! Me gustaría convencerla para que dejara de ser su propio jefe.

Sonreí y dejé la copa.

—Me gustan los cumplidos tanto como a cualquiera, y he tenido un día duro; me vienen muy bien. Pero empiezo a preguntarme quién tiene que ayudar a quién. Y no es que no sea un privilegio poder prestarle algún servicio.

Asintió con la cabeza.

—Creo que podremos prestarnos servicios mutuos. Me preguntó dónde coincidían nuestras esferas de acción. —Una excelente expresión—. Y la respuesta es que en Chicago Sur.

Reflexioné unos instantes. Por supuesto. Tenía que haberme dado cuenta. Xerxes debía formar parte de Químicas Humboldt. Pero yo estaba tan acostumbrada a considerarlo parte de mi paisaje de infancia que no había visto la relación cuando Anton me llamó.

Mencioné el nombre con indiferencia y Humboldt volvió a asentir.

—Muy bien, señorita Warshawski. La industria química realizó una gran contribución al esfuerzo bélico. Hablo de la Segunda Guerra Mundial, claro. Y el esfuerzo bélico a su vez fomentó la investigación y el desarrollo a gran escala. Muchos de los productos de los que todos —hablo de Dow, Ciba, Imperial Chemical, todos— comemos hoy día se remontan a las investigaciones que realizamos entonces. La xerxina fue uno de los grandes descubrimientos de Xerxes, uno de los 1, 2 dicloretanos. A este último yo mismo pude dedicarle tiempo.

Se interrumpió con una mano vuelta hacia arriba.

—Usted no es química. Todo eso no le interesará nada. Pero llamamos Xerxes al producto debido a la xerxina, claro está, y abrimos la fábrica de Chicago Sur en 1949. Mi mujer se dedicaba al arte. Ella hizo el dibujo del logotipo, la corona en campo morado.

Paró de hablar para ofrecerme la botella. No quería parecer ansiosa. Por otra parte, rehusar habría podido parecer descortés.

—Pues bien, esa planta de Chicago fue el comienzo de la expansión internacional de Humboldt, y siempre le he tenido mucho cariño. De modo que pese a que yo no me ocupo ya del funcionamiento diario de la compañía... tengo nietos, señorita Warshawski, y a los viejos nos gusta creer que rejuvenecemos con los niños. Pero mi gente sabe lo que quiero a esa fábrica. O sea que cuando empieza a fisgar por allí una detective joven y bonita, a hacer preguntas, es natural que me lo comuniquen.

Sacudí la cabeza.

—Sentiría mucho que le hubieran alarmado innecesariamente, señor. No estoy fisgando en la fábrica. Simplemente intento rastrear a unos hombres como parte de una indagación personal. Por algún motivo su señor Joiner, el jefe de personal, ha querido hacerme creer que nunca trabajaron en su empresa.

—Entonces ha encontrado al doctor Chigwell. —Su voz profunda había bajado a un murmullo sordo, difícil de entender.

—Al que mi pregunta causó aún mayor conmoción que al joven Joiner. No pude evitar el pensar que acaso tuviera sus propias cuentas pendientes. Alguna transacción de su juventud que estuviera pesándole en la conciencia a la vejez.

Humboldt levantó la copa para mirar al fuego a través de ella.

—Cómo se apresura la gente a protegerte cuando eres viejo y quieren que sepas que tus intereses no les son indiferentes. —Hablaba al cristal—. Y qué conflictos causan innecesariamente. Es un constante tema de discusión con mi hija, una de las preocupaciones de la naturaleza.

Volvió a dirigirme la mirada.

—Tuvimos una cuestión con esos hombres, con Pankowski y Ferraro. Una cuestión lo bastante problemática para que incluso recuerde sus nombres, comprende, entre los cincuenta y tantos mil empleados que tengo en todo el mundo. Intentaron llevar a cabo un acto de sabotaje en la fábrica. En el producto, en realidad. Un cambio de proporción en la mezcla de modo que resultaba un gas muy inestable y unos residuos que bloqueaban las tuberías de salida. Tuvimos que cerrar la planta tres veces en 1979 para limpiarlo todo. Hizo falta un año de investigación para descubrir quién estaba detrás de aquello. Ellos y otros dos hombres fueron despedidos, y entonces nos demandaron por despido improcedente. Todo aquello fue una pesadilla. Una pesadilla horrible.

Hizo una mueca y vació el vaso.

— Por eso cuando apareció usted mi gente supuso lógicamente que venía a instancias de algún abogado desaprensivo que buscaba abrir viejas heridas. Pero por mi amigo Gordon Firth yo sabía que no podía ser eso. Por eso me he arriesgado, invitándola aquí. Le he explicado todo el asunto. Y espero no equivocarme, si pienso que no se va a ir corriendo a un abogado a decirle que he querido sobornarla o como se diga.

—Sobornar me sirve a la perfección —dije, apurando también mi copa y rechazando con un gesto la oferta de la botella—. Y puedo asegurarle con confianza que mis indagaciones nada tienen que ver con los pleitos en que estos hombres estuvieron implicados. Es un asunto puramente personal.

—Bien, si atañe a empleados de Xerxes, me ocuparé de que reciba toda la ayuda que precise.

No soy amiga de revelar los asuntos de mis clientes. En especial, no a desconocidos. Pero al final decidí contárselo: era la forma más fácil de que me asistiera. No toda la historia, por supuesto. No le hablé de Gabriella y mis cuidados de Caroline, ni de la repetida manipulación de que me hacía objeto ni de los enfurecidos Djiak. Pero sí de que Louisa estaba muriéndose y que Caroline deseaba saber quién era su padre y Louisa no quería revelarlo.

—Soy europeo y anticuado —dijo cuando hube acabado—. No me hace gracia que la muchacha no quiera respetar los deseos de su madre. Pero si está usted comprometida, lo está. ¿Y piensa que posiblemente él le hubiera dicho algo a Chigwell por ser el médico de la fábrica? Le llamaré para preguntarle. Probablemente no quiera hablar con usted en persona. Pero mi secretaria la llamará dentro de unos días con la información.

Aquello era una despedida. Me deslicé hasta el borde de mi asiento para poder levantarme sin tener que impulsarme apoyándome a ambos lados y me complació comprobar que me movía con agilidad, sin que me hubiera afectado el brandy. Si conseguía llegar hasta la puerta de entrada sin chocar con algún valiosísimo objeto de arte, podría manejarme sin dificultad con el coche para volver a casa.

Agradecí a Humboldt el coñac y la ayuda. Le quitó importancia con otra risita franca.

—Ha sido un placer para mí, señorita Warshawski, hablar con una joven atractiva, lo bastante valiente además para mantenerse firme ante un viejo león. No deje de venir a verme si vuelve por este barrio.

Anton rondaba junto a la puerta de la biblioteca para escoltarme hasta la salida.

—Lo siento —le dije cuando llegamos a la entrada—. He prometido no contarlo.

Pretendió con altivez no haberme oído y llamó al ascensor con gélida indiferencia. No estaba muy segura de qué debía hacer en cuanto al portero y mi coche, pero cuando tentativamente saqué un billete de cinco dólares lo hizo desaparecer mientras me ayudaba tiernamente a subir al Chevy.

Dediqué el trayecto hasta casa a pensar en razones por las que era mejor para mí ser investigadora privada que químico billonario. La lista fue mucho más breve que la carrera.

10

Dispara cuando puedas

Me ahogaba en un mar de xerxina densa y gris. Yo me asfixiaba mientras Gustav Humboldt y Caroline permanecían en la orilla absortos en su charla sin escuchar mis gritos de auxilio. Me desperté a las cuatro y media, sudorosa y jadeante, demasiado alterada por mi sueño para volverme a dormir.

Al fin salí de la cama cuando empezaba a clarear. Mi habitación no estaba fría, pero yo tiritaba. Saqué una sudadera de la pila de ropa que había junto a mi cama y vagué por el piso, intentando encontrar algo en lo que fijar mi atención. Toqué una escala en el piano, pero lo dejé enseguida: no sería justo para los vecinos que ejercitara mi voz enmohecida a estas horas de la mañana. Me trasladé a la cocina para preparar un café, pero perdí todo interés tras haber fregado la cafetera.

Mis cuatro habitaciones me parecen por regla general despejadas y espaciosas, pero hoy se me hacían estrechas. El revoltijo de libros, papeles y ropa, que normalmente me resulta hogareño, empezó a parecerme vergonzante y mísero.

No me digas que estás infectada de Djiakismo, me reprendí irritada. Antes de darte cuenta vas a estar de rodillas en el recibidor restregando los suelos todas las mañanas.

Finalmente me puse vaqueros y zapatillas de correr y salí. La perra reconoció mi paso al otro lado de la puerta cerrada del primer piso y emitió un ladrido lastimero. Me hubiera gustado su compañía, pero no tenía llave de la casa del señor Contreras. Caminé sola hasta el lago, incapaz de encontrar energías para correr.

Era otro día gris. Sabía que estaba saliendo el sol por el cambio de intensidad de la luz tras las nubes que cubrían el horizonte por el este. Bajo aquel cielo hosco el lago parecía hecho del espeso líquido gris de mi pesadilla. Lo miré con fijeza, intentando disipar mi persistente inquietud racionalizándola, intentando perderme en las cambiantes formas y colores del agua.

No obstante ser tan temprano, había ya corredores en el camino del lago, haciendo sus millas antes de vestirse el traje mil rayas o las medias para el día. Parecían los hombres huecos, envuelto cada uno en la urna sonora de su propia radio, los rostros inexpresivos, su aislamiento helador. Hundí las manos hasta el fondo de mis bolsillos, temblando, y me dirigí hacia mi casa.

Me detuve de camino para desayunar en el hotel Chesterton. Es un hotel residencial para viudas bien provistas. El pequeño restaurante húngaro donde sirven *cappuccinos* y cruasanes funciona atendiendo al ritmo pausado y los buenos modales de estas señoras.

Mientras removía la espuma de mi segundo *cappuccino* me preguntaba con insistencia por qué me habría llamado Gustav Humboldt a su presencia. Sí, no quería que anduviera husmeando en su fábrica. No hay presidente de consejo al que le haga gracia eso. Y sí, tenía aquel asuntillo interno con Pankowski y Ferraro. ¿Pero era aquello para que el presidente de la junta directiva llamara a la humilde detective para comunicárselo en persona? Pese a todo lo que dijo de Gordon Firth, yo no había visto nunca al presidente de Ajax en el curso de mis tres investigaciones relacionadas con los seguros de la compañía. Los jefes de las corporaciones multinacionales, aun si tienen ochenta y cuatro años y se les cae la baba con sus nietos, tienen capas y capas de subalternos encargados de hacerles esa clase de trabajos.

La noche anterior mi vanidad se había visto halagada. Sólo la invitación era ya excitante, no digamos el entorno refinado y el increíble brandy. No me había parado a pensar sobre el fraternal caudal de información ofrecido por Humboldt, pero quizá debiera hacerlo.

¿Y la pequeña Caroline? ¿Qué sabía ella que no me hubiera dicho? ¿Que habían puesto en la calle a los dos amigos de Louisa? ¿O acaso que la propia Louisa estuvo implicada en los intentos de sabotaje de la fábrica? Podría ser que Gustav Humboldt hubiera sido su amante hace mucho tiempo y ahora se hubiera aprestado a defenderla. Ello explicaría su intervención personal. Quizá fuera él el padre de Caroline y a ésta le esperaba una herencia gigantesca, de la cual sería eminentemente viable extraer una modesta remuneración para mí.

Según iba en aumento la extravagancia mis especulaciones, me iba animando. Volví hacia casa mucho más rápidamente de lo que había salido, saludando a los inquilinos del segundo que marchaban a trabajar con un «buenos días» casi bastante alegre para ser digno de una azafata.

Estaba realmente harta de las medias y los tacones, pero tenía que volver a ponérmelos para causar una impresión favorable en el Departamento de Trabajo. Un amigo mío de la facultad de derecho trabajaba en su delegación de Chicago; es posible que él pudiera informarme sobre el sabotaje y si era verdad que aquellos hombres habían demandado a Humboldt por despido improcedente. Los zapatos rojos seguían en el recibidor junto a mi traje sastre azul. A la larga tendría que arreglarlos, pero a la larga. Los recogí y salí.

Cuando al fin encontré donde aparcar cerca del edificio Federal eran ya las diez pasadas. En los últimos años, el Loop es objeto de un fervor urbanístico que ha convertido el distrito comercial en una copia atascada y ruidosa de Nueva York. Muchos de los garajes públicos han sido sustituidos por rascacielos más altos de lo permitido por las leyes municipales, de modo que tenemos cuatro veces más tráfico y nos disputamos la mitad de espacio para estacionar.

Cuando llegué al piso dieciséis del edificio Dirksen no estaba del mejor humor posible. Y a ello no contribuyó la actitud de la recepcionista, que miró brevemente hacia mí antes de volver a su mecanografía con el lacónico anuncio de que no podía ver a Jonathan Michaels.

—¿Se ha muerto? —repliqué insolente—. ¿No está en la ciudad? ¿Está procesado?

Me miró fríamente.

—Le he dicho que no puede verle y no necesita saber más.

Las puertas que llevaban a los despachos estaban siempre cerradas. O la recepcionista o alguien del interior podían apretar el botón para abrirlas, pero era evidente que esta mujer no me iba a permitir recorrer los cubículos para encontrar a Jonathan. Me senté en una de las sillas de plástico de respaldo recto y le informé de que esperaría.

—Como quiera —respondió bruscamente, apretando las teclas con furia.

Al entrar un hombre negro con traje de calle montó todo un número de amabilidad, cloqueando a su alrededor y hasta coqueteando un poco. Le lanzó una sonrisa almibarada y le deseó un buen día mientras abría el resorte de la puerta. Cuando me introduje detrás de él se quedó tan sorprendida que no pudo ni graznar.

Mi acompañante me miró arqueando las cejas.

—¿Es usted de aquí?

—Pues sí —dije—. Yo le pago su sueldo. Y estoy aquí para contárselo a Jonathan Michaels.

Su expresión se volvió momentáneamente alarmada, mientras procuraba imaginar qué burócrata de Washington podría ser yo. Después comprendió lo que había querido decir y exclamó:

—En tal caso, quizá sea mejor que espere fuera hasta que Gloria le diga que puede entrar.

—Dado que no se ha molestado en preguntarme ni mi nombre ni lo que me trae, debo suponer que su interés en servir al público contribuyente no es abrumador.

Yo sabía dónde estaba el despacho de Jonathan y aceleré mi ritmo para adelantarme a mi acompañante. Oí sus pasos sobre la moqueta apresurarse tras de mí, exclamando:

—Señorita, señorita, por favor. —Mientras yo abría la puerta del rincón.

Jonathan estaba en el despacho de fuera junto a la mesa de su secretaria. Cuando me vio, su cara rubicunda se iluminó con una sonrisa.

—Ah, eres tú, Vic.

Yo sonreí a mi vez.

—¿Es que te ha llamado Gloria para decirte que venía hacia tu despacho la guerrilla urbana para hacértelo añicos y arrancarte tu rubia cabellera?

—La que me queda —dijo quejumbroso. Estaba parcialmente calvo, lo cual le daba el aspecto de un padre William rejuvenecido.

Jonathan Michaels era un idealista callado cuando éramos compañeros de curso en la facultad de derecho. Mientras que algunos estudiantes como yo —encerrados en nuestras camisas de fuerzas liberales, como lo expresara un doctor en leyes conservador— nos lanzamos a la defensa de oficio, Jonathan había estudiado las cuestiones sociales con sosiego. Había sido secretario judicial en un tribunal de jurisdicción federal durante dos años y después había pasado al Departamento de Trabajo. En estos momentos era magistrado en el distrito de Chicago.

Me llevó a su despacho y cerró la puerta.

—Tengo una docena de abogados de St. Louis en la sala de juntas. ¿Puedes exponerme tu asunto en treinta segundos?

Lo expliqué con rapidez.

—Quiero saber si existe algún rastro —a través de OSHA, la Comisión Nacional de Relaciones Laborales, la gente de Cumplimiento de Contratos, o quizá por Justicia— de Ferraro y Pankowski. Sobre un sabotaje y un pleito.

Escribí los nombres en uno de sus cuadernos amarillos y añadí el de Louisa Djiak.

—Es posible que estuviera implicada. No quiero contarte ahora toda la historia —no tienes tiempo— pero los datos me los proporcionó personalmente Gustav Humboldt. No está precisamente deseando que se hagan públicos.

Jonathan descolgó el teléfono mientras seguía hablando.

—Myra, di a Dutton que venga, por favor. Tengo un trabajo de investigación. —Enunció la cuestión en unas cuantas palabras y colgó—. Vic, la próxima vez, hazme un gran favor y cumple lo que pide el anuncio: llama antes.

Le besé en la mejilla.

—Desde luego, Jonathan. Pero solamente cuando pueda pasarme dos días jugando al ratón y al gato con tu teléfono antes de poder hablar contigo. *Ciao, ciao, bambino.*

Jonathan estaba de vuelta en la sala de juntas antes de que yo hubiera alcanzado la puerta de salida. Cuando Gloria me vio otra vez en la zona de recepción empezó a aporrear las teclas con energía nuevamente. Por pura malevolencia esperé fuera un minuto, después eché un vistazo entreabriendo la puerta. Gloria había cogido el *Herald-Star.*

—A trabajar —dije severamente—. Los contribuyentes esperan recibir algo a cambio de su dinero.

Me dirigió una mirada de aborrecimiento. Llegué hasta el ascensor riendo quedamente para mis adentros. Espero poder superar algún día esta clase de placeres juveniles.

Caminé las cuatro manzanas hasta mi oficina. Al comprobar las llamadas de mi contestador supe que Nancy Cleghorn había estado intentando localizarme. Primero esta mañana, mientras yo me autocompadecía junto al camino del lago, y otra vez hacía diez minutos. Con esa irritante costumbre que suele tener la gente, no se había molestado en dejar un número de teléfono.

Suspiré afligida y saqué la guía telefónica urbana de debajo de un montón de papeles que había en el hueco de la ventana. El metro elevado de Wabash pasa bajo mis ventanas y la guía tenía una fina capa de tizne, con el que embadurné la parte delantera de mi traje de lana verde.

Nancy era directora de asuntos medioambientales en el grupo pro desarrollo de la comunidad regentado por Caroline. Busqué PRECS, lo cual fue una pérdida de tiempo, porque, naturalmente, estaba bajo Proyecto de Rehabilitación de Chicago Sur. Y aquello fue también una pérdida de tiempo porque Nancy no estaba allí, ni lo había estado en todo el día, y no sabían cuándo iría. Y no, no podían darme su teléfono particular, especialmente si era su hermana la que llamaba, porque allí todos sabían que tenía cuatro hermanos, y si no dejaba de molestar iban a llamar a la policía.

—¿Puedo por lo menos dejar un mensaje? Es decir, ¿sin que llamen a la policía? —Deletreé mi nombre lentamente, dos veces, aunque ya sabía que no serviría de nada; al final saldría Watchski o alguna otra mutación horripilante. La secretaria me dijo que se ocuparía de entregar el mensaje a Nancy con ese tono por el que sabes que el papel irá al cesto en cuanto cuelgues.

Volví a la guía. Nancy no aparecía, pero Ellen Cleghorn seguía viviendo en Muskegon. Hablar con la madre de Nancy supondría un cambio grato frente a las acogidas de que había sido objeto en el día de hoy. Me recordaba perfectamente, le encantaba leer cosas sobre mí cuando algunos de mis casos llegaba a la prensa, le hubiera gustado que me acercara a cenar con ellos alguna vez cuando estaba en el barrio.

—Nancy se ha comprado una casa en South Shore. Una de esas mansiones inmensas que se cae a pedazos. La está arreglando. Es un poco grande para una mujer sola, pero a ella le gusta. —Me dio el número y colgó con repetidas invitaciones a cenar.

Nancy no estaba en casa. Me di por vencida. Si tantas ganas tenía de hablar conmigo ya me volvería a llamar.

Miré las manchas de la parte delantera de mi vestido. El traje sastre seguía en el coche. Si me iba a casa ahora, podía ponerme los vaqueros, llevar todo al tinte, y dedicarme a mí el resto de la tarde.

Eran casi las cinco —yo estaba pacíficamente enfrascada en la síncopa de *In dem Schatten meiner Locken*, sin la voz de Kathleen Battle— cuando sonó el teléfono. Dejé el piano de mala gana, y me arrepentí más aún cuando descolgué el auricular: era Caroline.

—Vic, tengo que hablar contigo.

—Pues habla —le dije resignada.

—En persona, quiero decir. —Su voz ronca tenía un tono apremiante, pero siempre era así.

—Si quieres venirte a Lake View, bienvenida. Pero no pienso meterme en el jaleo de Chicago Sur esta tarde.

—Coño, Vic. ¿Es que no puedes hablarme sin ser desagradable?

—Quieta ahí, Caroline. Si quieres hablar conmigo, empieza. Si no, me vuelvo a lo que estaba haciendo cuando me has interrumpido.

Se produjo una pausa durante la cual imaginé sus ojos color genciana relampagueando. Después dijo, tan rápidamente que apenas pude entenderlo:

—Quiero que lo dejes.

Quedé confusa durante unos instantes.

—Caroline, si alguna vez consigues darte cuenta de lo molesto que me resulta que me compliques la vida constantemente, quizás entenderías por qué te parezco desagradable.

—No me refiero a eso —dijo con impaciencia—. Que dejes de buscar a mi padre.

—¡Qué! —grité—. Hace dos días bajabas tus ojitos azules y me decías patéticamente que *contabas* conmigo.

—Eso fue entonces. No sabía —entonces no sabías— pero, vamos, por eso tengo que verte en persona. No puedes entenderlo por teléfono si armas semejante alboroto. Pero, por Dios, no busques más hasta que podamos hablar personalmente.

No se podía negar la hebra de pánico en su voz. Tiré de un hilo del roto a través del cual me asomaba la rodilla izquierda por los vaqueros. Sabía lo de Pankowski y el sabotaje industrial. Tiré de otro hilo. No lo sabía.

—Llegas tarde, chiquilla —le dije al fin.

—¿Es que ya lo has encontrado?

—No. Quiero decir que la investigación ha sobrepasado tu capacidad para detenerla.

—Vic, yo te contraté. Yo rescindo el contrato —dijo con una ferocidad aterradora.

—Pues no —repetí con firmeza—. La semana pasada sí. Pero la investigación ha pasado a una fase nueva. No puedes despedirme. No es eso. Claro que *puedes* despedirme. Acabas de hacerlo. Lo que quiero decir es que puedes decidir no pagarme pero no puedes detener mis pesquisas ahora. Y por encima de todo, lo primero de la lista, está que no me dijeras lo de Ferraro y Pankowski.

—¡No sé siquiera quiénes son! —gritó—. Mamá nunca me habla de sus antiguos amantes. Es como tú; se cree que soy una jodida niña.

—No lo de que fueran amantes. Lo del sabotaje y el despido. Y el pleito.

—No sé de qué demonios me estás hablando, V. I. Sabelotodo Warshawski, y no tengo por qué seguir escuchándote. Por lo que a mí respecta, lo de V. I. va por venenoso insecto, que cubriría de D.D.T. si lo tuviera a mano. —Me colgó el teléfono con un golpazo.

Fue aquel insulto infantil de la despedida lo que me convenció de que realmente no sabía lo de aquellos dos hombres. También me di cuenta de pronto de que no tenía la menor idea de por qué me despedía. Fruncí el ceño y marqué el número de PRECS, pero se negó a ponerse al teléfono.

«Pues vete a paseo, mocosa», susurré, tirando también el teléfono.

Intenté volver a Hugo Wolf, pero mi entusiasmo había desaparecido. Me acerqué hasta la ventana del salón y contemplé la vuelta a sus casas de los del horario de nueve a cinco. Supongamos que mis especulaciones de esta mañana no fueran tan descabelladas después de todo. Supongamos que Louisa Djiak estuviera efectivamente implicada en el sabotaje de la fábrica y que Humboldt estuviera protegiéndola. Incluso cabía que hubiera llamado a Caroline para exigirle que me despidiera. Aunque Caroline no era persona a la que se pudiera presionar fácilmente. Si alguien del calibre de Humboldt fuera a por ella, lo más probable sería que Caroline le hundiera los dientes en la pantorrilla y no soltara hasta que el otro no aguantara más el dolor.

Se me ocurrió que tal vez lo que Nancy quería comentar conmigo pudiera arrojar alguna luz sobre el problema general. Volví a marcar su número, pero seguía sin contestar.

«Venga, Cleghorn —susurré—. Tú eras la que tenías interés suficiente en hablar conmigo para dejarme dos mensajes. ¿Es que te ha pillado un tren o algo?»

Al fin me harté de mis fútiles elucubraciones y llamé a Lotty Herschel. Estaba libre para la cena y encantada de tener compañía. Nos fuimos al Gypsy y compartimos un pato asado, después volvimos a su casa, donde me ganó cinco veces seguidas al *ginrummy*.

11

El cuento de la mocosa

A la mañana siguiente, hojeaba el periódico mientras se hacía el café cuando saltó a mi vista el nombre de Nancy Cleghorn. El artículo estaba en la primera página del *Chicago Beat*, y explicaba por qué no había contestado al teléfono ayer. Su cuerpo había sido hallado en torno a las ocho de la tarde anterior por dos muchachos que, haciendo caso omiso tanto del gobierno como de sus padres, se habían metido en la zona acotada cercana a la laguna del Palo Muerto.

Una pequeña parte de la marisma original se había conservado como tierras húmedas de Illinois para aves migratorias, pero estaba tan llena de bifenilo policlorado que era escaso lo que allí podía sobrevivir. Aun así, en medio de las fábricas difuntas se veían garzas y algún que otro castor y rata almizclera.

Los dos muchachos habían avistado una rata almizclera en una ocasión y esperaban volver a verla. A la orilla del agua habían topado con una bota abandonada. Puesto que había unas cincuenta botas por cada animal —y estaba oscuro— tardaron unos minutos en comprobar que tenía un cuerpo conectado a ella.

Nancy había recibido un golpe en la parte posterior de la cabeza. La lesión interna habría bastado para matarla, pero al parecer se había ahogado al arrojar su cuerpo a la laguna. La policía no tenía noticias de que nadie tuviera motivo para matarla. Era persona muy respetada, su labor en PRECS le había procurado muchas alabanzas por parte de aquella comunidad acosada por problemas medioambientales, y esto y lo otro. Tenía madre y cuatro hermanos.

Terminé de hacer el café pausadamente y me llevé el periódico al salón de estar, donde releí el artículo seis o siete veces. No me dijo nada nuevo. Nancy. Mi malhumorado pensamiento de la noche anterior —quizá la hubiera pillado el tren— me erizó el vello a ambos lados de la cara. Mi pensamiento no había causado su muerte. Mi cabeza lo sabía, pero no mi cuerpo.

Si no me hubiera dado aquel paseo por el lago ayer por la mañana... interrumpí esta línea de pensamiento al comprender su absurdo. Si me quedaba encadenada al teléfono las veinticuatro horas del día, estaría siempre en casa para amigos en apuros y para el comercio telefónico, y no tendría más vida que ésa. Pero Nancy. La conocía desde que tenía seis años. En mi interior seguía creyendo que éramos aún pequeñas; que por el hecho de haber crecido juntas íbamos a protegernos mutuamente del paso de los años.

Deambulé hasta la ventana y miré al exterior. Volvía a llover con fuerza en densas cortinas de agua que impedían ver la calle. Entorné los ojos fijándolos en la lluvia, moviendo la cabeza para formar dibujos con ella, preguntándome qué hacer. No eran más que las ocho y media; demasiado temprano para llamar a mis amigos de la prensa y comprobar si tenían datos que no hubieran podido insertarse en la edición de la mañana. Las personas que se acuestan a las cuatro o las cinco de la mañana son más complacientes si las dejas dormir a gusto.

La habían encontrado en el Cuarto Distrito Policial. Allí no conocía a nadie; mi padre trabajaba las zonas del Loop y las secciones noroeste, no su propia vecindad. Además, de eso hacía más de diez años.

Me estaba mordisqueando la punta del dedo, intentando decidir a quién llamar, cuando sonó el timbre de la puerta. Me imaginé que sería el señor Contreras, queriendo convencerme para que sacara a la perra en medio del chaparrón, y fruncí las cejas mirando hacia la ventana neblinosa sin moverme. La tercera vez que el timbre sonó abandoné mi escondite a regañadientes. Taza en mano, apreté el automático de la puerta exterior y bajé descalza los tres tramos de escalera.

Había dos figuras voluminosas en el portal. La lluvia relucía en sus caras rasuradas y goteaba de sus impermeables azules formando charcos sucios en el suelo de baldosa.

Cuando abrí la puerta el mayor de los dos dijo con cargado sarcasmo:

—Buenos días, sol. Espero que no hayamos interrumpido tu descanso de belleza.

—En absoluto, Bobby —dije sinceramente—. Llevo levantada por lo menos una hora. Pero hubiera querido que fuera el timbre equivocado. Hola, sargento —añadí dirigiéndome al más joven—. ¿Os apetece un café?

Cuando pasaron ante mí para subir la escalera me cayó agua fría de sus impermeables a los pies descalzos. Si sólo hubiera estado Bobby Mallory habría pensado que era intencionada. Pero el sargento McGonnigal había sido siempre escrupulosamente educado conmigo, sin participar nunca en la hostilidad que me mostraba su teniente.

La verdad era que Bobby había sido el mejor amigo de mi padre, tanto dentro como fuera del cuerpo. Sus sentimientos hacia mí eran una mezcla de mala conciencia por haber prosperado mientras mi padre se quedaba en la patrulla de zona y por seguir vivo mientras que Tony había muerto, y de frustración porque yo hubiera crecido y fuera investigadora profesional en lugar de la niña que él podía sentar en sus rodillas.

Echó un vistazo al pequeño recibidor de mi casa buscando dónde dejar su impermeable mojado, tirándolo finalmente al suelo al otro lado de la puerta. Su mujer era un ama de casa meticulosa y estaba bien entrenado. El sargento McGonnigal siguió su ejemplo, pasándose los dedos por el espeso cabello rizado para sacudir el agua todo lo posible.

Les hice pasar al salón gravemente y traje tazas de café, recordando poner más azúcar en la de Bobby.

—Me alegro de veros —les dije cortésmente cuando estuvieron sentados en el sofá—. Especialmente en un día tan repugnante. ¿Cómo estáis?

Bobby me miró con severidad, apartando la vista rápidamente cuando comprobó que no llevaba sostén debajo de la camiseta.

—Yo no quería venir. El capitán creyó conveniente que alguien hablara contigo y, como te conozco, pensó que debía ser yo. Aunque no estuve de acuerdo, el capitán es el capitán. Si respondes seriamente a mis preguntas y no intentas hacerte la listilla, todo irá más deprisa y mejor para los dos.

—Y yo que creía que era una visita amistosa —dije tristemente—. No, no, lo siento, mal comienzo. Voy a ser tan seria como... como un juez de delitos de tráfico. Pregúntame lo que quieras.

—Nancy Cleghorn —dijo Bobby sin rodeos.

—Eso no es una pregunta, y no tengo respuesta. Acabo de leer en el periódico de esta mañana que la mataron ayer. Estoy segura de que tú sabes mucho más del asunto que yo.

—Desde luego —asintió secamente—. Sabemos mucho: que murió hacia las seis de la tarde. Por la cantidad de hemorragia interna el forense dice que probablemente fuera golpeada alrededor de las cuatro. Sabemos que tenía treinta y seis años y que estuvo embarazada por lo menos una vez, que comía cantidades excesivas de alimentos grasos y se había roto la pierna derecha de mayor. Sé que un hombre, o una mujer con zapatos tamaño trece y una zancada de cuarenta pulgadas, la arrastró en una manta verde hasta la parte sur de la laguna del Palo Muerto. La manta se adquirió en alguna sucursal nacional de Sears en algún momento entre 1978, cuando empezaron a fabricarlas, y 1984, cuando interrumpieron esa marca. Otra persona, presumiblemente un hombre, acompañó a la primera en el paseo, pero no ayudó a arrastrar ni a arrojar el cuerpo.

—El laboratorio hizo horas extras anoche. No sabía que hicieran esas cosas por el cadáver del ciudadano medio.

Bobby se negó a seguirme la burla.

—Hay también alguna cosilla que no sé, pero es la parte que cuenta. No tengo idea de quién la querría muerta. Pero tengo entendido que os criasteis juntas y que erais bastante buenas amigas.

—¿Y quieres que encuentre yo al asesino? Pues yo suponía que vosotros contabais con la maquinaria para hacer una cosa así mejor que yo.

Su mirada habría hecho desmayarse a un recluta de academia.

—Quiero que me lo *digas*.

—No lo sé.

—No es eso lo que me han dicho. —Dirigió una mirada furibunda a un punto por encima de mi cabeza.

Yo no podía imaginar de qué me estaba hablando, y entonces recordé los mensajes que había dejado para Nancy en PRECS y en casa de su madre. Pero aquéllos me parecían palitos demasiado débiles para levantar una casa.

—Deja que adivine —le dije con animación—. No ha empezado el horario comercial y tú has reunido ya a todo el personal de PRECS y has hablado con ellos.

McGonnigal se removió inquieto y miró a Mallory. El teniente cabeceó brevemente. McGonnigal dijo:

—Hablé con la señorita Caroline Djiak a última hora de la noche. Me dijo que habías asesorado a Cleghorn con respecto a la forma de investigar un problema que tenían con un permiso de zonificación para una planta de reciclaje. Dijo que sabrías con quién había hablado la fallecida sobre ese asunto.

Me quedé mirándole estupefacta. Finalmente dije ahogadamente:

—¿Son ésas sus palabras exactas?

McGonnigal sacó un cuadernillo del bolsillo de la camisa. Pasó las páginas consultando sus notas con ojos estrábicos.

—No lo apunté palabra por palabra, pero se parece mucho —dijo al fin.

—Yo no diría que Caroline Djiak es una embustera patológica —respondí en tono coloquial—. Pero sí una mosquita muerta que utiliza al prójimo. Y aunque estoy lo bastante furiosa con ella para ir a romperle la crisma personalmente, no me hace excesiva gracia que vengáis a verme de esta manera. Vamos, que la cosa se repite siempre que pensáis que estoy implicada en algún delito, ¿a que sí, teniente? Me montáis un ataque frontal que da por sentado mi conocimiento culpable del caso.

»Podríais haber empezado por comunicarme las palabras fantasiosas de Caroline y preguntarme si eran ciertas. Entonces os habría contado todo lo ocurrido —que fueron unos cinco minutos de conversación en el comedor de Caroline— y podríais haberos ido con un cabo suelto bien atadito.

Me levanté del suelo y me dirigí a la cocina. Bobby entró tras de mí cuando metía la cabeza en la nevera para comprobar si había algo comestible que poder emplear como desayuno. El yogur se había convertido en moho y leche agria. No había fruta, y el único pan que quedaba estaba lo bastante duro para fabricar proyectiles.

Bobby arrugó la nariz inconscientemente al ver los platos sucios, pero se contuvo heroicamente de hacer comentarios. Por el contrario dijo:

—Siempre que te veo cerca de un crimen se me remueven las tripas. Ya lo sabes.

Eso era lo más parecido a una disculpa que iba a ofrecerme.

—No estoy cerca de éste —dije con impaciencia—. No sé por qué quiere Caroline meterme en eso. Me arrastró hasta Chicago Sur la semana pasada para una reunión de baloncesto. Entonces me engatusa para que la ayude con un problema personal. Después me llama para decirme que no me meta más en su vida. Ahora quiere que vuelva. O quizá lo que quiere es castigarme.

Encontré unas galletas en un armario y las unté con mantequilla de cacahuete.

—Mientras comíamos pollo frito, Nancy Cleghorn pasó por allí para hablar del problema de la demarcación de zona. De eso hará una semana. Caroline creía que Jurshak, el concejal del distrito, estaba obstruyendo el permiso. Me preguntó qué haría yo si estuviera investigando el caso. Le dije que lo más fácil sería hablar con algún amigo entre el personal de Jurshak, si es que Nancy o ella tenían alguno. Nancy se fue. Ésa es la suma total de mi participación.

Me serví más café, estaba tan irritada que me temblaba la mano y derramé el líquido por encima de la cocina eléctrica.

—A pesar de tu trabajito de investigación, no nos habíamos visto en más de diez años. No sabía quiénes eran sus amigos o sus enemigos. Ahora Caroline quiere dar la impresión de que Jurshak mató a Nancy, para lo cual no existe ni un átomo de evidencia. Y quiere que parezca que yo la impulsé a hacerlo. ¡Coño!

Bobby retrocedió.

—No sueltes tacos, Vicki. No se consigue nada. ¿Qué estás haciendo para la chica Djiak?

—Mujer —dije yo automáticamente con la boca llena de mantequilla de cacahuete—. En todo caso mocosa. Te lo voy a decir gratis, aunque no sea de tu incumbencia. Su madre fue una de las buenas obras de Gabriella. Ahora se está muriendo. De forma muy desagradable. Caroline quería que encontrara a alguna de las personas compañeras de trabajo de su madre con la esperanza de que vinieran a verla. Pero como probablemente te habrá comunicado, me despidió hace dos días.

Los ojos azules de Bobby se entornaron formando dos pequeñas aberturas en su cara rojiza.

—Hay algo de verdad en todo eso. Ojalá supiera cuánta.

—Tendría que haber sabido que no me iba a servir de nada hablar francamente contigo —dije con rabia—. Sobre todo cuando iniciaste la conversación con una acusación.

—Venga, Vicki, no te rasgues las vestiduras —dijo Bobby, poniéndose súbitamente colorado cuando la imagen así evocada le cruzó la cabeza—. Y limpia la cocina más de una vez al año. Esto parece una pocilga.

Cuando hubo salido dando zancadas con McGonnigal, entré en mi habitación para cambiarme. Mientras volvía a colocarme el vestido negro miré por la ventana: el agua formaba riachuelos en el camino. Me puse los deportivos y metí un par de zapatos negros de tacón en el bolso.

Incluso con un paraguas excepcionalmente amplio se me empaparon las piernas y los pies en la carrera al coche. Claro que en la mayoría de los febreros aquello habría sido una nevada de uno o dos pies de altura, de modo que intenté no protestar con mucha aspereza.

El descongelador del pequeño Chevy no conseguía grandes resultados en el parabrisas empañado, pero al menos el coche no tenía el motor muerto, suerte que habían corrido otros a los que pasé en mi camino. La tormenta y las retenciones me obligaron a hacer el recorrido hacia el sur lentamente; eran casi las diez cuando giré en la calle Noventa y dos dejando la Ruta 41. Cuando al fin hube encontrado un sitio donde estacionar cercano a la esquina con la Comercial, la lluvia empezaba a levantar; había aclarado lo bastante para calzarme los tacones.

Las oficinas de PRECS estaban en el segundo piso de un bloque de pequeños comercios. Doblé ágilmente la esquina hacia la entrada para el público; mi dentista solía tener aquí su clínica y este acceso desde la Comercial constituía un recuerdo indeleble.

Me detuve en lo alto de la escalera desnuda para leer el directorio de la pared mientras me peinaba y me alisaba la falda. El doctor Zdunek ya no estaba allí. Ni tampoco muchos de los restantes inquilinos; dejé atrás una media docena de oficinas vacías al avanzar por el corredor.

En el extremo del fondo entré en una habitación que tenía todo el aspecto de una entidad no lucrativa de pocos haberes. El mobiliario de metal estaba muy rayado y los recortes de periódico pegados a las paredes oscilaban bajo una luz fluorescente muy parpadeante. Papeles y guías telefónicas estaban amontonados sobre el suelo y las máquinas de escribir eléctricas eran un modelo que había abandonado IBM cuando yo aún estaba en la universidad.

Una joven negra mecanografiaba mientras hablaba por teléfono. Me sonrió, pero levantó un dedo para pedirme que esperara. Oía las voces que salían de una sala de juntas abierta; sin prestar atención a los apremiantes siseos de la recepcionista, me acerqué a la puerta para mirar en el interior.

Había un grupo de cinco personas, cuatro mujeres y un hombre, sentados alrededor de una mesa de pino desvencijada. Caroline estaba en el centro, hablando acaloradamente. Cuando me vio en la puerta se interrumpió, sonrojándose hasta las raíces de su cabello cobrizo.

—¡Vic! Estamos reunidos. ¿No puedes esperar?

—Todo el día, si es por ti, corazón. Necesitamos un *tête-à-tête* sobre John McGonnigal. Me ha hecho una visita a primera hora de esta mañana.

—¿John McGonnigal? —Su naricilla se arrugó inquisitiva.

—*Sargento* McGonnigal. Policía de Chicago —contesté servicialmente.

Se ruborizó aún más intensamente.

—Ah. Sí. Será mejor que hablemos ahora. ¿Me perdonáis?

Se levantó y me condujo hasta un cubículo contiguo a la sala de juntas. El caos que reinaba allí, compuesto de libros, papeles, gráficos, periódicos viejos y envolturas de golosinas hacía que mi oficina pareciera una celda conventual. Caroline tiró una guía telefónica que había sobre una silla plegable y me la ofreció mientras ella se sentaba en el tambaleante sillón giratorio de su mesa de trabajo. Enlazó las manos fuertemente frente a ella, pero me miró de forma desafiante.

—Caroline, te conozco desde hace veintiséis años, y me has hecho jugarretas que habrían avergonzado a Oliver North, pero ésta se lleva la palma. Después de mucho lloriquear y suspirar me convences para que busque a tu padre.

Después me despides sin razón alguna. Y ahora, para rematarlo, le mientes a la policía sobre mi relación con Nancy. ¿Te importa explicarme por qué? ¿Sin recurrir a Hans Christian Andersen? —Sólo con esfuerzo estaba logrando que mi voz no llegara a los gritos.

—¿Por qué haces tantos aspavientos? —contestó beligerante—. Es verdad que aconsejaste a Nancy sobre...

—¡Cállate! —la interrumpí con energía—. Ya no estás hablando con los polis, preciosa. Me imagino el cuadro, tú ruborizándote y parpadeando con lágrimas en los ojos ante el sargento McGonnigal. Pero yo sé lo que le dije a Nancy aquella noche tan bien como tú. O sea que déjate de cuentos y dime por qué le mentiste anoche a la policía.

—¡No es cierto! ¡Intenta probarlo! Es verdad que Nancy vino aquella noche a mi casa. Y que tú le dijiste que hablara con alguien de la oficina de Jurshak. Y ahora está muerta.

Sacudí la cabeza como un perro mojado, intentando aclarar mi cerebro.

—¿Podemos empezar desde el principio? ¿Por qué me pediste que dejara de seguir el rastro de tu padre?

Miró el tablero de la mesa.

—Pensé que no era justo para mamá. Hacer a espaldas suyas una cosa que tanto le dolía.

—Vaya, hombre —exclamé—. Para el carro, que voy a ver al cardenal Bernardin y al Papa para que empiecen los trámites de beatificación. ¿Cuándo has puesto tú a Louisa, o a cualquiera, por delante de lo que querías?

—¡Ya basta! —gritó, estallando en llanto—. Créeme o no me creas, lo mismo me da. Quiero mucho a mi madre y no estoy dispuesta a que nadie le haga daño, pienses lo que pienses.

La observé con cautela. Caroline era de las que podía derramar unas lagrimitas como parte de su papel de huérfana trágica, pero no era propensa a estos ataques de llanto.

—Está bien —dije lentamente—. Lo retiro. Ha sido una crueldad. ¿Es por eso por lo que me has echado encima a la poli? ¿Para castigarme por decirte que iba a continuar la investigación?

Se sonó la nariz ruidosamente.

—¡No ha sido eso!

—¿Qué ha sido entonces?

Se mordió el labio inferior.

—Nancy me llamó el martes por la mañana. Me dijo que había recibido una amenaza por teléfono y que creía que alguien la seguía.

—¿Por qué la amenazaban?

—Por la planta de reciclaje, claro.

—Caroline, quiero que me contestes con absoluta claridad. ¿Dijo ella específicamente que las llamadas fueran por la planta?

Abrió la boca, después tomó aliento.

—No —susurró finalmente—. Yo supuse que eran por eso. Porque había sido lo último de lo que habíamos hablado.

—Pero a pesar de eso le dijiste a la policía que la habían matado por la planta de reciclaje. Y que yo le había dicho con quién debía hablar. ¿Te das cuenta de lo indignante que es esto?

—Pero, Vic. No es una suposición descabellada. Quiero decir...

—¡Quieres decir una mierda! —Me volvió a invadir la ira, enronqueciéndome la voz—. ¿Es que no ves la diferencia entre tus entelequias y la realidad? Han matado a Nancy. La han asesinado. En lugar de ayudar a la policía a encontrar al asesino, me difamas y me los echas encima.

—De todas formas Nancy les trae sin cuidado. Todos los de aquí les traemos sin cuidado. —Se puso en pie, con la mirada relampagueante—. Reaccionan a las presiones políticas, y por lo que respecta a Jurshak, tanto le da Chicago Sur como el Polo Sur. Lo sabes tan bien como yo. Sabes cuándo fue la última vez que reparó una calle de este barrio; y desde luego fue antes de marcharte tú de aquí.

—Bobby Mallory es un buen policía, honrado y concienzudo —dije tercamente—. Eso no lo cambia el que Jurshak sea todas las clases de cabrón conocidas.

—Ya, a ti también te da igual. Lo dejastes bien claro cuando te mudaste del barrio y no volviste hasta que yo te obligué.

Empezó a palpitarme la sien derecha. Descargué el puño en la mesa con bastante fuerza para tirar algunos papeles al suelo.

—Me he roto el culo una semana buscando a tu padre. Tus abuelos me han insultado. Louisa se puso como una hiena y ¡tú!, tú no te podías conformar con engatusarme para que buscara al tipo y dejarme después en la estacada. Tuviste que mentir a la policía sobre mí.

—Y yo creí que te importaría un carajo —vociferó—. Creí que si yo no te importaba por lo menos harías algo por Nancy, por haber sido compañeras de equipo. Supongo que así se demuestra que estaba totalmente equivocada.

Se dirigió hacia la puerta. La cogí por el brazo y la obligué a mirarme de frente.

—Caroline, estoy tan furiosa que puedo darte una jodida paliza. Pero no tanto que me impida pensar. Tú me has mandado a los polis porque sabes algo que te da miedo contar. Quiero saber lo que es.

Me miró ferozmente.

—No sé nada. Sólo que alguien había empezado a seguir a Nancy durante el fin de semana.

—Y ella llamó a la policía para denunciarlo. O fuiste tú.

—No. Nancy habló con el fiscal estatal y le dijeron que iban a abrir un expediente. Supongo que ahora ya tienen algo que ponerle.

Puso una sonrisa de mártir triunfante. Me obligué a hablarle con calma. Pasados unos minutos accedió de mala gana a volver a sentarse y contarme lo que sabía. Si decía la verdad —un sí problemático— no era gran cosa. No sabía con quién se había entrevistado Nancy en la oficina del fiscal, pero creía que podía haber sido Hugh McInerney; era con él con quien habían tratado otras cuestiones. Tras nuevos sondeos admitió que hacía dieciocho meses McInerney había escuchado las declaraciones de su organización sobre los problemas que tenían con Steve Dresberg, una figura de la Mafia local dedicada a la eliminación de residuos.

Recordaba vagamente el juicio a causa del incinerador de bifenilos policlorados de Dresberg y el acuerdo de su presunta novia con el Distrito Sanitario pero no sabía que Caroline y Nancy hubieran estado involucradas en aquello. Cuando le pedí que me informara sobre su parte en el asunto, frunció el ceño pero dijo que Nancy había testificado que había recibido amenazas de muerte por su oposición al incinerador.

—Es evidente que Dresberg sabía a quién untar en el Distrito Sanitario. Lo que nosotras dijéramos daba igual. Supongo que creyó que PRECS era demasiado insignificante para que nadie le hiciera caso y por tanto no tenía necesidad de cumplir sus amenazas.

—Y no le has dicho nada de eso a la policía. —Me pasé las manos por la cara con cansancio—. Caroline, tienes que llamar a McGonnigal y rectificar tu declaración. Tienes que hacerles buscar a las personas que te *constaba* que habían amenazado a Nancy anteriormente. Yo misma voy a llamar al sargento en cuanto llegue a casa para contarle nuestra conversación. Y si estás pensando en mentirle otra vez, piénsatelo dos veces; me conoce profesionalmente hace muchos años. Es posible que no le sea simpática, pero sabe que puede creer lo que le diga.

Me miró enfurecida.

—Ya no tengo cinco años. No tengo que hacer lo que me digas.

Fui hacia la puerta.

—Hazme un simple favor, Caroline: la próxima vez que estés en dificultades, llama al 911 como el resto de los ciudadanos. O habla con un loquero. No vengas a cazarme.

12

Sentido común

Arrastré los pies hasta el Chevy, con la sensación de tener cien años. Estaba asqueada con Caroline, conmigo por ser lo bastante idiota para dejarme coger en su red una vez más, con Gabriella por haber ofrecido su amistad a Louisa Djiak. Si mi madre hubiera sabido el lío en que me iba a meter la maldita cría de Louisa... Oí la voz melodiosa de Gabriella respondiendo a esta misma clase de protesta hacía veintidós años. «De ésa no espero más que problemas, *cara*. Pero de ti espero racionalidad. No porque seas mayor, sino porque es tu carácter.»

Hice un gesto de amargura ante aquel recuerdo y puse el coche en marcha. A veces, la carga de ser racional y responsable mientras todos los demás se desmelenaban a mi alrededor me resultaba ingrata. Aun así, en lugar de lavarme las manos con respecto a las dificultades de Caroline y tomar la dirección norte hacia mi casa, me encontré dirigiéndome hacia el oeste. Hacia la casa donde Nancy había pasado su infancia en Muskegon.

Pero no era para ayudar a Caroline por lo que hacía aquel penoso recorrido. Nada me importaba haber dicho a Nancy que hablara con alguien de la oficina de Jurshak, ni siquiera que hubiéramos compartido la vieja toalla del colegio. Lo que quería era aliviar mis propios sentimientos de culpa por no haber estado allí cuando Nancy me llamó.

Claro está que podría haberme llamado para condolerse por las Tigresas: nuestras sucesoras habían sido eliminadas de los cuartos de final estatales. Pero no me parecía probable. Pese a mi briosa actuación ante Caroline, tendía a pensar que tenía razón: Nancy se había enterado de algo sobre la planta de reciclaje para lo que necesitaba mi ayuda.

No tuve la menor dificultad en encontrar la residencia de la madre de Nancy, lo cual no me animó precisamente. Creía haber dejado a mi espalda el Sector Sur, pero al parecer mi inconsciente tenía un recuerdo exacto de cada una de las casas de allí que solía frecuentar.

Había tres coches apretados en el corto acceso al garaje. La calzada ante la casa estaba también llena, y tuve que bajar unas cuantas calles antes de encontrar sitio para aparcar. Jugueteé con las llaves del coche unos momentos antes de recorrer el camino hasta la puerta; quizá debiera aplazar mi visita hasta que se hubieran ido todos los venidos a dar el pésame. Pero aun si ser racional forma parte de mi carácter, la paciencia no es mi virtud más sobresaliente. Me metí las llaves en el bolsillo de la camisa y avancé hacia la entrada.

Me abrió la puerta una mujer joven desconocida de alrededor de treinta años, con vaqueros y sudadera. Me miró inquisitiva sin decir nada. Al final, cuando hubo transcurrido un minuto sin que dijera nada, le di mi nombre.

—He sido amiga de Nancy desde hace mucho tiempo. Quisiera hablar con la señora Cleghorn unos minutos, si se siente capaz de recibirme.

—Voy a preguntárselo —susurró.

Volvió, encogió un hombro, me dijo que entrara, y regresó a lo que fuera que estuviera haciendo cuando toqué el timbre. Al entrar en el pequeño vestíbulo me sorprendió el alboroto: aquello más parecía la casa ruidosa que había sido cuando Nancy y yo éramos niñas que un lugar de luto.

Seguí el ruido hasta el salón de estar, de él salieron disparados dos críos, persiguiéndose con los bollos que utilizaban a modo de pistolas. El que iba delante chocó contra mí y rebotó con una disculpa. Esquivé al segundo y miré con cautela hacia la puerta antes de entrar.

La habitación, alargada y hogareña, estaba atestada de gente. No reconocía a nadie, pero supuse que los hombres eran los cuatro hermanos de Nancy, ya adultos. Presumiblemente, las tres jóvenes eran sus mujeres. Por lo demás, aquella especie de parvulario en plena actividad estaba lleno hasta las costuras de niños dándose mutuos codazos, forcejeando, lanzando risitas, haciendo caso omiso de las admoniciones de silencio de los mayores.

Nadie me prestó la menor atención, pero al fin vislumbré a Ellen Cleghorn al fondo de la habitación, sosteniendo en los brazos un niño berreante sin excesivo entusiasmo. Cuando me vio se levantó con dificultad y entregó el niño a una de las mujeres. Se abrió paso entre el enjambre de nietos y vino hasta mí.

—Siento lo de Nancy —le dije, estrechándole la mano—. Y siento molestarla en un momento como éste.

—Me alegro de verte, querida —respondió, sonriendo afectuosamente y besándome en la mejilla—. Los chicos lo hacen con la mejor intención —todos han pedido el día libre y han creído que la abuela se animaría con los críos—, pero este caos es excesivo. Vamos al comedor. Hay bizcocho y una de las chicas está preparando café.

Ellen Cleghorn había envejecido muy bien. Era una versión algo más gruesa de Nancy, con el mismo cabello rubio rizado. Con los años se le había oscurecido en lugar de volverse canoso y seguía teniendo el cutis suave y terso. Llevaba muchos años divorciada, desde que su marido se había marchado con otra mujer. Nunca había recibido ayuda monetaria para los niños ni para ella, y había criado a su familia numerosa con su mísero sueldo de bibliotecaria, haciéndome un sitio en su mesa a la hora de cenar siempre que teníamos entrenamiento de baloncesto.

Ellen había sido excepcional en el Sector Sur en cuanto a su indiferencia hacia las labores domésticas. El desorden del comedor era muy parecido al que yo recordaba, con bolas de pelusa en los rincones y libros y papeles que se apartaban a un lado cuando había que hacer sitio para la comida. Aun así, la casa siempre me resultó romántica cuando era pequeña. Formaba parte de un puñado de casonas de la barriada —el señor Cleghorn había sido director de escuela primaria antes de largarse— y cada uno de los cinco hijos tenía su habitación. Un lujo inaudito en el Sector Sur. Nancy incluso tenía una pequeña ventana torreada donde representábamos *Barba Azul*.

La señora Cleghorn se sentó tras un montón de periódicos a la cabecera de la mesa y me indicó con la mano una silla frente a la suya.

Jugué nerviosamente con las páginas del libro que tenía delante y después dije bruscamente:

—Nancy estuvo intentando localizarme ayer. Supongo que ya se lo dije cuando me dio su número. ¿Sabe lo que quería?

Movió la cabeza.

—Llevaba varias semanas sin hablar con ella.

—Comprendo que es brutal por mi parte molestarla con esto hoy. Pero... no hago más que pensar que debía tener relación con... con lo que le ocurrió. Es que, hacía tanto tiempo que no nos veíamos. Y cuando por fin charlamos fue de mi trabajo de detective y de lo que haría yo en su lugar. Por eso habría pensado en mí en ese contexto, entiende; algo surgió en lo que ella creyó que mi experiencia profesional podría servirle de ayuda.

—No sé qué decirte, querida. —Le tembló la voz y luchó para controlarla—. No dejes que te inquiete. Estoy segura de que no podrías haber hecho nada para ayudarla.

—Ojalá pudiera estar de acuerdo. Mire, no quiero ser morbosa, ni insistir cuando se encuentra tan alterada. Pero me siento responsable. Soy una investigadora experimentada. Podría haberla ayudado de haber estado en casa cuando llamó. Lo único que me queda es descargar mi conciencia intentando encontrar al que la mató.

—Vic, sé que tú y Nancy erais amigas, y estoy segura de

que crees que aportas algo metiéndote en esto. ¿Pero no puedes simplemente dejárselo a la policía? No quiero tener que hablar ni pensar más en ello. Ya es bastante tener que prepararme para el funeral con todos estos críos chillando por la casa. Si tengo que ponerme a pensar en por qué... por qué han querido matarla...; no hago más que verla en aquel pantano. Solíamos ir allí para observar a los pájaros cuando estaba en las Girls Scout y siempre tuvo mucho miedo al agua. No hago más que pensar en ella, allí, sola y aterrada...
—Calló y se esforzó por contener las lágrimas.

Yo sabía que Nancy tenía miedo al agua. Nunca se había unido a nuestros subrepticios baños en el Calumet y tuvo que llevar una declaración escrita de su médico para eximirla del curso obligatorio de natación en la universidad. No quería pensar en sus últimos minutos en el pantano. Quizá no hubiera recobrado el conocimiento. Era lo más que podía esperar.

—Por eso es importante para mí saber quién le hizo pasar por ese calvario. Si puedo echar un cable ahora me produce la sensación de que no estuvo tan desamparada. Si lo entiende, dígame, por favor, con quién pudo hablar Nancy. Si es que no habló con usted, claro está.

Entre ella y Nancy había existido siempre una especie de camaradería relajada que yo envidiaba. Pese a querer mucho a mi madre, su carácter era en exceso intenso para permitir una relación cómoda. Si Nancy no le había hablado a Ellen Cleghorn de lo que estaba pasando en el centro de reciclaje, era seguro que le hubiera comentado sobre amigos y amantes. Y tras unos minutos más de insistir pacientemente, la señora Cleghorn empezó a hablarme de ellos.

Nancy se había enamorado, quedado embarazada y abortado. Desde que rompiera con Charles hacía cinco años no había habido ningún hombre especial en su vida. Ni tampoco había tenido amigas íntimas por el barrio.

—Realmente no era un buen sitio para conocer gente. Yo tenía esperanzas de que quizá después de comprar la casa... South Shore es una zona algo más animada y ahora viven allí muchos universitarios. Pero por aquí no había nadie con quien tuviera bastante amistad para contarle nada. Con la posible excepción de Caroline Djiak, y Nancy decía que era tan alocada que no le habría dicho nada de lo que no estuviera segura a morir. —Esta frase inconsciente le hizo estremecerse.

Yo me froté los ojos.

—Nancy habló con uno de los fiscales del estado de Illinois. Si tenía algo que ver con PRECS es posible que también le dijera algo del asunto a su abogado. ¿Cómo se llama? Mencionó su nombre la noche que pasó por casa de Caroline pero no puedo recordarlo.

—Supongo que se trata de Ron Kappelman, Vic. Salió con él unas cuantas veces pero no llegaron a encajar realmente.

—¿Cuándo fue eso? —pregunté súbitamente alerta. Acaso se tratara de un crimen pasional después de todo.

—Debe de hacer dos años, digo yo. Cuando él entró a trabajar en PRECS.

Y acaso no. ¿Quién va a esperar dos años para vengarse de un amor agriado? Es decir, dejando a un lado a Agatha Christie.

La señora Cleghorn no supo decirme nada más. Aparte de la fecha del funeral, fijada para el lunes en la iglesia metodista Monte de los Olivos. Le dije que asistiría y la dejé al cuidado de sus nietos.

De vuelta en el coche, me derrumbé abatida sobre el volante. Salvo las investigaciones financieras que había hecho el martes, no había recibido pago alguno de un cliente desde hacía tres semanas. Y ahora, si efectivamente iba a indagar en el asesinato de Nancy, tendría que hablar con el fiscal del estado para comprobar si Nancy le había revelado algo cuando le comunicó que la estaban siguiendo. Hablar con Ron Kappelman. Ver si cabía la posibilidad de que se hubiera sentido despechado o, si no eso, si tenía alguna idea de lo que Nancy había estado tramando hasta hacía pocos días.

Me froté la cabeza con cansancio. Quizás estuviera haciéndome mayor para bravuconadas. Quizá lo que debiera hacer era llamar a John McGonnigal, contarle mi conversación con Caroline, y volver a lo que yo sé hacer: investigar el fraude industrial.

Con esa nota de prudencia, y hasta de racionalidad, encendí el coche y me puse en marcha. No hacia la carretera del lago y el sentido común, sino hacia el sur, donde había muerto Nancy Cleghorn.

13

La laguna del Palo Muerto

La laguna del Palo Muerto estaba en lo hondo de una maraña de pantanos, terrenos de relleno y fábricas. Sólo había estado allí en una ocasión, formando parte de una expedición de las Girls Scout para observar las aves, y no estaba segura de poder encontrarla. A la altura de la calle Ciento tres tomé la dirección oeste hacia Stony Island, la calle que serpentea entre este laberinto. Al norte de la Ciento tres es una gran carretera, pero por esta parte se torna en una vía de grava de anchura indeterminada, y llena de baches a causa de los enormes semirremolques que reptan de ida y vuelta a las fábricas.

La fuerte lluvia había convertido esta trocha en una superficie vidriosa y enfangada. El Chevy saltaba y patinaba con dificultad por los surcos entre las altas hierbas del pantano. Los camiones con que me crucé me llenaron el parabrisas de salpicaduras de barro. Cuando hice un viraje para procurar evitarlos el Chevy rebotó peligrosamente y se fue hacia las zanjas de drenaje que flanqueaban la carretera.

Tenía los brazos doloridos de forcejear con el volante cuando finalmente vi la laguna a mi izquierda. Aparqué el coche en una porción de terreno alto contiguo a la carretera y me calcé los deportivos para la expedición. Seguí la carretera hasta un camino señalizado a la orilla izquierda de la laguna, después me abrí paso con cautela a través de terrenos pantanosos y hierbas muertas. El cieno se aplastaba bajo mis pies y se filtraba por mis zapatos de deporte.

La laguna formaba parte de un rebose del río Calumet. No era muy profunda, pero sus aguas turbias cubrían una inmensa extensión del pantano. Al aproximarme, pude leer señales contradictorias clavadas en los árboles, una de las cuales designaba la zona como parte del plan federal de aguas limpias, la otra advertía a los intrusos contra vertidos peligrosos. Alguna institución de vigilancia había realizado un intento chapucero de cercar la laguna, pero la baja alambrada se había caído en una serie de puntos facilitando el paso clandestino. Recogiéndome la falda con una mano, crucé por una de estas secciones abatidas hacia la orilla del agua.

La laguna del Palo Muerto había sido una gran zona de alimentación de aves migratorias. Ahora el agua tenía un negro opaco, atravesada por los dedos surrealistas de troncos de árbol pelados. Los peces han empezado a regresar al río Calumet y sus afluentes desde la aprobación de la Ley de Limpieza de Aguas, pero los que llegan hasta esta laguna aparecen con enormes tumores y aletas podridas. Aun así, pasé junto a una pareja de pescadores intentando agenciarse la cena en aquellas aguas sucias. Ambos eran de forma, edad y sexo indefinido bajo sus múltiples capas de prendas raídas. Sentí su mirada fija en mí hasta que desaparecí en una curva entre las hierbas del fangal.

Seguí un sendero hasta el extremo sur de la laguna, donde decían los periódicos que había muerto Nancy. Encontré el lugar sin dificultad: conservaba el acordonamiento de cinta amarilla de la policía y los grandes letreros amarillos que declaraban prohibido el paso por estar en curso una investigación policial. No se habían molestado en dejar una vigilancia: ¿quién habría accedido a permanecer en semejante sitio? Y además, la lluvia habría arrastrado probablemente todo indicio que no hubieran descubierto los técnicos en pruebas la noche anterior. Me metí bajo el acordonamiento amarillo.

Los asesinos habían aparcado donde yo había dejado el coche. O cerca de allí. Después la habían arrastrado por el sendero que acababa yo de recorrer. A la luz del día. Habían pasado junto a la pareja pescadora, o el lugar donde éstos se encontraban. ¿Se debía sólo a la suerte el que nadie les hubiera visto? ¿O contaban con que las furtivas vidas de los que frecuentaban las ciénagas les ofrecieran protección contra su ociosa curiosidad?

La lluvia había barrido todo rastro del cuerpo de Nancy, pero la policía había marcado el contorno con piedras. Me puse en cuclillas junto a ellas. La habían tirado con la manta y había caído sobre el lado derecho, con parte de la cabeza dentro del agua. Y allí había quedado, tendida en el agua grasienta hasta que se había ahogado.

Me estremecí en el aire húmedo y finalmente me puse en pie. No había nada que ver allí. ninguna huella de vida o de muerte. Volví lentamente por el sendero, deteniéndome cada pocos pasos para inspeccionar los matorrales y las hierbas altas. Era un gesto fútil. Sin duda Sherlock Holmes habría detectado alguna colilla delatora, las piedrecillas de otro país que no pertenecían al lugar, el fragmento de un sobre. Lo único que yo vi fue una interminable serie de botellas, bolsas de patatas fritas, zapatos viejos, abrigos, todo lo cual demostraba que Nancy no había sido más que uno de los muchos bultos abandonados en los pantanos.

La pareja de pescadores seguía exactamente en el mismo sitio donde había estado anteriormente. Siguiendo un impulso empecé a avanzar hacia ellos para saber si habían estado allí ayer, o si habían advertido algo. Pero cuando salí del sendero se levantó un enjuto pastor alemán, que me miró con ojos dementes inyectados en sangre. Preparó las patas delanteras y me enseñó los dientes. «Buen perro», susurré, y regresé a la senda. Que la policía interrogara a aquella pareja; a ellos les pagaban por hacerlo y a mí no.

De vuelta en la carretera escudriñé el terreno en busca del punto donde los asesinos habían pasado el cuerpo por la alambrada. Finalmente encontré unos cuantos hilos verdes prendidos en el alambre a unos veinte pasos de donde había dejado el coche. Era visible por dónde se había quebrado la hierba seca bajo el pie del agresor de Nancy. Sin embargo, era una parte relativamente poco pisoteada, por lo que pensé que la policía no se había molestado en investigar aquel punto.

Avancé con cuidado entre el matorral, inspeccionando toda porción de basura. Me corté las manos abriendo las hierbas secas. La falda de mi vestido negro estaba tiesa de barro y tenía pies y manos helados cuando al fin decidí que nada iba a conseguir allí. Di media vuelta con el Chevy y me dirigí hacia el norte para intentar entrevistarme con el hombre de Nancy en la oficina del fiscal del estado de Illinois.

Con el vestido embadurnado y las piernas sucias de barro no estaba precisamente vestida para el éxito, o siquiera para causar una impresión favorable en los funcionarios. Pero eran casi las tres; si iba a casa a cambiarme, no podría volver a la esquina de la Veintiséis y California antes de que terminara la jornada laboral.

Había pasado muchos años en la plantilla regional como defensora de oficio. Aquello no sólo me situaba en el lado opuesto del banquillo respecto al fiscal del estado, sino que me hacía objeto de sus eternos recelos. Todos trabajábamos en la Junta del Condado de Cook, pero ellos ganaban un cincuenta por ciento más que nosotros. Y si algún caso sensacional llegaba a la prensa, siempre se daba el nombre de la acusación. A nosotros nunca nos nombraban, incluso si nuestra brillante defensa les dejaba hechos picadillo. Es verdad que yo me había trabajado a algunos fiscales cuando convenía un entendimiento procesal u otra clase de acuerdos, pero no había nadie entre el personal de Richie Daley que estuviera dispuesto a proporcionarme información por los viejos tiempos. Tendría que hacer mi imitación de Dick Butkus y embestir a la cabeza.

La alguacila que me registró en la entrada se acordaba de mí. Mostró cierta tendencia a mofarse de mi aspecto desaliñado, pero al menos no intentó prohibirme el paso por ser una peligrosa incitadora de delincuentes. Hice una parada en el servicio de señoras para lavarme el barro de las piernas. Con el vestido ya no se podía hacer nada, aparte de quemarlo, pero con un poco de maquillaje y el cabello peinado, al menos no parecía un evadido de la comisaría.

Fui al tercer piso y miré gravemente a la recepcionista.

—Me llamo Warshawski; soy detective —dije con aspereza—. Quiero hablar con Hugh McInerney sobre el caso Cleghorn.

En los tribunales criminales los policías y los agentes de orden hacen orilla. Supuse que no exhibían su placa cada vez que querían ver a alguien, por tanto tampoco yo tenía por qué hacerlo. La recepcionista respondió a mi tono bravucón mareando números rápidamente en el teléfono interior. Pese a que debía su empleo al enchufe, al igual que los restantes trabajadores del edificio, no era recomendable malquistarse con un detective.

Los fiscales estatales son hombres y mujeres jóvenes en ascenso hacia los grandes bufetes o un buen nombramiento político. Nunca se ve a un viejo a la izquierda del banquillo; ignoro dónde van a parar los que no se promocionan de modo natural. Hugh McInerney parecía estar cerca de los treinta. Era alto, con cabello espeso y rubio y la clase de musculatura compacta que producen muchas horas de raqueta y pelota.

—¿En qué puedo servirte, detective? —Su voz profunda, a tono con su constitución, se adaptaba a la perfección a las salas de tribunal.

—Nancy Cleghorn —dije resuelta—. ¿Podemos hablar en privado?

Me condujo a través de una puerta interior a una sala de juntas, con las paredes desnudas y el mobiliario arañado que yo recordaba de mis días en el distrito. Me dejó sola un minuto para buscar la ficha de Nancy.

—Ya sabéis que ha muerto —le dije cuando regresó.

—Lo he leído en la prensa de la mañana. He estado medio esperando a que os personarais alguno de vosotros.

—¿Y no se te ocurrió tomar la iniciativa de llamarnos? —Arqueé las cejas desdeñosa.

Encogió un hombro.

—No tenía nada concreto que contaros. Vino a verme el martes porque creía que alguien la estaba siguiendo.

—¿Tenías alguna idea de quién era?

Movió la cabeza negativamente.

—Créeme, detective, si hubiera tenido un nombre aquí dentro, me habría colgado del teléfono desde primera hora de la mañana.

—¿No has pensado en Steve Dresberg?

Se removió incómodo.

—Pues... esto, hablé con el abogado de Dresberg, Leon Haas. Él... esto, él creía que Dresberg estaba satisfecho con el estado de las cosas actualmente.

—Ya, no me extraña —dije con malevolencia—. Os dejó a todos a la altura del betún en los tribunales, ¿verdad?, con aquel asunto del incinerador. ¿Le preguntaste a Haas lo que pensaba Dresberg sobre la planta de reciclaje que quería montar Cleghorn? Si lanzó amenazas de muerte por un incinerador, no estoy segura de que diera saltos de alegría con un centro de reciclaje. ¿O es que decidió usted que Cleghorn veía visiones, señor McInerney?

—Oye, detective, no me atosigues. Estamos del mismo lado en esto. Tú encuentras al que mató a Cleghorn y yo le acuso hasta en foto. Te lo prometo. No creo que fuera Steve Dresberg, pero mira, llamo a Haas y le doy unos toques.

Sonreí ferozmente y me levanté.

—Eso será mejor que se lo dejes a la policía, señor McInerney. Que investiguen ellos y encuentren a alguien que puedas acusar hasta en foto.

Salí de la oficina con ademán arrogante, pero en cuanto estuve en el ascensor se me cayeron los hombros. No quería líos con Steve Dresberg. Si eran ciertas la mitad de las cosas que decían de él, podía echarte al río Chicago antes de que tuvieras tiempo de estornudar. Pero no había hecho ningún daño a Nancy y Caroline con la cuestión del incinerador. O quizá su estrategia fuera: primera vez una advertencia, segunda una muerte repentina.

Con circunspección, uní el Chevy al atasco de hora punta de la Kennedy y me dirigí a casa.

14

Aguas turbias

Cuando llegué a casa, el señor Contreras estaba ante el edificio con la perra. Ésta mordisqueaba un gran palo mientras él limpiaba desperdicios del pequeño retazo de patio delantero. Peppy saltó al verme, pero abandonó al comprobar que no llevaba la ropa de deporte.

El señor Contreras esbozó un saludo con la mano.

—¿Qué hay, preciosa. Te ha cogido la lluvia esta mañana? —Se incorporó y me echó un vistazo—. Bueno, bueno, vaya pinta llevas. Parece que hayas estado metida en cieno hasta la cintura.

—Pues sí, es que he ido al pantano de Chicago Sur. Tiene cierta tendencia a quedársete adherido.

—¿Ah, sí? Ni siquiera sabía que hubiera un pantano allí.

—Pues lo hay —dije secamente, apartando a la perra con impaciencia.

Me miró inquisitivo.

—Necesitas un baño. Un baño caliente y una copa, niña. Sube a descansar. Yo me ocupo de su señoría. Tampoco tiene que ir hasta el lago todos los días de su vida, ¿sabes?

—Sí, claro. —Recogí el correo y subí lentamente las escaleras hasta el tercer piso. Cuando me vi en un espejo de cuerpo entero no me expliqué cómo había logrado que McInerney no pusiera reparos a recibirme. Por mi aspecto podría ser pariente de la pareja de pescadores de la laguna del Palo

Muerto. Tenía las medias hechas trizas y las piernas tiznadas de negro donde había intentado quitarme el barro al llegar a las dependencias del distrito. El bajo del vestido caía pesadamente a causa del barro seco. Hasta mis zapatos de tacón negros estaban polvorientos por la porquería de mis piernas.

Me quité los zapatos delante de la puerta del cuarto de baño y tiré junto a ellos las medias mientras abría el grifo de la bañera. Esperaba que en el tinte pudieran revivir el vestido; no quería sacrificar la totalidad de mi vestuario al viejo barrio.

Busqué el teléfono portátil en mi habitación y me lo llevé al baño. Una vez dentro de la bañera con un whisky al alcance de la mano, puse en marcha el contestador automático. Jonathan Michaels había intentado localizarme. Había dejado el teléfono de su oficina, pero la centralita estaba ya cerrada y no tenía el número de su domicilio, que no figuraba en la guía. Metí el teléfono en el lavabo y me recosté en la bañera con los ojos cerrados.

Steve Dresberg. Conocido también como el Rey de la Basura. No por su carácter, sino porque todo el que quisiera enterrar, quemar o transportar desperdicios en la zona de Chicago, tenía por fuerza que darle un papel en el reparto. Hay quien dice que dos tipos independientes dedicados a la recogida, que desaparecieron después de negarse a tratar con él, están pudriéndose en los terrenos que se rellenaron para construir el Departamento de Investigación Criminal. Otros creen que el hilo del incendio premeditado de un cobertizo de almacenamiento de residuos, que produjo la evacuación de seis manzanas cuadradas del Distrito Sur el verano pasado, podría seguirse hasta su puerta; si es que hubiera bastantes personas con un seguro de vida pagado para hacer el seguimiento.

Dresberg era decididamente asunto de la policía, si no del FBI. Y dado que no había grandes probabilidades de que Caroline llamara a McGonnigal para rectificar su declaración, ello significaba que tendría que hacer de Ciudadana Proba y decírselo yo misma.

Conteniendo la respiración, me deslicé hasta que el agua me cubrió la cabeza. Ahora bien, supongamos que Dresberg no está implicado en modo alguno. Si dirigía la atención de los polis hacia él, no serviría más que para desviarla de otras líneas de indagación más prometedoras.

Me incorporé y empecé a friccionarme el pelo con champú. El agua se iba ennegreciendo a mi alrededor; destapé el desagüe y abrí el grifo del agua caliente. No tenía más que llamar a alguien del personal de Jurshak que hablara conmigo con la misma franqueza que había empleado con Nancy. Después, cuando empezaran a seguirme figuras siniestras, sacaría mi fiel Smith & Wesson y se lo descargaría en el cuerpo. A ser posible, antes de que pudieran aporrearme la cabeza y tirarme al pantano.

Me envolví en un albornoz y me fui a la cocina a la caza y captura. La asistenta no había ido a la compra hacía tiempo y las posibilidades eran escasas. Saqué el bote de mantequilla de cacahuete y la botella de Black Label y me fui con ambas cosas al salón de estar.

Iba ya por mi segundo whisky y mi cuarta cucharada de mantequilla cuando oí un toque vacilante en la puerta. Gemí con resignación; era el señor Contreras con una bandeja repleta. La perra le pisaba los talones.

—Espero que no te importe que me presente sin avisar, niña, pero me he dado cuenta de que estabas en las últimas y he pensado que te gustaría cenar algo. Me he hecho un pollito a la parrilla en la cocina, y aunque no sea a la brasa está bueno, digo yo. Y como sé que procuras hacer comidas sanas te he hecho una ensalada grande. Ahora que si quieres estar sola me lo dices y Peppy y yo desaparecemos escaleras abajo. No me ofende nada. Pero no puedes alimentarte de esa porquería que bebes. Y encima con mantequilla de cacahuete. ¿Whisky y mantequilla de cacahuete? No puede ser, niña. Si estás muy ocupada para comprarte la comida, no tienes más que decírmelo. No me cuesta nada coger alguna cosa más cuando voy a comprar lo mío, ya lo sabes.

Le di las gracias débilmente y le invité a entrar.

—Voy a ponerme algo de ropa.

Supongo que debí haberle mandado de vuelta por la escalera: no quería que se acostumbrara a aquello, a creer que podía subir siempre que le pareciera bien. Pero el pollo olía estupendamente y la ensalada tenía un aspecto fresco y la mantequilla de cacahuete empezaba a pesarme en el estómago.

Acabé por contarle lo de la muerte de Nancy y mi excursión a la laguna del Palo Muerto. Él no había pasado nunca del museo Field y no tenía la más leve noción de cómo era la vida del Sector Sur. Saqué mi plano de la ciudad y le mostré la calle Houston, donde me había criado, y después la ruta hasta el distrito industrial del Calumet y las tierras húmedas, donde habían encontrado a Nancy.

Sacudió la cabeza.

—La laguna del Palo Muerto, ¿eh? El nombre ya lo dice todo. Es duro perder así a una amiga, con la que habías jugado al baloncesto y demás. Ni siquiera sabía que hubieras sido de un equipo, pero tenía que habérmelo imaginado, por tus carreras y eso. Pero tienes que andarte con ojo, niña. Si es ese Dresberg el que está detrás de todo esto, es mucho más bruto que tú. Ya me conoces, nunca he retrocedido en una pelea, pero no se me ocurriría enfrentarme solo a una división acorazada.

Iniciaba una elaborada ilustración basada en sus experiencias en Anzio, cuando Jonathan Michaels llamó. Me excusé y pasé la llamada a la extensión de mi habitación.

—Quería hablar contigo antes de salir de la ciudad mañana por la mañana —empezó Jonathan sin preámbulos—. Encargué a uno de personal que localizara a tus tipos, Pankowski y Ferraro. Efectivamente demandaron a Humboldt. Al parecer no por despido improcedente, sino para ver si podían conseguir indemnización laboral. Tengo la impresión de que tuvieron que dejar el empleo por motivo de enfermedad y querían demostrar que tenía relación con su trabajo. No consiguieron nada con el pleito; el asunto se juzgó aquí y a Humboldt no le costó nada ganarlo, después los dos murieron y el abogado no pareció interesado en seguir la apelación. No sé hasta dónde quieres seguir la cuestión, pero el abogado que llevó el caso fue un tal Frederick Manheim.

Interrumpió mis expresiones de agradecimiento con un tieso «me tengo que ir».

Estaba a punto de colgar cuando volví a escuchar su voz.

—¿Sigues ahí? Bien. Por poco me olvido: no encontramos nada sobre sabotaje, pero es posible que Humboldt se callara eso; para evitar que la idea cundiera, ¿comprendes?

Después que hubo colgado permanecí sentada en la cama mirando al teléfono. Me sentía tan recargada de información inconexa que no conseguía siquiera pensar. Habían picado mi curiosidad profesional las reacciones del director de personal de Xerxes primero y después del médico. Quería saber qué era lo que suscitaba su comportamiento nervioso. Después Humboldt pareció ofrecerme una explicación elocuente y, además, la muerte de Nancy me había hecho cambiar de prioridades; no podía desenmarañar el mundo entero, y encontrar a sus asesinos me pareció más urgente que rascarme la picazón de Xerxes.

Ahora la rueda volvía a girar en el otro sentido. ¿Por qué se había tomado tantas molestias Humboldt para mentirme? ¿O es que no me había mentido? Quizá le hubieran demandado por la indemnización laboral y habían perdido porque el despido se debió a sabotaje. Nancy. Humboldt. Caroline. Louisa. Chigwell. Las imágenes se sucedían inútilmente en mi cabeza.

—¿Te pasa algo, niña? —Era el señor Contreras paseándose inquieto por el recibidor.

—No, estoy bien. Creo. —Me puse en pie y volví a su lado con lo que yo esperaba fuera una sonrisa tranquilizadora—. Simplemente necesito estar sola algún tiempo. ¿No le importa?

—Sí, sí, claro. —Estaba un poco dolido pero hizo un esfuerzo animoso por disimularlo. Recogió los platos sucios, rehusando con un gesto mi oferta de ayuda, y se volvió con bandeja y perra al piso bajo.

Una vez sola deambulé taciturna por el piso. Caroline me había pedido que dejara de buscar a su padre; no había motivo alguno para insistir en lo de Humboldt. Pero cuando un hombre con diez billones de dólares se empeña en tenderme una trampa se me levantan las agallas.

Revolví en busca de la guía telefónica. No sé cómo, había quedado tapada por un montón de partituras en el piano. Como era lógico, el número de Humboldt no aparecía. Frederick Manheim, abogado, tenía un despacho entre la Noventa y cinco y Halsted, y su casa en la cercana Beverly. Los abogados con ingresos cuantiosos o prácticas delictivas no dan el teléfono de su residencia. Ni tampoco suelen ocultarse en el Sector Sudoeste, lejos de los tribunales y de la acción importante.

Estaba lo bastante inquieta para ponerme en movimiento ya, llamar a Manhein, escuchar su historia, y galopar hasta la calle Oak para enfrentarme con Humboldt. *Festina lente*, susurré para mis adentros. Averigua los hechos, después dispara. Sería más aconsejable esperar hasta la mañana siguiente para recorrer el trayecto hasta el sur y entrevistarme con el tipo en persona. Lo cual significaba otro día embutida en medias. Lo cual significaba que tendría que limpiarme los zapatos de tacón.

Rebusqué en el armario del recibidor para encontrar el betún y al fin encontré una latita negra bajo un saco de dormir. Estaba limpiando los zapatos con esmero cuando llamó Bobby Mallory.

Me sujeté el teléfono entre el hombro y el cuello y empecé a abrillantar el zapato izquierdo.

—Buenas noches, teniente. ¿En qué puedo servirte?

—Puedes darme una buena razón para no enchironarte. —Hablaba con un agradable tono conversador, lo cual significaba que estaba a punto de estallar.

—¿Por qué? —pregunté.

—Es considerado delictivo el hacerse pasar por agente de policía. Por todo el mundo menos por ti, supongo.

—Soy inocente. —Miré el zapato. Jamás recobraría la

suave pátina que tenía cuando salió de Florencia, pero no estaba del todo mal.

—¿No eres tú la mujer —alta, unos treinta años, cabello corto rizado— que le dijo a Hugh McInerney que era de la policía?

—Le dije que era detective. Y cuando hablé de la policía, tuve buen cuidado de emplear pronombres de tercera persona, no de primera. Hasta donde yo sé eso no es delito, pero es posible que el ayuntamiento metiera la pata en mi nombre. —Cogí el zapato derecho.

—No crees que podrías dejar la investigación de la muerte de Cleghorn a la policía, ¿verdad?

—Pues no sé qué decirte. ¿Crees que la mató Steve Dresberg?

—Si te digo que sí, ¿estás dispuesta a esfumarte y dedicarte a las cosas que sabes hacer?

—Si tienes una orden de detención con el nombre del tipo, lo consideraré. Sin entrar en lo que sé o no sé hacer. —Cerré el envase de betún y lo dejé junto al paño sobre un periódico.

—Mira, Vicki. Eras hija de policía. Ya debías saber que no hay que meter las narices en las investigaciones policiales. Cuando te vas a hablar con un tipo como McInerney sin decirnos nada, simplemente nos haces el trabajo cien veces más difícil. ¿Sí o no?

—Sí, bueno, digo yo que sí —admití a regañadientes—. No volveré a hablar con un fiscal estatal sin permiso expreso de McGonnigal o tuyo.

—¿Ni con ninguna otra persona?

—Dame un respiro, Bobby. Si pone ASUNTO POLICIAL en todas las etiquetas, os lo dejo a vosotros. Eso es lo más que me vas a sacar.

Colgamos mutuamente irritados. Pasé el resto de la noche ante la tele mirando una versión muy cortada de *Rebelde sin causa*. No sirvió precisamente para calmar mi mal humor.

15

Lección de química

El despacho de Manheim estaba entre un salón de belleza y una floristería, formando parte de la multitud de pequeñas fachadas comerciales que atestan la calle Noventa y cinco. Su nombre aparecía en una placa de vidrio con esos caracteres negros y dorados que dan en teoría un aspecto antiguo y discreto: FREDERICK MANHEIM, ABOGADO.

La parte delantera del local, la que los pequeños comercios empleaban para planta de ventas, había sido convertida en zona de recepción. Contenía un par de sillas de vinilo y una mesa con una máquina de escribir y una violeta africana encima. Sobre otra mesa de conglomerado, frente a las sillas de vinilo, había unos cuantos números atrasados de *El deporte ilustrado.* Hojeé uno durante unos minutos para dar al asistente la oportunidad de salir. Cuando no apareció nadie llamé con la mano en la puerta del fondo de la sala y giré el picaporte.

La puerta se abría a un diminuto corredor. Se habían colocado unas cuantas planchas de madera laminada en la parte donde las tiendas guardan sus excedentes para crear una oficina y un pequeño cuarto de baño.

Llamé a la puerta donde aparecía el nombre de Manheim —escrito en esta ocasión en fuertes trazos negros de letra gótica— y en respuesta se oyó un apagado «un momento». Sonó un susurro de papeles, un cajón se cerró de golpe y

Manheim abrió la puerta masticando aún, limpiándose la boca con el revés de la mano. Era un hombre joven de mejillas sonrosadas y pelo claro y abundante que le caía por encima de las gruesas gafas.

—Ah, hola. Annie no me ha dicho que tuviera visitas esta mañana. Adelante.

Estreché la mano que me ofrecía y le dije mi nombre.

—No tengo cita. Siento interrumpir de esta manera, pero pasaba por aquí y he pensado que quizá pudiera dedicarme un minuto o dos.

Me invitó a pasar con un ademán.

—Claro, claro. Sin problema. Siento no poder ofrecerle un café: conseguí el mío en el Dunkin' Donuts de camino hacia aquí.

Había apretado un par de sillas para visitas entre su escritorio y la puerta. Si te recostabas en la de la izquierda, chocabas con el archivador metálico. La de la derecha estaba metida contra la pared; una línea de rozaduras grises marcaba el lugar donde las personas se habían apoyado excesivamente sobre las planchas de madera de la pared. Me produjo un cierto malestar el no poder inyectar algo de dinero contante en la operación.

Había sacado un cuaderno de papel profesional, colocando el café del Dunkin' Donuts a un lado con cuidado.

—¿Podría deletrearme su nombre, por favor?

Lo hice.

—Soy abogada, señor Manheim, pero actualmente trabajo sobre todo como investigadora privada. En uno de los casos que llevo me han surgido los nombres de dos clientes suyos. Antiguos clientes, supongo. Joey Pankowski y Steve Ferraro.

Manheim había estado mirándome cortésmente a través de los gruesos cristales, con las manos relajadamente unidas en torno a la pluma. Al oír los nombres de Pankowski y Ferraro dejó caer la pluma y adoptó una expresión todo lo preocupada que cabe en un hombre de sonrosadas mejillas querubínicas.

—¿Pankowski y Ferraro? No estoy seguro...

—Empleados de la fábrica Xerxes, de Químicas Humboldt en Chicago Sur. Murieron hace dos o tres años.

—Ah, sí. Ya recuerdo. Necesitaban asesoramiento legal, pero me temo que no pude ayudarles demasiado. —Parpadeó tristemente tras sus gafas.

—Ya comprendo que no querrá hablar de sus clientes. A mí tampoco me gusta hablar de los míos. Pero si le explico lo que ha suscitado mi interés en Pankowski y Ferraro, ¿estaría dispuesto a responderme a un par de preguntas sobre ellos?

Bajó la vista hacia la mesa y jugueteó con la pluma.

—Es que... realmente... no debo...

—¿Qué es lo que pasa con esos dos tipos? Cada vez que menciono sus nombres hay algún hombre hecho y derecho que empieza a temblar.

Levantó la vista.

—¿Para quién trabaja?

—Para mí. Para mí, para mí, con eso basta, eso al menos dijo Medea.

—¿No trabaja para una compañía?

—¿Quiere decir del estilo de Químicas Humboldt? No. Me contrató en un principio una muchacha que vivía al lado de mi casa para que averiguara quién era su padre. Al parecer había una posibilidad remota de que uno de los dos —probablemente Pankowski— pudiera ser la persona y empecé a husmear para encontrar alguien de Xerxes que lo conociera. La mujer en cuestión me ha despedido el miércoles pasado, pero a mí me ha picado la curiosidad la forma en que la gente está reaccionando a mis preguntas. Esencialmente, me están mintiendo sobre lo que ocurrió entre Pankowski y Ferraro, y Xerxes. Y entonces uno que conozco en el Departamento de Trabajo me dijo que usted les representó. Por eso estoy aquí.

Sonrió mustio.

—Supongo que no hay motivo alguno para que la compañía mande a alguien a estas alturas. Pero me cuesta trabajo creer que actúa usted por cuenta propia. Fueron muchas las personas a las que puso nerviosas el caso, y ahora aparece usted así por las buenas. Es demasiado... demasiado raro. Demasiado retorcido.

Me restregué la frente, por ver si mi cerebro respondía con alguna idea. Finalmente dije:

—Voy a hacer una cosa que no he hecho jamás en toda mi trayectoria como investigadora. Le voy a contar exactamente lo que ha ocurrido. Si después sigue considerando que no soy de fiar, sea como quiera.

Comencé por el principio mismo, con la aparición de Louisa embarazada en la casa de al lado unos meses antes de mi undécimo cumpleaños. Seguí con Gabriella y sus impulsos quijotescos. Con la exuberante filantropía de Caroline a expensas de los demás y la molesta sensación que yo conservaba de seguir siendo en algún modo responsable de ella. No le dije que Nancy había terminado en la laguna del Palo Muerto, pero le relaté todo lo ocurrido en Xerxes, mi conversación con el doctor Chigwell y por último la intervención de Humboldt. Ése fue el único episodio al que puse sordina. No conseguí decidirme a contarle que el dueño de la compañía me había invitado a tomarme un coñac; me sentía avergonzada de haberme dejado embaucar por los aderezos de la opulencia. Así pues, balbucí que había recibido una llamada de uno de los altos cargos de la compañía.

Cuando hube terminado, Manheim se quitó las gafas y las sometió a un elaborado ritual de limpieza con la participación de la corbata. Era evidentemente un gesto de nerviosismo habitual, pero sus ojos tenían un aspecto tan desnudo sin la protección de los cristales que aparté la vista.

Al fin volvió a ponerse las gafas y a coger la pluma.

—No soy mal abogado. En realidad soy bastante pasable. Simplemente no soy muy ambicioso. Me crié en el Sector Sur y aquello me gusta. Presto servicios a muchos de los comerciantes de la calle con problemas de arrendamiento, cuestiones laborales, ese tipo de cosas. Por eso, cuando aquellos dos tipos recurrieron a mí posiblemente debiera haberlos mandado a algún otro sitio, pero creí que podría resolver el caso, no es la primera vez que me ocupo de demandas de indemnización, y además me apetecía el cambio. La hermana de Pankowski es dueña de la floristería de al lado, por eso vinieron a mí, ella les dijo que le había hecho un buen trabajo.

Avanzó unos pasos hacia el archivador pero cambió de idea.

—No sé para qué quiero la carpeta; un tic nervioso, supongo. En fin, que me conozco el puñetero caso de memoria, aun después de tanto tiempo.

Se detuvo, pero yo no le insté a seguir. Desde ahora, todo lo que dijera sería para sí mismo más que para mí y no quería interrumpir su locuacidad. Pasados unos instantes continuó.

—Es la xerxina, ¿sabe? Con el método que empleaban para hacerla, dejaba residuos tóxicos en el aire. ¿Sabe algo de química? Yo tampoco, pero en aquella época estudié bastante la cuestión. La xerxina es un hidrocarburo clorinado: normalmente añaden cloro al gas etileno y obtienen un disolvente. Ya sabe, del tipo con el que se puede quitar grasa de una plancha de metal, o pintura o cualquier cosa.

—Pues bien, si se inhalan los vapores mientras se está fabricando no es precisamente lo mejor del mundo. Afecta al hígado y a los riñones y al sistema nervioso central, y a todas esas cosas tan buenas. Cuando Humboldt empezó a fabricar la xerxina allá por los años cincuenta, nadie sabía nada de aquello. Quiero decir que las fábricas no estaban pensadas para matar a los empleados, pero tampoco tuvieron excesivo cuidado en el control de la cantidad de vapores clorinados que pasaba al aire.

Ahora que estaba enfrascado en su narración, su ademán había cambiado. Parecía seguro de sí y experto; su declaración de ser un buen abogado no parecía en absoluto ridícula.

—Después, en los años sesenta y setenta, cuando la gente comenzó a pensar en serio sobre el medio ambiente, hubo personas como Irving Selikoff que empezaron a indagar en la contaminación industrial y la salud de los obreros. Y empezaron a ver que había productos químicos como la xerxina que podían ser tóxicos en concentraciones bastante bajas; ya sabe, cien moléculas por millón de moléculas de aire. Lo que llaman partes por millón. Entonces Xerxes instaló depuradores de aire y cerró mejor sus tuberías, y redujo sus partes por millón hasta la normativa federal. Eso habría sido en los años setenta, cuando la Agencia de Protección del Medio Ambiente fijó el límite para la xerxina. Cincuenta partes por millón.

Sonrió a modo de disculpa.

—Siento ser tan técnico. Ya no soy capaz de pensar en este caso en términos simples. En fin, Pankowski y Ferraro vinieron a verme a comienzos de 1983. Los dos estaban ya fatal, uno de ellos con un cáncer de hígado y el otro con anemia aplásica. Habían trabajado en Humboldt mucho tiempo —Ferraro desde el cincuenta y nueve y Pankowski desde el sesenta y uno—, pero lo habían dejado cuando su estado les impidió trabajar. Eso sería dos años antes. O sea, que no pudieron cobrar la incapacitación. Creo que nadie les informó de que tenían la posibilidad de exigirla.

Asentí con la cabeza. Las empresas no suelen ofrecer voluntariamente información sobre aquellas prestaciones que aumentan las primas de sus seguros. En especial en casos como el de Louisa, en que le estaban cubriendo grandes facturas médicas además de su sueldo de incapacitación.

—¿Pero y su sindicato? —pregunté—. ¿No les habría informado su representante sindical?

Negó en silencio.

—Es un sindicato de empresa que habla en gran medida por boca de la dirección. Especialmente ahora; hay tanto paro en el barrio que no quieren remover el cotarro.

—A diferencia de los metalúrgicos —intervine yo secamente.

Sonrió por vez primera, adquiriendo un aspecto incluso más juvenil que antes.

—Bueno, no se les puede echar en cara. Al sindicato de

Xerxes quiero decir. Pero, en fin, aquellos dos habían leído en alguna parte que la xerxina podía ser perjudicial para la salud, y dado que ambos andaban mal económicamente, pensaron que al menos podrían cobrar indemnización por no estar capacitados para trabajar. Ya sabe, enfermedad laboral y esas cosas.

—Ya veo. ¿Entonces usted fue a Humboldt para intentar negociar algún acuerdo? ¿O fueron directamente a los tribunales?

—Tenía que moverme deprisa; no estaba muy claro cuánto iban a vivir ninguno de los dos. Primero fui a la compañía, pero cuando se negaron a jugar no me anduve por las ramas: puse demanda. Claro está que si hubiéramos ganado después de haber muerto los tipos, sus familias habrían tenido derecho al cobro de la indemnización. Y habría significado un notable cambio económico para ellas. Pero sueles preferir que tus clientes estén vivos a la hora de su triunfo.

Asentí. Habría significado un cambio notable, especialmente para la señora Pankowski y todos sus críos. Las compañías aseguradoras de Illinois pagan un cuarto de millón a las familias de los obreros que mueren en accidente laboral, por tanto habría merecido la pena el esfuerzo.

—Entonces ¿qué ocurrió?

—Pues que yo vi enseguida que la compañía nos iba a dar largas, y por tanto demandamos. Entonces nos metieron en una de las primeras listas de causas a juzgar. Aunque esté aquí perdido en el Sector Sur tengo unas pocas influencias. —Sonrió para sí, pero rehusó compartir la broma.

—El problema era que los dos tipos fumaban, Pankowski bebía mucho, y los dos habían vivido toda su vida en Chicago Sur. Supongo que si usted se crió allí no tengo que recordarle cómo era el aire. O sea que Humboldt nos dio una buena somanta. Dijeron que por una parte no había modo alguno de demostrar que era la xerxina la que les había afectado y no los cigarrillos o la mierda del ambiente. Y además apuntaron que los dos habían trabajado allí antes de que nadie supiera que aquello era tan tóxico. Es decir, que incluso si era la xerxina lo que les había perjudicado, no contaba; ya sabe, la fábrica funcionaba conforme a los conocimientos médicos vigentes. O sea, perdimos como convenía. Hablé con un excelente abogado de apelación y su opinión fue que no había realmente nada en que apoyarnos. Final de la historia.

Reflexioné alrededor de un minuto.

—Ya, pero si eso fue todo lo que pasó, ¿por qué saltan todos en Xerxes como conejos nerviosos cuando oyen los nombres de los tipos?

Se encogió de hombros.

—Probablemente por la misma razón por la que yo no quería hablar con usted en un principio. No se creen que actúe por cuenta propia. No se creen que esté buscando a un padre perdido. Lo que piensan es que está intentando remover el caldero otra vez. Tiene que admitir que su historia es bastante improbable a primera vista.

Con renuencia, miré el asunto desde su punto de vista. Dados todos los datos que yo desconocía, digamos que podía comprenderlo. Seguía aún sin poder imaginar por qué había creído Humboldt necesario intervenir. Si su compañía había ganado el caso sin tapujos, ¿por qué iba a importarle que sus empleados me contaran cosas de Pankowski y Ferraro?

—Y además —dije en voz alta—, ¿por qué se altera tanto? ¿Cree que se equivocaron? Quiero decir que si cree que el juicio estuvo amañado de alguna manera.

Sacudió la cabeza alicaído.

—No. Basándonos en la evidencia, no creo que pudiéramos haber ganado. Creo que deberíamos haber ganado. Vamos, que aquellos hombres merecían algo a cambio de haber invertido veinte años de su vida en la empresa, sobre todo teniendo en cuenta que era probable que fuera el trabajar allí lo que les matara. Es como la madre de su amiga. Ella se está muriendo también. ¿Una afección de riñón, dijo? Pero la ley es muy clara, o al menos los precedentes lo son: no se puede hacer responsable a la compañía por funcionar conforme a la mejor información disponible en el momento.

—¿De modo que es eso? ¿Prefiere no hablar del asunto porque sencillamente se siente mal por no haber ganado el caso?

Volvió a concentrarse en sus gafas y su corbata.

—Bueno, eso me tendría que afectar. A nadie le gusta perder, y es que, ¡Dios mío!, era inevitable querer que ganaran aquellos dos. Pero ¿sabe?, entonces podía ocurrir que la compañía viera que aquella planta se iba al garete si sentábamos un precedente favorable, porque todo el que hubiera estado enfermo o hubiera muerto vendría a reclamar una indemnización cuantiosa.

Calló. Yo permanecí sentada, muy quieta.

Al fin dijo:

—No. Es que recibí una llamada amenazante. Después del caso. Cuando considerábamos la posibilidad de apelar.

—Eso le habría dado motivo para revocar el fallo —exclamé con fuerza—. ¿No acudió al fiscal del estado?

Movió la cabeza.

—Sólo recibí una llamada telefónica. y quien quiera que llamase no habló del caso por su nombre; fue sólo una referencia general a los peligros de recurrir al sistema de apelación. Yo no soy muy fuerte físicamente, pero tampoco soy un cobarde. La llamada me enfureció, nunca he estado tan furioso, y removí el cielo con la tierra a continuación para la apelación. Simplemente no hubo forma de hacerlo.

—¿No le llamaron después para felicitarle por haber seguido sus recomendaciones?

—No volví a saber nada del tipo que llamó. Pero cuando usted apareció así por las buenas...

Reí.

—Me alegro de saber que me pueden confundir con un matón. Es posible que me haga falta serlo antes de que termine el día.

Se ruborizó.

—No, no. Usted no parece lo que quiero decir, usted es

una mujer muy atractiva. Pero en estos tiempos nunca se sabe... Ojalá pudiera darle algún dato sobre el padre de su amiga, pero nunca hablamos de esas cosas. Mis clientes y yo.

—No, comprendo que no lo hiciera. —Le di las gracias por su franqueza y me levanté.

—Si en alguna ocasión se encuentra con algo en lo que pueda serle de ayuda, venga a verme —me dijo, estrechándome la mano—. Especialmente si pudiera dar pie para un auto de avocación.

Le aseguré que así lo haría y salí. Sabía más que cuando entré, pero seguía igualmente confusa.

16

Visita a domicilio

Eran pasadas las doce del medio día cuando Manheim y yo terminamos nuestra conversación. Me dirigí hacia el Loop, compré una Coca light y un sándwich —de cecina, que reservo para las ocasiones en que necesito estar bien alimentada— y me los llevé a la oficina.

Comprendía los argumentos de Manheim. Hasta cierto punto. Si Humboldt hubiera perdido un pleito como ése podría haber sido desastroso, la clase de conflicto que llevó a la empresa Johns-Manville a declararse en quiebra. Pero la situación de Manville había sido distinta: sabían que el asbesto era tóxico y ocultaron el dato. Por eso, cuando la repugnante verdad se supo, los obreros pusieron una demanda de daños punitivos.

Humboldt no habría tenido que enfrentarse más que a una serie de demandas de indemnización. Con todo, podría haber sido peliagudo. Digamos que hubiera habido mil obreros en la fábrica a lo largo de un período de diez años y todos hubieran muerto: a cuarto de millón por barba, aun si Ajax fuera quien pagara, habría sido un buen pellizco.

Me chupé la mostaza de los dedos. Quizás estuviera considerando la cuestión erróneamente... quizá se tratara de que Ajax se había negado a pagar... que Gordon Firth le hubiera dicho a su amiguete Gustav Humboldt que echara tierra sobre cualquier intento de reabrir el caso. Pero Firth no tenía modo de saber que yo estaba metida en aquello; no era posible que se hubiera corrido la voz por Chicago a tanta velocidad. O quizá lo fuera. No se sabe lo que es una auténtica fábrica de chismes y rumores hasta que no se ha pasado una semana en una gran corporación.

Y además ¿por qué habían amenazado a Manheim a causa de la apelación? Si Humboldt llevaba las cuestiones legales derechas como un clavo, no le acarreaba ningún provecho apretar a Manheim; lo único que conseguiría era que un juez anulara el fallo. De modo que no podía haber sido su compañía la que quisiera quitarle de en medio.

O acaso fuera algún empleado de nivel bajo. Alguien que creyera que podía cobrar notoriedad en la compañía retorciendo un poco el brazo a los demandantes. No era un escenario totalmente imposible. Existe una suerte de atmósfera corporativa donde la ética es algo laxa y los subordinados creen que la forma de ganarse a la dirección es pisando sobre el cadáver de sus rivales.

Pero eso seguía sin explicarme por qué había mentido Humboldt sobre el pleito. ¿Por qué cargar a los pobres diablos con una acusación de sabotaje cuando todo lo que querían era un poco de dinero de indemnización? Me pregunté si merecería la pena intentar hablar con Humboldt otra vez. Vi su cara llena y jovial con los fríos ojos azules. Hay que nadar con cuidado cuando compartes el agua con un gran tiburón. No estaba segura de querer entrevistarme todavía con aquel pez gordo.

Gemí para mis adentros. El problema se extendía ante mi vista como las ondas de un estanque. Yo era la piedra arrojada en el centro y las ondas iban alejándose de mí progresivamente. Sencillamente, no podía atender a tantas líneas intangibles yo sola.

Procuré dirigir mi atención hacia algunos problemas que me habían llegado con el correo, entre ellos una notificación de falta de fondos para cubrir un cheque que me había pagado una pequeña ferretería por una cuestión de sisa que yo le había resuelto hacía unas pocas semanas. Hice una llamada que no me produjo el menor bienestar y decidí cerrar por aquel día. Acababa de encestar el correo en la papelera cuando sonó el teléfono.

Una voz eficiente de contralto me informó de que era Clarissa Hollingsworth, secretaria personal del señor Humboldt.

Di un respingo en la silla. Había de estar alerta. Yo no tenía ganas de ir a verle, pero el tiburón quería nadar hacia mí.

—Sí, señorita Hollingsworth. ¿En qué puedo servir al señor Humboldt?

—Creo que no requiere ningún servicio —me dijo distante—. Sólo me ha pedido que le comunique cierta información. Sobre una persona llamada... espere... Louisa Djiak.

Se atascó en el nombre; tendría que haber practicado su pronunciación antes de llamar.

Repetí el nombre de Louisa correctamente.

—¿Sí?

—El señor Humboldt dice que ha hablado con el doctor Chigwell sobre ella y que es probable que Joey Pankowski fuera el padre de la niña. —También tuvo dificultades con Pankowski. Me esperaba algo más de la secretaria particular del señor Humboldt.

Me retiré el auricular de la oreja y lo contemplé, como si pudiera ver en él la expresión de la señorita Hollingsworth. O la de Humboldt. Al fin volví a acercármelo a los labios y pregunté:

—¿Sabe quién le hizo esa pesquisa al señor Humboldt?

—Creo que se interesó él personalmente en el asunto —dijo con tono estirado.

Yo respondí lentamente:

—Es posible que el doctor Chigwell haya inducido a error al señor Humboldt. Es importante que lo vea para hablar la cuestión con él.

—Lo dudo mucho, señorita Warshawski. El señor Humboldt y el doctor han trabajado juntos mucho tiempo. Si le ha dado esa información al señor Humboldt tiene absolutas garantías.

—Es posible —procuré adoptar un tono conciliador—. Pero el propio señor Humboldt me dijo que la gente de su personal intenta en ocasiones protegerle de los asuntos desagradables. Sospecho que algo así ha ocurrido en este caso.

—¿Ah, sí? —dijo con irascibilidad—. Es posible que *usted* trabaje en un ambiente donde no se puede confiar en los demás. Pero el doctor Chigwell ha sido un socio totalmente fiable del señor Humboldt durante cincuenta años. Quizá sea algo que una persona como usted no pueda entender, pero la idea de que el doctor Chigwell haya mentido al señor Humboldt es totalmente ridícula.

—Una cosa más antes de que me cuelgue el teléfono llena de santa indignación. Alguien engañó terriblemente al señor Humboldt en cuanto al verdadero carácter del pleito que Pankowski y Ferraro pusieron a Xerxes. Por eso no me fío demasiado de este último dato informativo.

Se produjo una pausa, después dijo con desgana:

—Le hablaré del asunto al señor Humboldt. Pero dudo de que desee hablar con usted.

Eso fue lo máximo que pude arrancarle a la secretaria. Fruncí otra vez el ceño mirando al teléfono, pensando en qué le diría a Humboldt si lo veía. En vano. Cerré la oficina y cogí el coche para ir a la pequeña ferretería de la calle Diversey. No habían querido hablar conmigo por teléfono, pero cuando vieron que estaba dispuesta a expresarme sin miramientos delante de sus clientes me llevaron a la parte trasera y a regañadientes me extendieron otro cheque. Más diez dólares de gastos por el que no tenía fondos. Lo ingresé en mi banco directamente y me fui a casa.

Colándome por la entrada trasera conseguí dar esquinazo al señor Contreras y a la perra. Me detuve en la cocina para inspeccionar los fondos alimenticios. Seguían siendo míseros. Me hice una fuente de palomitas y me la llevé al salón. Palomitas de maíz y cecina —hummm, rico.

Las cuatro y media es una hora espantosa para encontrar algo que ver en la televisión: hice el recorrido por los programas de juegos, *Barrio Sésamo* y la expresión radiante de *El gourmet frugal*. Finalmente apagué el aparato asqueada y alcancé el teléfono.

Chigwell aparecía en la guía a nombre de Clio. Fue ella quien respondió a la tercera señal, con voz distante, inflexible. Sí, me recordaba. No creía que su hermano quisiera hablar conmigo, pero iría a ver de todos modos. No, no quería.

—Mire, señorita Chigwell. Me fastidia tener que ponerme pesada, pero hay una cosa que quisiera saber. ¿Le ha llamado Gustav Humboldt en los últimos días?

Se mostró sorprendida.

—¿Cómo lo sabe?

—No lo sabía. Su secretaria me proporcionó una cierta información que en teoría Humboldt había recibido de su hermano. Quería saber si Humboldt se la había sacado de la manga.

—¿Qué fue lo que, según él, le dijo Curtis?

—Que Joey Pankowski era el padre de Caroline Djiak.

Me pidió que le explicara quiénes eran ambos, y después marchó a comprobar la cuestión con su hermano. Tardó un cuarto de hora en volver. Terminé las palomitas y ejecuté algunos ejercicios de piernas, tumbada con el teléfono junto al oído para poder oírla a su vuelta.

Su voz irrumpió bruscamente:

—Dice que sabía lo de ese hombre, que la madre de la muchacha se lo había contado todo cuando la habían contratado.

—Ya veo —dije débilmente.

—El problema es que te puedes pasar toda una vida con una persona sin saber cuándo te está mintiendo. No sé qué parte se ha inventado Curtis, pero le puedo decir una cosa: está dispuesto a decir cualquier cosa que Humboldt le pida.

Mientras me esforzaba por añadir estos datos a mi cerebro reblandecido, me extrañó otra cuestión:

—¿Por qué me dice todo esto, señorita Chigwell?

—No lo sé —respondió sorprendida—. Es posible que después de setenta y nueve años esté harta de que Curtis se escude en mí. Adiós. —Colgó con un clic seco.

Me pasé el sábado calentándome los cascos con Humboldt y Chigwell, incapaz de imaginar motivo alguno para que pergeñaran una historieta sobre Louisa y Joey, incapaz de ingeniar alguna forma de echarles mano. Cuando Murray Ryerson, director de la sección de sucesos delictivos del *Herald-Star*, me llamó el domingo porque uno de sus chupatintas había destapado el dato de que Nancy Cleghorn y yo habíamos sido compañeras de curso, incluso accedí a hablar con él.

En baloncesto Murray sigue a De Paul, o más bien se babea con ellos. Aunque yo vivo —y muero— todos los años con los clubes, y conservo un cariño nostálgico por Otis Wilson de los Bears, me trae francamente sin cuidado que los Blue Demons vuelvan a hacer una canasta en toda su vida. En Chicago eso es máxima herejía; equivalente a afirmar que detestas los desfiles del día de San Patricio. Por tanto, acepté acarrearme hasta el Horizon para verlos enzarzarse con Indiana o Loyola o el que fuera.

—En todo caso —dijo Murray—, puedes sentarte y recordar que tú y Nancy hacíais las mismas jugadas sólo que mejor. Dará un sabor más intenso a tu memoria.

De Paul perdió una ganga, y Murray no cesó de hacer comentarios injuriosos sobre el joven Joey Meyer y el ataque en general durante la hora que pasamos para avanzar desde el aparcamiento hasta cruzar la barrera. Hasta que no estuvimos en Ethel's, un restaurante lituano del Sector Noroeste, y Murray hubo atiborrado su complexión de seis pies y cuatro pulgadas con unas cuantas docenas de rollitos de col agridulce, no se centró en el verdadero meollo de aquella tarde.

—¿Entonces qué interés tienes en la muerte de Cleghorn? —preguntó con indiferencia—. ¿Te ha pedido la familia que la investigues?

—A la poli le llegó un soplo de que se había ido al otro mundo por mí. —Me comí sosegadamente otra bolita gordezuela de masa. Tendría que correr diez millas a la mañana siguiente para quemar todo aquello.

—Venga, venga. Por lo menos una docena de personas

va diciendo que has estado husmeando por allí. ¿De qué se trata?

Sacudí la cabeza.

—Ya te lo he dicho. Quiero salvar mi buen nombre.

—Ya, y yo soy el Ayatollah de Detroit.

Me encanta cuando estoy diciéndole la verdad a Murray y él se imagina que es una tremenda tapadera; me da una enorme ventaja. Desgraciadamente, no era mucho lo que se podía extraer de él. La policía había hecho una visita a Steve Dresberg, a su hombre de paja, Leon Haas, a otros cuantos ciudadanos probos de Chicago Sur —entre ellos algún antiguo amante de Nancy— y no tenían nada que pudiera considerarse realmente una pista.

Al fin, Murray se cansó del juego.

—Supongo que hay suficiente para publicar una historieta de interés humano sobre Nancy y tú en la universidad, viviendo con una miseria y estudiando a los clásicos en el tiempo que os quedaba entre zurra y zurra a los mejores equipos femeninos de la región. Me fastidia sacarte en blanco y negro cuando no te lo has ganado, pero al menos el fiscal del estado tendrá el nombre de Nancy en las narices.

—Muy agradecida, Murray.

Cuando me dejó en mi casa de la calle Racine, me metí en el coche y arranqué hacia Hinsdale. La entrevista con Murray me había dado una idea maldita sobre la forma de presionar a Chigwell.

Eran casi las siete cuando toqué el timbre de su puerta lateral, no precisamente la hora ideal para hacer una visita. Cuando la señorita Chigwell salió a la puerta intenté adoptar un aspecto serio y fiable. Sus graves facciones no me daban ningún indicio de la medida en que lo estaba consiguiendo.

—Curtis se niega a hablar con usted —me dijo con su tono brusco, sin mostrarse sorprendida por mi aparición.

—A ver cómo le cae esto —sugerí con ademán serio y fiable—. Su fotografía en la portada del *Herald-Star* y algunos detalles entrañables de su carrera médica.

Me miró sombría. Por qué simplemente no me daba con la puerta en las narices era algo que no entendía. Y aún me intrigó más que marchara a transmitir el mensaje. Me recordó a unos primos vejestorios de mi querido ex marido Dick, dos hermanos y una hermana que vivían juntos. Los hermanos se habían peleado hacía unos trece años y se negaban a hablarse, por lo que tenían que pedir a la hermana que les pasara la sal, la mermelada y el té, y ella obedecía dócilmente.

Sin embargo, esta vez el doctor Chigwell vino a la puerta en persona, no confiando la mermelada a su hermana. Con su delgado pescuezo oscilando hacia delante tenía todo el aspecto de un pavo maltratado.

—Oiga usted, jovencita. No tengo por qué aguantar amenazas. Si no se ha ido de esta puerta en treinta segundos llamo a la policía y puede explicarles a ellos por qué ha iniciado esta campaña de acoso.

Me tenía cogida. Me imaginaba intentando explicar a un policía suburbano —o incluso a Bobby Mallory— que uno de los diez hombres más ricos de Chicago me estaba mintiendo y buscando la connivencia de su antiguo médico de fábrica para ello. Bajé la cabeza resignada.

—Considéreme ida. El periodista que vendrá a verle por la mañana se llama Murray Ryerson. Le hablaré de sus antiguos historiales médicos y demás.

—¡Fuera de aquí! —Su voz había adoptado un tono sibilante que me heló la sangre. Me fui.

17

Melancolía de lápida

El funeral de Nancy estaba programado para las once de la mañana del lunes en la iglesia metodista a la que asistía de niña. Tengo la impresión de pasar muchísimo tiempo en funerales de antiguos amigos; y tengo un traje sastre azul marino tan fuertemente asociado a estas ocasiones que no soy capaz de llevarlo en ninguna otra. Deambulé vestida con medias y blusa, sin lograr disipar el temor supersticioso a ponerme el traje, como si eso diera carácter definitivo a la muerte de Nancy.

No conseguía concentrarme en nada, ni en Chigwell ni en Humboldt, ni en organizar un plan para ganarle la carrera a la policía hasta el asesino de Nancy, ni siquiera para ordenar los periódicos desparramados por todo el salón. Así había empezado el día, pensando que contando con unas cuantas horas podía arreglar la casa. Pero me sentía en exceso fragmentada para poder crear orden.

De repente, a las diez menos diez, todavía en ropa interior, busqué el número de las oficinas centrales de Humboldt y llamé. Una operadora indiferente me puso con su despacho, donde hablé no con Clarissa Hollingsworth sino con su ayudante. Cuando pregunté por el señor Humboldt, y tras una cierta cantidad de regateo, vino la señorita Hollingsworth.

El distante contralto de su voz me saludó con tono de perdonarme la vida.

—No he tenido oportunidad de hablar con el señor Humboldt sobre usted, señorita Warshawski. Yo me encargo de darle los mensajes, pero ya no viene al despacho todos los días.

—Ya, y supongo que no le llama a su casa para hacerle consultas. En caso de que lo haga, puede añadir a mi mensaje anterior que anoche vi al doctor Chigwell.

Ella concluyó nuestra conversación con una presteza condescendiente que me dejó gritando por el teléfono colgado. Acabé de vestirme como pude con las manos temblonas, y me dirigí una vez más hacia el sur.

La iglesia metodista Monte de los Olivos se remontaba a comienzos de siglo, sus bancos de respaldo alto y su gigantesca ventana de roseta evocaban una época en que se llenaba de mujeres con faldas largas y niños con botines. La actual congregación no podía permitirse la conservación de las vidrieras donde se representaba a Jesús en el Calvario. Los espacios donde se había roto el rostro melancólico y ascético de Jesús, se habían rellenado con vidrio reforzado, dándole el aspecto de haber contraído una enfermedad cutánea aguda.

Mientras los cuatro hermanos de Nancy iban acomodando a la gente, sus niños permanecían sentados en los bancos delanteros, empujándose y dándose manotazos no obstante la presencia cercana del féretro adornado con colgaduras de su tía. Sus mutuos insultos, susurrados en voz ronca, se oían por toda la nave hasta que quedaron ahogados por los acordes tristones de un órgano.

Avancé hasta el frente para hacer saber a la señora Cleghorn que me encontraba allí. Me sonrió con trémulo afecto.

—Ven a casa después de la ceremonia —murmuró—. Nos tomamos un café y charlamos.

Me invitó a sentarme con ella, lanzando una mirada hastiada a sus nietos. Yo me separé suavemente —no quería servir de amortiguador entre ella y los forcejeantes monstruos—. Además, quería ponerme detrás para observar a los asistentes; es un cliché, pero muchas veces los asesinos no pueden resistir la tentación de asistir a los funerales de sus víctimas. Quizá formara parte de una superstición primitiva, ese afán por asegurarse de que la persona está realmente muerta, que queda bien enterrada para que su espíritu no vuelva.

Una vez me hube situado cerca de la entrada apareció Diane Logan, resplandeciente con un abrigo de zorro plateado. Me rozó la mejilla y me apretó la mano antes de avanzar por el pasillo.

—¿Quién es ésa? —susurró una voz en mi oído. Di un respingo y me volví. Era el sargento McGonnigal, esforzándose por adoptar un aire de luto con su traje oscuro. Es decir, que la policía tenía también esperanzas.

—Jugaba al baloncesto con Nancy y conmigo; ahora es dueña de una de las agencias de relaciones públicas Gold Coast —susurré yo a mi vez—. No creo que ella sacudiera a Nancy... jugaba mejor que ella hace años. Y hoy también, si se mira bien. No sé el nombre de todo el mundo... dime cuál de ellos es el asesino.

Sonrió ligeramente.

—Cuando te vi sentada aquí creí que ya no tenía de qué preocuparme... la pequeña detective polaca va a acogotar al asesino delante del altar.

—Iglesia metodista —murmuré—. Creo que no se llama altar.

Caroline entró taconeando con el grupo de personas que había visto con ella en las oficinas de PRECS. Exhibía esa gravedad trascendental de las personas que no acuden a actos solemnes con mucha frecuencia. Los rizos cobrizos de Caroline habían sido peinados con algo que recordaba aseo. Llevaba un traje negro pensado para una mujer mucho más alta: los fruncidos de la tela en el bajo delataban la línea por donde lo había acortado con su habitual torpeza impaciente. Si me había visto, no dio muestra alguna, avanzando con el contingente de PRECS hasta un banco aproximadamente a mitad del pasillo.

Tras ellos entró un puñado de señoras mayores, acaso compañeras de la señora Cleghorn en la sección local de la biblioteca. Cuando hubieron pasado advertí a un joven delgado situado inmediatamente detrás de ellas. La penumbra del lugar resaltaba su silueta angulosa. Miró a su alrededor confuso, se percató de mi mirada, y apartó la vista.

La humilde turbación con que giró la cabeza me llevó a recordar quién era: el joven Art Jurshak. También había mostrado un gesto de gran modestia al hablar con los viejos paniaguados en las oficinas de su padre.

Con la media luz de las ventanas no lograba distinguir sus bien dibujadas facciones. Se deslizó en un asiento de la parte trasera.

McGonnigal me tocó en el hombro.

—¿Quién es ese brote de alfalfa? —musitó.

Le sonreí angelicalmente y me llevé un dedo a los labios; el órgano había empezado a sonar más fuerte, denotando la llegada del pastor. Pasamos por el *Habita entre nosotros* a ritmo tan pausado que tuve que prepararme entre un acorde y otro.

El pastor era un hombre pequeño y rechoncho, con el cabello negro que aún conservaba peinado en dos filas iguales a ambos lados de su arrugada bóveda. Tenía el aspecto de esos evangelizadores de TV que te ponen mal estómago, pero cuando empezó a hablar comprendí que había cometido el temible error de juzgar por las apariencias. Era evidente que había conocido bien a Nancy y habló de ella con elocuente energía. Otra vez sentí un nudo en la garganta y me recosté en el banco para observar las vigas del techo. La madera había sido pintada con esos adornos azules y anaranjados que son frecuentes en las iglesias victorianas. Concentrándome en los complicados encajes de los dibujos conseguí tranquilizarme lo bastante para unirme al himno final.

Volvía los ojos continuamente hacia el joven Art. Éste pasó la ceremonia sentado al borde del banco, asiendo fuertemente el respaldo del asiento de delante. Cuando las últimas estrofas de *Habito en amor divino* fueron laboriosamente arrancadas del órgano, se deslizó del banco poniéndose en pie y avanzó hacia la salida.

Le alcancé en el porche, donde se movía nerviosamente de un pie a otro incapaz de deshacerse de un pedigüeño borracho. Cuando toqué a Art en el brazo se sobresaltó.

—No sabía que Nancy y tú fuerais amigos —dije—. Nunca me habló de ti.

Murmuró unas palabras que parecían ser «la conocía poco».

—Soy V. I. Warshawski. Nancy y yo jugábamos juntas al baloncesto en el colegio y en la universidad. Te vi en las oficinas del Distrito Diez la semana pasada. Eres hijo de Art Jurshak, ¿no?

Ante esta pregunta su cara de mármol tallado se volvió aún más pálida; temí que fuera a desmayarse. Pese a ser un joven esbelto, no estaba segura de tener fuerza para detener su caída.

El borracho, que había escuchado todo con interés, se acercó todavía más.

—Su amigo tiene muy mal aspecto, señora. ¿Qué tal si me da cincuenta centavos para un café... uno para él y otro para mí?

Le volví la espalda con decisión y cogí a Art por el codo.

—Soy detective privada y estoy procurando aclarar la muerte de Nancy. Si tenías amistad con ella, me gustaría hablar contigo. Sobre sus relaciones con las oficinas de tu padre.

Sacudió la cabeza con aturdimiento y sus ojos azules se oscurecieron de temor. Tras un prolongado debate interior pareció estar a punto de obligarse a hablar. Desgraciadamente, cuando abrió la boca los restantes asistentes al funeral comenzaron a salir de la iglesia. En cuanto empezaron a pasar personas a nuestro lado, Art se liberó de mi mano y marchó a toda velocidad calle abajo.

Intenté seguirle, pero tropecé con el borracho y caí al suelo. Le maldije a gusto mientras volvía a ponerme en pie. Él me vilipendiaba a su vez, pero calló súbitamente cuando apareció McGonnigal: los muchos años pasados en las cercanías de la policía le habían dotado de un sexto sentido para detectar incluso a los de paisano.

—¿Qué es lo que tiene tan asustado al pelirrojo, War-shawski? —inquirió el sargento, haciendo caso omiso del pe-digüeño. Le vimos entrar en su coche, un modelo reciente de Chrysler aparcado al final de la calle, y salir despendolado.

—Tengo ese efecto sobre los hombres —dije brevemen-te—. Los vuelvo locos. ¿Has encontrado al asesino?

—No lo sé. El cromo éste era el único que actuaba de modo sospechoso. ¿Por qué no demuestras que eres una ciudadana dispuesta a colaborar y me das su nombre?

Me volví para mirarle.

—No es un secreto; el nombre es muy conocido por es-tos lares, Art Jurshak.

McGonnigal apretó los labios.

—El que Mallory sea mi jefe no quiere decir que puedas traerme y llevarme como haces con él. Dime el nombre del chico.

Levanté la mano derecha.

—Palabra de girl scout, Sargento. Jurshak es su padre. El joven Art se ha incorporado a su gestoría o su oficina o algo así. Si le alcanzas, no le apliques el látigo, no creo que tenga mucho aguante.

McGonnigal sonrió brutalmente.

—No te preocupes Warshawski. Tiene mejor protección que una piel dura. No voy a estropearle los bucles... ¿Vas a casa de los Cleghorn a tomar café? Oí a algunas de las seño-ras comentando lo que iban a llevar. ¿Te importa que me fil-tre contigo?

—Nosotras las pequeñas detectives polacas vivimos para ayudar a los polis. Vente.

Sonrió y me abrió la portezuela del coche.

—Te ha llegado al alma, ¿eh?, Warshawski. Me disculpo; no eres tan pequeña.

Un puñado de los asistentes se encontraba ya en la casa de Muskegon cuando llegamos nosotros. La señora Cleg-horn, con el maquillaje manchado de lágrimas secas, me re-cibió afectuosamente y aceptó a McGonnigal con cortesía. Permanecí unos minutos hablando con ella en el pequeño recibidor mientras el sargento deambulaba hacia el fondo de la casa.

—Kerry se ha llevado a los niños a su casa, de modo que hoy tendremos más tranquilidad —dijo—. Quizá me traslade a Oregón cuando me jubile.

La abracé.

—¿Vas a cruzar todo el país para no ejercer de abuela? Podrías cambiar las cerraduras; sería menos drástico.

—Supongo que se debe a lo alterada que estoy, Victoria, el decir cosas así; nunca he querido que nadie supiera mi opinión sobre los niños de mis hijos. —Quedó unos instantes en silencio y después añadió con incomodidad—: Si quieres hablar con Ron Kappelman sobre... sobre Nancy u otras cosas, está en el salón.

Sonó el timbre. Mientras ella iba a abrir la puerta yo crucé el pequeño vestíbulo hacia el salón. Nunca había visto a Ron Kappelman, pero no tuve dificultad alguna para reconocerlo: era el único hombre de toda la habitación. Era aproximadamente de mi edad, quizás algo mayor, robusto, con cabello castaño oscuro muy corto. Llevaba una chaqueta gris de tweed que estaba gastada por las solapas y los puños, y pantalones de pana. Estaba sentado solo en un taburete de imitación de cuero, hojeando tranquilamente las páginas de un viejo *National Geographic*.

Las cuatro mujeres de la sala, las que yo había supuesto compañeras de la señora Cleghorn en la iglesia, murmuraban juntas en un rincón. Miraron hacia mí, comprobaron que no me conocían, y volvieron a su suave zumbido.

Arrastré una silla de respaldo junto a Kappelman. Éste levantó los ojos hacia mí, hizo una especie de gesto y dejó otra vez la revista sobre la mesa baja.

—Ya lo sé —dije compasiva—. Es un fastidio tener que hablar con desconocidos en una situación como ésta. No sería admisible si no creyera que puede ayudarme.

Arqueó las cejas.

—Lo dudo, pero inténtelo.

—Me llamo V. I. Warshawski. Soy una vieja amiga de

Nancy. Jugamos al baloncesto en el mismo equipo hace años. Hace muchos años. —No logro recuperarme de la velocidad con que ha empezado a correr el tiempo a partir de mi treinta cumpleaños. No me parecía que hubieran pasado tantos años desde que Nancy y yo estuvimos en la universidad.

—Desde luego. Sé quién eres. Nancy me habló de ti varias veces; me dijo que gracias a ti no se volvió loca cuando estaba en la escuela superior. Soy Ron Kappelman, pero al parecer eso ya lo sabías al entrar.

—¿Te dijo Nancy que ahora soy investigadora privada? Bueno, hacía algunos años que no la veía, pero nos vimos en un reencuentro de baloncesto hace alrededor de una semana.

—Sí, lo sabía —me interrumpió—. Asistimos juntos a una reunión inmediatamente después. Algo me contó.

Un enjambre de gente entró en la habitación con ruido de murmullos. Pese a mantener las voces amortiguadas, no había espacio suficiente para absorber ni los cuerpos ni el rumor. Alguien que estaba de pie junto a mí encendió un cigarrillo y sentí aterrizar una ceniza caliente en el cuello redondo de mi chaqueta bolero.

—¿Podemos ir a algún sitio para hablar? —pregunté—. ¿La antigua habitación de Nancy o un bar o algo así? Estoy intentando aclarar su muerte, pero al parecer no logro hacerme con un cabo del que poder tirar. Esperaba que pudieras decirme algo.

Sacudió la cabeza.

—Puedes creerme, si yo pensara que tenía alguna píldora fuerte me habría presentado en la policía como un rayo. Pero sí me apetece salir de aquí.

Nos abrimos paso entre la multitud, presentando nuestros afectuosos respetos a la señora Cleghorn al salir. La cordialidad con que se dirigió a Kappelman parecía indicar que él y Nancy habían mantenido relaciones amistosas. Me pregunté vagamente qué habría sido de McGonnigal, pero ya era un hombrecito, sabía cuidarse.

Una vez fuera, Kappelman dijo:

—¿Por qué no me sigues hasta mi casa en Pullman? No

hay ningún café por aquí que sea agradable y tranquilo. Como seguramente ya sabes.

Seguí el paso de su decrépito Rabbit por una serie de callejuelas hasta la manzana de la Ciento trece y Langley. Se detuvo ante una de esas filas de pulcras casas de ladrillo que flanquean las calles de Pullman, casas con fachadas sobrias y pórticos que recuerdan a las ilustraciones de Filadelfia en la época en que se firmó la Constitución.

Pese a su exterior de buen gusto y cuidado, no estaba preparada para la meticulosa restauración del interior. Las paredes estaban empapeladas con vivos dibujos florales victorianos, el revestimiento de madera relucía con un satinado tono de nogal oscuro, el mobiliario y las alfombras eran piezas originales de época perfectamente conservadas colocadas sobre suelos de madera dura finamente pulida.

—Qué preciosidad —dije, arrobada—. ¿Lo has arreglado tú?

Asintió en silencio.

—La carpintería es como si dijéramos mi hobby; supone un cambio considerable respecto a los trapicheos con los catatónicos con los que paso el día. Los muebles son todos cosillas que he encontrado en los mercadillos de barrio.

Me condujo a una pequeña cocina con azulejo italiano en el suelo y las encimeras, y relucientes cacharros de fondo de cobre colgados en las paredes. Me encaramé en una banqueta alta a un lado de un mostrador saliente de azulejos mientras él ponía el café en el fogón al otro.

—¿Entonces, quién te pidió que investigaras la muerte de Nancy? ¿Su madre? ¿No está muy segura de que la poli vaya a arremeter contra los políticos de por aquí para que la ley siga su curso inexorable? —Me miró de reojo mientras montaba con destreza una cafetera de colador.

—Nada de eso. Si conoces algo a la señora Cleghorn ya sabrás que su talante no es propenso a la venganza.

—¿Quién es tu cliente, pues? —Giró hacia la nevera y sacó crema y un plato de *muffins*.

Distraídamente observé la trasera de su pantalón ajustarse en torno a sus posaderas al inclinarse. La costura estaba algo raída; si se agachaba así unas cuantas veces más podría crearse una situación interesante. Noblemente, me abstuve de tirarle un plato a los pies, pero esperé a responder hasta que estuvo incorporado frente a mí.

—Una parte de lo que mis clientes compran cuando me contratan es confidencialidad. Si te chismeo sus secretos, difícilmente podría esperar que tú me chismearas los tuyos, ¿no crees?

Movió la cabeza.

—Yo no tengo secretos. Al menos que tengan relación con Nancy Cleghorn. Soy asesor legal de PRECS. Trabajo para una serie de asociaciones de la comunidad; mi especialidad es el derecho de interés público. Era fenomenal trabajar con Nancy. Era ordenada, perspicaz, sabía cuándo se podía luchar y cuándo había que batirse en retirada. A diferencia de su jefe.

—¿Caroline? —Era difícil imaginar a Caroline como jefe de nadie—. ¿De modo que tu trato con Nancy fue siempre puramente profesional?

Levantó una cucharilla de café hacia mí.

—No intentes ponerme la zancadilla, Warshawski. Ya juego al balón con los hombres. ¿Crema? Tómala. Sabes... anula la cafeína y te evita el cáncer de estómago.

Colocó un pesado tazón de porcelana ante mí y metió la bandeja de *muffins* en el microondas.

—No. Nancy y yo tuvimos un flirteo breve hace un par de años. Cuando entré en PRECS. Ella se estaba recuperando de algo fuerte y yo llevaba unos diez meses divorciado. Nos animábamos mutuamente, pero no teníamos nada especial que ofrecernos. Aparte de amistad, que es ya lo bastante especial para no fastidiarla. Y desde luego no aporreando a tus amigos en la cabeza y tirándolos a un pantano.

Sacó los bollitos del horno y trepó a la banqueta que había en el extremo del mostrador a mi izquierda. Bebí unos sorbos del sabroso café y cogí un bollo de moras.

—Dejo a la policía la labor de hacerte la ficha. Dónde

estabas el jueves por la tarde a las dos y demás. Lo que a mí realmente me interesa saber es quién pensaba Nancy que la estaba siguiendo. ¿Creía que había hecho retroceder a Dresberg? ¿O tenía efectivamente relación con la planta de reciclaje?

Hizo una mueca.

—La teoría de la pequeña Caroline; lo cual me induce a tacharla. No es la postura más adecuada para el abogado de su cuadrilla. La verdad es que no lo sé. Los dos estábamos cabreadísimos después de la audiencia de hace dos semanas. Cuando hablamos el martes, Nancy me dijo que ella se ocupaba del lado político, para enterarse de si Jurshak estaba obstruyéndonos y por qué. Yo estaba trabajando los aspectos legales, preguntándome si podríamos engatusar al DSM —el Distrito Sanitario Metropolitano— para que nos diera el permiso. Quizás incluso implicar en el asunto a los departamentos estatal y nacional de la Agencia de Protección del Medio Ambiente.

Distraídamente, Kappelman se comió un segundo bollo y puso mantequilla a un tercero. Su abultada cintura me movió a rechazarlo con un gesto cuando me ofreció el plato.

—¿Entonces no sabes con quién habló en la oficina de Jurshak?

Negó en silencio.

—Tenía la impresión, aunque sin datos concretos, pero creo que tenía un amante allí. Alguien con quien le avergonzaba un poquito salir y no quería que sus amigos se enteraran, alguien a quien creía que debía proteger. —Fijó la mirada a lo lejos, intentando expresar con palabras sus impresiones—. Anulaba planes para cenar, no quiso ir a los partidos de los Hawks, para los que compartíamos un abono de temporada. Cosas así. De modo que es posible que estuviera recibiendo información del tipo y no quisiera que yo me enterara. La última vez que hablamos, hoy debe hacer una semana, me dijo que creía tener algo entre manos, pero necesitaba más pruebas. No volví a hablar con ella. —Se interrumpió de forma brusca y se concentró en su café.

—Bien ¿y qué hay de Dresberg? Basándose en lo que conoces de la situación, ¿crees posible que fuera contrario a un centro de reciclaje?

—Hombre, yo diría que sí. Aunque con un tipo así nunca se sabe. Mira.

Dejó la taza y se inclinó sobre el mostrador con interés, describiendo con amplios gestos de las manos las operaciones de Dresberg. Su imperio de residuos incluía traslados, incineración, contenedores de almacenaje y obras de relleno de terrenos. En sus dominios, Dresberg era muy celoso de cualquier sospecha de intromisión; incluso de cualquier indagación. De ahí las amenazas cuando Caroline y Nancy habían querido oponerse a un nuevo incinerador de bifenilos policlorados que no cumplía la normativa vigente.

—Pero el centro de reciclaje no tenía nada que ver con ninguna de sus operaciones —concluyó—. Xerxes y Glow-Rite arrojan ahora sus vertidos en sus propias lagunas artificiales. Lo único que haría PRECS sería recoger los residuos y reciclarlos.

Reflexioné unos instantes.

—Quizá creyera que el potencial de expansión podía reducirle el negocio por allí. O a lo mejor quiere que PRECS utilice sus camiones para el transporte.

Movió la cabeza.

—Si fuera así, simplemente les engatusaría para que emplearan sus camiones, no se cargaría a Nancy. No estoy diciendo que sea imposible el que esté implicado. Desde luego el centro entra dentro de su esfera de acción. Pero así a primera vista no me parece lo más evidente.

Después de aquello la conversación giró hacia otras cosas, amigos comunes del bar Illinois, mi primo Boom-Boom, al que Kappelman solía ver en el estadio cuando jugaba con los Hawks.

—No ha habido nunca un jugador como él —dijo Kappelman pesaroso.

—Dímelo a mí. —Me levanté y me puse el abrigo—.

Entonces, si topas con algo raro... cualquier cosa, te parezca o no que tiene alguna relación con la muerte de Nancy... me das un telefonazo, ¿de acuerdo?

—Sí, claro. —Su mirada tenía un aspecto algo desenfocado. Pareció estar a punto de decir algo, después cambió de opinión, me estrechó la mano y me acompañó hasta la puerta.

18

A la sombra de su padre

No desconfiaba de Kappelman. Pero tampoco le creía. Porque, a fin de cuentas, el tipo se ganaba la vida convenciendo a jueces y comisionados para que apoyaran asociaciones de barrio en vez de a los pesos pesados de la política y la industria a los que acostumbraban a favorecer. Pese a sus pantalones y su chaqueta gastados, sospechaba que debía ser bastante persuasivo. Y si Nancy y él habían sido tan amiguetes como Kappelman decía, no era realmente muy creíble que no le hubiera dado ni la más leve idea de lo que había averiguado a través de la oficina del concejal.

Claro que era algo tópico por mi parte el querer que fuera Dresberg quien pagara el pato. Sólo porque hubiera hecho amenazas anteriormente y tuviera mucha palanca y estuviera interesado en la eliminación de residuos.

Serpenteé por una serie de callejas y me dirigí hacia el Sector Este, a las oficinas del distrito en la avenida M. Era algo después de las tres y el lugar estaba muy animado. Me crucé con un par de policías de patrulla al entrar. Cuando llegué a la oficina principal mis amigos de las panzas estaban muy enfrascados con media docena de aspirantes a enchufes. Otra pareja, posiblemente trabajadores de la clientela política que habían concluido la limpieza de las calles por aquel día, jugaban a las damas en la ventana. Nadie se fijó en mí realmente, pero las conversaciones bajaron de tono.

—Busco al joven Art —dije cordialmente en dirección al calvo que había sido portavoz durante mi primera visita.

—No está —dijo secamente sin mirarme.

—¿A qué hora le esperan?

Los tres empleados de la oficina intercambiaron la silenciosa comunicación que había observado antes y coincidieron en que mi pregunta merecía una risita leve.

—No le esperamos —dijo el calvete, volviendo a su cliente.

—¿Saben dónde podría encontrarlo?

—No andamos marcando al chico —añadió el calvete, pensando acaso en las órdenes de pago que estaban esperando de mí—. A veces aparece por la tarde, otras veces no. Hoy todavía no ha venido, o sea que podría presentarse. Nunca se sabe.

—Comprendo —cogí el *Sun-Times* de su mesa y me senté en una de las sillas pegadas a la pared. Era vieja, de madera, amarilla y muy rayada, increíblemente incómoda. Leí la sección de «Sylvia», hojeé las páginas de deportes e hice un esfuerzo por interesarme en el último juicio de Greylord, removiendo la pelvis sobre el asiento duro en un frustrado intento de encontrar algún punto que no me rozara los huesos. Pasada una media hora me di por vencida y deposité una de mis tarjetas sobre el escritorio del calvete.

—V. I. Warshawski. Me doy otra vuelta dentro de un rato. Dígale que me llame si no coincidimos.

Salvo el *muffin* de moras que me había dado Ron Kappelman, no había comido como es debido en todo el día. Me fui a la esquina de Ewing donde un bar de barrio anunciaba bocadillos de barra y carne a la italiana y me comí un bocadillo de albóndigas con cerveza de barril. No soy muy aficionada a la cerveza, pero me pareció más adecuada para la barriada que un refresco light.

Cuando volví a la oficina del distrito electoral las visitas se habían esfumado prácticamente, a excepción de los jugadores del rincón. El calvete sacudió la cabeza al verme para indicar —creo— que el joven Art no había venido. Me sentí orgullosa de mí: empezaba a ser como uno más de los habituales.

Saqué un cuadernillo de espiral del bolso. Para entretenerme mientras esperaba intenté calcular los gastos en que había incurrido desde que empecé la búsqueda del padre de Caroline Djiak. Siempre he sentido cierta envidia de la inmaculada contabilidad de Kinsey Milhone; yo ni siquiera tenía los recibos de las comidas y la gasolina. Y desde luego no el de la limpieza de mis zapatos Magli, que iba a suponer casi treinta dólares.

Había llegado a los doscientos cincuenta cuando el joven Art entró con su acostumbrado paso inseguro. Algo en la expresión de su cara, un anhelo patente de aceptación por parte de los viejos y cansados politicastros de la sala, me hizo vacilar. Éstos le observaron fijamente, esperando a que empezara a hablar. Finalmente les complació.

—¿Hay algo... algo para mí de mi padre? —Se pasó la lengua por los labios de modo reflexivo.

El calvete negó con la cabeza y volvió a su periódico.

—La señora quiere hablar contigo —dijo desde las profundidades del *Sun-Times*.

Art no me había visto hasta ese momento; había estado demasiado concentrado en la decepción que se sabía destinado a recibir de aquellos hombres. Paseó la mirada por la habitación y me detectó. En un principio no me reconoció: su frente perfecta se plegó con una interrogación momentánea. Hasta que no se hubo acercado para estrecharme la mano no recordó dónde me había visto, y entonces no creyó posible huir sin sufrir una total humillación.

—¿Dónde podemos ir a hablar? —pregunté vivamente, apretándole la mano firmemente con la mía por si decidía arriesgarse a la indignidad.

Sonrió contrariado.

—Arriba, supongo; tengo un despacho. Un despacho pequeño.

Le seguí por las escaleras cubiertas de linóleo hasta una suite que exhibía el nombre de su padre. En la habitación exterior se sentaba una mujer de edad mediana, con el cabello castaño pulcramente peinado y un vestido de buen corte. Su mesa era un pequeño bosque de macetas enroscadas en torno a algunas fotografías familiares. A su espalda estaban las puertas de los despachos interiores, una con el nombre de Art padre una vez más, la otra limpia.

—Tu padre no está, Art —dijo en tono maternal—. Ha estado toda la mañana en una reunión del ayuntamiento. No creo que vaya a venir hasta el miércoles.

Art se sonrojó penosamente.

—Gracias, señora May. Tengo que utilizar mi despacho unos minutos.

—Claro, Art. No tengo que darte permiso para eso. —Siguió fija en mí, esperando obligarme a presentarme. Me pareció que significaría una victoria pequeña pero importante para Art si se quedaba sin saber quién era su visita. Sonreí en silencio, pero había subestimado su tenacidad.

—Soy Ida Maiercyk, pero todo el mundo me llama señora May —dijo al pasar ante su mesa.

—¿Cómo está usted? —Seguí sonriendo y avancé hasta Art que me esperaba desolado ante la puerta de su despacho. Yo esperaba que la señora May tuviera el ceño fruncido por la impotencia, pero no me volví para comprobarlo.

Art giró un interruptor de la pared e iluminó uno de los cubículos más desnudos que he visto fuera de los monasterios. Tenía una mesa sencilla de conglomerado y dos sillas metálicas plegables. Nada más. Ni tan siquiera un mueble archivador para producir la impresión de trabajo. Un concejal prudente sabe que no conviene vivir muy por encima de la comunidad que le sostiene, especialmente cuando la mitad de la comunidad está en paro, pero esto era sencillamente insultante. Hasta la secretaria tenía un mobiliario más profuso.

—¿Por qué soportas todo esto? —inquirí.

—¿Todo el qué? —dijo, volviendo a ruborizarse.

—Ya sabes; que esa mujer detestable de ahí fuera te trate como si fueras un crío subnormal de dos años. A esos paniaguados del distrito esperando a ponerte la carnada como si fueras una trucha. ¿Por qué no te buscas un puesto en otra agencia?

Sacudió la cabeza.

—Estas cosas no son tan fáciles como te parecen. Yo me gradué hace dos años. Sí... si consigo demostrar a mi padre que puedo encargarme de una parte del trabajo... —Su voz fue apagándose.

—Si te quedas para esperar su aprobación, te vas a pasar aquí el resto de tu vida —dije brutalmente—. Si no quiere dártela, no puedes hacer nada para obligarle. Te irá mejor si dejas de intentarlo, porque no vas a conseguir más que hacerte un desgraciado y no le vas a impresionar.

Su sonrisa triste me hizo desear agarrarle del cuello de la camisa y sacudirle.

—No le conoces a él ni me conoces a mí, o sea que no sabes de lo que hablas. Yo soy, he sido siempre, su gran decepción. Pero eso no tiene nada que ver contigo. Si has venido para hablarme de Nancy Cleghorn, no puedo ayudarte ahora más que esta mañana.

—Tú y ella erais amantes, ¿no? —Me pregunté si sus dibujadas facciones habrían podido compensar a Nancy de su juventud e inseguridad.

Sacudió la cabeza sin decir palabra.

—Nancy tenía aquí un novio pero no quería que lo supiera ninguno de sus amigos. No me parece muy probable que fueran el trío de la Bencina de abajo. Ni siquiera la señora May; Nancy tenía mejor gusto. Y además, ¿por qué, si no, fuiste al funeral?

—Es posible que por respeto a la labor que hacía en la comunidad —musitó.

La señora May abrió la puerta sin llamar.

—¿Necesitan alguna cosilla? Si no, me marcho ya. ¿Quieres dejarle alguna nota a tu padre sobre la entrevista, Art?

Me miró aturdido unos segundos, después volvió a sacudir la cabeza sin hablar.

—Gracias, señora May —dije yo con descaro—. Ha sido un placer conocerla.

Me dirigió una mirada asesina y cerró la puerta con fuerza. Vi su sombra dibujada tras la parte superior del cristal de la puerta mientras vacilaba considerando un posible golpe de desquite, después su silueta se desvaneció al marchar hacia su casa.

—Si no quieres que hablemos de tus relaciones con Nancy, por qué no me das la misma información que le diste a ella sobre los intereses de Papá Art en la planta de reciclaje de PRECS.

Asió el borde de la mesa de conglomerado y me miró implorante.

—No le dije nada. Apenas la conocía. Y no sé lo que tiene mi padre con la planta de reciclaje. ¿Y ahora serías tan amable de irte? Yo me alegraría tanto... como el que más si encontraras al asesino, pero tienes que comprender que no sé nada del asunto.

Fruncí el ceño con frustración. Estaba muy alterado, pero desde luego no era por mí. Tuvo que haber sido el amante de Nancy. Tuvo que ser él. De otro modo no habría estado en la iglesia por la mañana. Pero no se me ocurría modo alguno de lograr que confiara en mí lo bastante para hablar de ello.

—Ya, en fin, me voy. Una última pregunta. ¿Conoces bien a Leon Haas?

Me miró con expresión vacía.

—No he oído hablar de él en mi vida.

—¿Y Steve Dresberg?

Se puso totalmente pálido y se desmayó a mis pies.

19

Sin retorno posible

Cuando por fin llegué a mi casa había oscurecido ya. Había permanecido en Chicago Sur hasta cerciorarme de que el joven Art era capaz de conducir su coche. Me pareció una crueldad innecesaria el entregárselo a los paniaguados de la oficina para que le atendieran, pero mi exhibición de generosidad no aumentó sus ganas de hablar. Al fin, desesperada, le dejé a la puerta de las oficinas del distrito electoral.

El camino hacia el norte no me produjo solaz alguno. Recorrí fatigada el trecho hasta la puerta, tiré las llaves al forcejear con la puerta interior del vestíbulo, y volví a tirarlas al remontar las escaleras. Agotada hasta la médula, bajé los escalones para recuperarlas. Al otro lado de la puerta del señor Contreras, Peppy emitió un ladrido de bienvenida. Cuando empecé a subir otra vez oí sus cerrojos descorrerse a mi espalda. Me puse rígida, esperando el embate.

—¿Eres tú, muñeca? ¿Ahora vuelves? Hoy era el funeral de tu amiga, ¿no? No habrás estado bebiendo, ¿verdad? La gente cree que es la forma de ahogar las penas, pero, en serio, no hace más que ponerte más triste que antes. Si lo sabré yo; lo he intentado más de una vez. Pero entonces, cuando murió Clara, me bebí una copa y me acordé de lo que le alteraba que volviera de un funeral bien alumbrado. Y dije que no iba a hacerlo más, por ella; no después de todas las veces que me llamó idiota, llorando por un amigo cuando estaba demasiado borracho para que me saliera hasta el nombre.

—No —dije, forzando una sonrisa y alargando la mano para que me lamiera la perra—. No he estado bebiendo. He tenido que ver a un montón de personas. No ha sido muy divertido.

—Venga, súbete y date un baño calentito, niña. Para cuando termines y hayas descansado un rato habré preparado algo de cena. Tengo un filete estupendo que he estado guardando para una ocasión especial, y eso es lo que hace falta cuando estás tan decaído. Un poco de carne roja, te pone la sangre en movimiento otra vez y la vida te parece mucho mejor.

—Gracias —dije—. Es muy amable de su parte, pero de verdad no puedo...

—Nada. Tú crees que quieres estar sola, pero créeme, preciosa, es lo peor cuando te sientes así. Su señoría y yo te vamos a alimentar, y después cuando ya estés dispuesta a quedarte sola, no tienes más que decirlo y nos bajamos a todo correr.

Sencillamente no tenía ánimos para ver sus desvaídos ojos pardos ensombrecerse al sentirse herido por mi insistencia en estar sola. Maldiciéndome por tener el corazón blando, subí pesadamente las escaleras hasta mi casa. A pesar de las aciagas palabras de mi vecino, me fui directa a la botella de Black Label, lanzando los zapatos al aire con los pies y quitándome las medias mientras desenroscaba el tapón. Bebí de la botella, un trago largo que esparció una cálida sensación por mis hombros cansados.

Llené un vaso y me lo llevé al cuarto de baño. Arrojé el vestido funeral al suelo y me metí en la bañera. Cuando el señor Contreras apareció con el filete, estaba algo borracha y mucho más relajada de lo que hubiera creído posible media hora antes.

Él había cenado ya; se subió la botella de *grappa* para hacerme compañía mientras comía. Tras unos pocos bocados hube de admitir a mi pesar —sólo para mis adentros— que tenía razón en cuanto a la comida: la vida empezaba en efecto a parecerme mejor. La carne estaba a la plancha, bien tostada por fuera y roja por dentro. Me había preparado unas patatas fritas al montón con ajos y un detalle de consideración a mi dieta, un plato de lechuga. Era un cocinero bueno y sencillo, arte que había aprendido por su cuenta como entretenimiento durante su viudedad; cuando su mujer vivía nunca había hecho en la cocina mucho más que coger alguna cerveza.

Estaba terminándome las patatas con lo que quedaba de jugo de la carne cuando sonó el teléfono. Le entregué a Peppy el hueso que había estado vigilando —no pidiéndolo, simplemente observándolo por si alguien se entrometía e intentaba robarlo— y fui hacia el piano, donde había dejado la extensión del salón.

—¿Warshawski? —Era la voz de un hombre, fría y áspera. Desconocida para mí.

—Sí.

—Creo que es hora de que te largues de Chicago, Warshawski. Tú ya no vives aquí, ni tienes nada que hacer aquí.

Deseé no haberme tomado el tercer whisky e intenté desesperadamente reunir mis desparramados sesos.

—¿Y tú sí? —pregunté insolentemente.

No me hizo el menor caso.

—Tengo entendido que nadas muy bien, Warshawski. Pero no ha nacido el nadador que pueda mantenerse a flote en un pantano.

—¿Llamas en nombre de Art Jurshak? ¿O de Steve Dresberg?

—Eso no te importa, Warshawski. Porque si eres lista, te vas a largar, y si no, no va a quedarte mucho tiempo para pensarlo.

Colgó el teléfono. Las rodillas me temblaban levemente. Me senté en el taburete del piano para calmarme.

—¿Malas noticias, preciosa?

El rostro curtido del señor Contreras mostraba una cordial preocupación. Pensándolo bien, no era tan mala idea tenerle a mi lado aquella noche.

—Es sólo un matón a la antigua. Me ha recordado que Chicago es la capital mundial de los peces muertos. —Procuré que el tono de mi voz fuera ligero, pero las palabras me salieron con mayor gravedad de la deseada.

—¿Te ha amenazado?

—Algo así. —Quise sonreír pero, para mi irritación, me temblaron los labios. La imagen de las hediondas hierbas del fangal, del cieno, de la informe pareja de pescadores y su perro de mirada demente me hacía tiritar incontroladamente.

El señor Contreras se movía a mi alrededor solícito: ¿no debería sacar mi Smith & Wesson? ¿Llamar a la policía? ¿Poner barricadas en las puertas? ¿Registrarme en un hotel con nombre falso? Cuando rehusé todas estas ofertas sugirió que llamara a Murray Ryerson del *Herald-Star*; un acto de auténtica nobleza porque sentía unos celos feroces de Murray. Peppy, percatándose de su tensión, dejó el hueso y se acercó con un pequeño ladrido.

—No os preocupéis, en serio —les aseguré—. Es pura charla. Nadie va a matarme. Al menos no esta noche.

El señor Contreras, no pudiendo hacer nada más, me ofreció su botella de *grappa*. La rechacé con un gesto de la mano. La amenaza me había despejado la cabeza; no le veía sentido a volver a nublármela con el repelente alcohol de mi vecino.

Por otra parte, todavía no me sentía capaz del todo de quedarme sola. Entre el montón de viejos cuadernos y trabajos universitarios del fondo de un armario, saqué un gastado juego de damas con el que solían pasar el rato mi padre y Bobby Mallory.

Jugamos cuatro o cinco partidas, mientras la perra volvía tranquilamente a su hueso en el rincón de detrás del piano. El señor Contreras acababa de ponerse en pie con desgana cuando sonó el timbre. La perra lanzó un profundo ladrido. El viejo se puso muy nervioso, instándome a que sacara la pistola, a que le dejara bajar a ver, diciéndome que saliera por la puerta trasera a buscar ayuda.

—Tonterías —dije—. No me van a descerrajar un tiro en

mi propia casa dos horas después de la llamada; por lo menos esperarían hasta la mañana siguiente para ver si había hecho caso.

—¡Vic! ¡Ábreme! ¡Tengo que verte! —era Caroline Djiak.

Apreté el botón del automático del portal interior y salí al descansillo a esperarla. Peppy se puso a mi lado, con la cola baja, agitándola suavemente para que supiera que se mantenía alerta. Caroline subió corriendo, resonando sus pasos en los escalones desnudos como un decrépito metro elevado tomando la curva de la calle Treinta y cinco.

—¡Vic! —chilló al verme—. ¿Qué estás haciendo? Creí que te había dicho que dejaras de buscar a mi padre. ¡Por qué no haces lo que te pido por una vez!

Peppy, objetando a su ferocidad, empezó a ladrar. Uno de los inquilinos del segundo salió a la puerta y vociferó que nos calláramos.

—¡Algunos trabajamos, ¿saben?!

Antes de que el señor Contreras pudiera lanzarse en mi defensa, cogí a Caroline enérgicamente por el brazo y la arrastré al interior del piso. El señor Contreras la observó con mirada crítica. Una vez hubo decidido que no era peligrosa —al menos no un peligro inmediato y físico— le alargó su mano encallecida y se presentó.

Caroline no estaba en ánimo de andarse con cortesías.

—Vic, te lo ruego. He venido hasta aquí dado que por teléfono no me haces caso. Tienes que dejar en paz mis asuntos.

—Caroline Djiak —informé al señor Contreras—. Está muy alterada. Será mejor que me deje hablar con ella.

Empezó a recoger los platos de la cena. Yo hice sentar a Caroline en el sofá.

—¿Qué te está pasando, Caroline? ¿Qué es lo que te tiene tan asustada?

—¡No estoy asustada! —gritó—. Estoy furiosa. Furiosa contigo por no haberme dejado en paz cuando te lo dije.

—Mira, niña, yo no soy una televisión que puedes encender y apagar. Podría haber pasado por alto mi conversación con tus abuelos; son unos dementes de tal calibre que nada de lo que pudiera hacer iba a cambiarlos. Pero todo el personal de Químicas Humboldt me está mintiendo sobre los hombres que fueron compañeros de trabajo de tu madre, los que tenían mayores probabilidades de ser tu padre. Y eso no puedo dejarlo pasar. Y no es precisamente una trivialidad lo que dicen: están inventándose del todo los últimos años de la vida de esos tipos.

—Vic, no lo entiendes. —Me asió la mano derecha con intensidad, apretándomela fuertemente—. Tienes que dejar de irritar a esa gente. Son unos completos desalmados. No sabes de lo que son capaces.

—¿Por ejemplo?

Paseó una mirada enloquecida por la habitación, en busca de inspiración.

—¡Podrían matarte, Vic! ¡Ocuparse de que acabaras en el pantano como Nancy, o en el río!

El señor Contreras había abandonado toda pretensión de hacer que se iba. Retiré la mano del apretón en que me la mantenía Caroline y clavé la mirada en ella fríamente.

—Muy bien. Ahora quiero la verdad. No tu versión embellecida. ¿Qué sabes de las personas que mataron a Nancy?

—Nada, Vic. Nada. De veras. Tienes que creerme. Es que... que...

—¿Es qué? —La agarré por los hombros y la sacudí—. ¿Quién amenazó a Nancy? Llevas toda una semana diciendo que fue Art Jurshak porque no quería que pusiera en marcha la planta de reciclaje. ¿Ahora me colocas que han sido los de Xerxes porque estoy rastreando a tu padre por allí? Demonios, Caroline, ¿no comprendes lo importante que es esto? ¿No ves que hablamos de vida o muerte?

—¡Eso es lo que te he estado diciendo, Vic! —gritó tan fuertemente que la perra empezó a ladrar otra vez—. ¡Por eso te estoy pidiendo que no te metas en lo que no te importa!

—¡Caroline! —Advertí que mi voz subía a un registro más y procuré sobreponerme antes de retorcerle el pescuezo. Me trasladé al sillón contiguo al sofá.

—Caroline. ¿Quién te llamó? ¿El doctor Chigwell? ¿Art Jurshak? ¿Steve Dresberg? ¿El propio Gustav Humboldt?

—Nadie, Vic —Los ojos color genciana estaban inundados de lágrimas—. Nadie. Lo que ocurre es que tú ya no entiendes cómo es la vida en el sur de Chicago, llevas mucho tiempo fuera. ¿Por qué simplemente no crees lo que te digo, que tendrías que haberlo dejado ya?

Le hice caso omiso.

—¿Ron Kappelman? ¿Te ha llamado esta tarde?

—La gente me cuenta cosas —dijo—. Ya sabes cómo es aquello. Por lo menos lo sabrías si...

—Si no hubiera sido una cobardica asquerosa y no me hubiera ido —concluí en su lugar—. Tú has estado escuchando ruidos por la oficina de que alguien, no sabes quién, me la tiene jurada, y estás aquí para salvarme el pellejo. No sabes cómo te lo agradezco. Lo que tienes es un susto encima de locura, Caroline. Quiero saber quién ha estado asustándote, y no me digas que corre por la calle el rumor de que me van a ahogar porque no trago. No estarías fuera de ti si se tratara sólo de eso. Desembucha. Ahora.

Caroline se puso en pie bruscamente.

—¿Qué tengo que hacer para que me hagas caso? —gritó—. Hoy me han llamado de la fábrica Xerxes para decirme que es una lástima todo ese dinero que he tenido que emplear en contratarte. Me han dicho que tenían pruebas de que Joey Pankowski era mi padre. Me han dicho que te convenciera y que dejaras en paz el caso.

—¿Y se ofrecieron a mostrarte esas extraordinarias pruebas?

—¡No me hacía falta verlas! No soy tan desconfiada como tú.

Puse una mano de contención sobre Peppy que empezaba a gruñir.

—¿Y te han amenazado con mutilarte si no me obligabas a retirarme?

—A mí las amenazas me darían igual. ¿Es que no puedes creerlo?

La miré con toda la calma posible. Era una persona desbocada, manipuladora y falta de escrúpulos a la hora de hacer su voluntad. Pero ni por lo más remoto la consideraría nunca cobarde.

—Puedo creerlo —dije lentamente—. Pero quiero saber la verdad. ¿Te dijeron realmente que me harían daño si no dejaba de buscar?

Los ojos de genciana miraron hacia otro lado.

—Sí —susurró.

—No me sirve, Caroline.

—Cree lo que quieras. Si te matan, no esperes que asista a tu funeral porque me dará igual. —Estalló en llanto y salió de la casa como un vendaval.

20

Un elefante blanco

El señor Contreras se marchó finalmente hacia la una. Yo pasé una noche inquieta, con la cabeza hecha un remolino por la visita de Caroline. Caroline no temía nada. Por eso me seguía confiada hacia la espuma embravecida del lago Michigan cuando tenía cuatro años. Ni siquiera se asustó cuando estuvo a punto de ahogarse; después que le hube vaciado de agua los pulmones, estuvo dispuesta a volver a entrar inmediatamente. Si alguien le hubiera dicho que mi vida pendía de un hilo, podría haberle enfurecido, pero no le habría aterrado.

Alguien la había llamado para decirle que Joey Pankowski era su padre. Eso no podía habérselo sacado del bolsillo. Pero ¿habían añadido la coletilla de que iban a hacerme daño, o era aquello una simple suposición fundada? Yo llevaba un decenio sin ver a Caroline, pero no se olvidan los gestos característicos de las personas con las que te crías: esa mirada de soslayo cuando pregunté directamente me inducía a pensar que mentía.

La única razón por la que me inclinaba a creerla —en cuanto a las amenazas, claro— era que yo también había recibido esa llamada. Hasta que Caroline apareció yo había supuesto que la llamada provenía de Art Jurshak por haber acosado a su hijo. O por haber hablado con Ron Kappelman. ¿Pero, y si provenía de Humboldt?

Cuando el brillo de los números verdes del reloj me informó de que eran las tres y cuarto, encendí la luz y me senté en la cama para llamar por teléfono. Murray Ryerson se había marchado del periódico cuarenta y cinco minutos antes de su hora. Todavía no estaba en casa. Probando suerte llamé al Golden Glow: Sal cierra a las cuatro. A la tercera fue la vencida.

—¡Vic! Estoy abrumado. Tienes insomnio y has pensado en mí. Ya veo los titulares: «Mujer detective no puede dormir de amor.»

—Y yo convencida de que eran las cebollas que me he comido para cenar. Eso es lo que me debió pasar el día que accedí a casarme con Dick. ¿Te acuerdas de nuestra pequeña conversación de ayer?

—¿Qué conversación? —bufó—. Yo te conté cosas sobre Nancy Cleghorn y tú escuchaste con papel adhesivo en la boca.

—Me ha vuelto algo a la memoria —dije yo sin rodeos.

—Mejor será que sea bueno, Warshawski.

—Curtis Chigwell —dije—. Es el médico que vive en Hinsdale. Trabajó en la fábrica de Chicago Sur.

—¿Él ha matado a Nancy Cleghorn?

—Por lo que yo sé, ni siquiera conocía a Nancy Cleghorn.

Sentí más que oí a Murray farfullar.

—He tenido un día duro, V. I. No me hagas jugar a las Veinte Preguntas contigo.

Del suelo, junto a la cama, alcancé una camiseta. Por algún motivo, la noche me estaba haciendo sentir demasiado vulnerable en mi desnudez. Al inclinarme, la luz de la lámpara resaltó el polvo de un rincón de la habitación. Si vivía una semana más, pasaría el aspirador.

—Eso es lo que tengo para ti —dije pausadamente—. Veinte preguntas. Ni una respuesta. Curtis Chigwell sabe algo que no quiere contar. Hace veinticuatro horas no creía que tuviera la más remota relación con lo de Nancy. Pero he recibido una llamada de amenaza esta noche advirtiéndome que me largara de Chicago.

—¿De Chigwell? —Casi pude sentir el aliento de Murray a través de la línea telefónica.

—No. Yo pensé que tenía que ser de Jurshak o Dresberg. Pero es que hay otra cosa; un par de horas después me ha dicho lo mismo alguien que sólo me conoce por el lado de Xerxes; la fábrica donde trabajaba Chigwell.

Le expliqué las discrepancias que habían surgido entre la versión de Manheim y la de Humboldt sobre el pleito de Pankowski y Ferraro, sin decirle que lo había sabido por el propio Humboldt.

—Chigwell sabe cuál es la verdad y por qué. Pero no quiere contarlo. Y si los de Xerxes me están amenazando, él tiene que saber por qué.

Murray ensayó mil métodos distintos para lograr que le dijera más cosas. Pero, sencillamente, no podía entregarle a Caroline y a Louisa; Louisa no se merecía ver su triste pasado rodando por las calles de Chicago. Y no sabía nada más. Nada sobre la posible relación entre la muerte de Nancy y Joey Pankowski.

Al fin Murray afirmó:

—Tú no quieres ayudarme, tú lo que quieres es que te haga de correveidile. Lo presiento. Pero no es una mala historia; mandaré a alguien a hablar con el tipo.

Cuando colgamos conseguí dormir un poco, pero volví a despertarme definitivamente hacia las seis y media. Amaneció otro día gris de febrero. El frío cortante y la nieve habrían sido preferibles a esta eterna neblina inclemente. Me puse la ropa de gimnasia, hice mi calentamiento y después levanté a la brava al señor Contreras llamando en su puerta hasta que la perra le despertó a ladridos. Me la llevé de ida y vuelta al lago, deteniéndome de vez en cuando para atarme el zapato, sonarme la nariz, tirarle un palo: gestos que me permitían vigilar mi retaguardia disimuladamente. No creí ver a nadie en ella.

Tras haber devuelto a la perra me fui al café de la esquina para desayunarme unas tortitas. De vuelta a casa para cambiarme, estaba casi decidida a hacerle una visita a Louisa por ver si ella podía darme alguna pista sobre el pánico de Caroline, cuando llamó Ellen Cleghorn. Estaba muy alterada: había ido a casa de Nancy en Chicago Sur para recoger sus documentos financieros y la había encontrado arrasada.

—¿Arrasada? —repetí absurdamente—. ¿Cómo lo sabe?

—Como se sabe siempre, Victoria; la casa estaba hecha auténticas trizas. Nancy no tenía mucho dinero y sólo había podido amueblar dos habitaciones. Los muebles estaban destrozados y había papeles desparramados por todas partes.

Me estremecí involuntariamente.

—Parece como si fueran ladrones enloquecidos. ¿Sabe si falta alguna cosa?

—No intenté comprobarlo. —La voz se le quebró ligeramente con un sollozo nervioso—. Miré en su habitación y salí corriendo todo lo deprisa que pude. Yo... te agradecería si pudieras venir a revisar la casa conmigo. No soporto estar allí sola con esa... esa destrucción de Nancy.

Le prometí que me reuniría con ella frente a su casa dentro de una hora. Habría preferido ir directamente a casa de Nancy, pero la señora Cleghorn estaba excesivamente nerviosa por el asalto para acercarse a casa de su hija, aunque permaneciera en el exterior. Terminé de ponerme los vaqueros y la sudadera, y después, sin muchas ganas, me dirigí a la pequeña caja fuerte que tengo empotrada en el armario de mi habitación y saqué la Smith & Wesson.

Yo no suelo llevar pistola; si la llevas, tiendes a depender de ella y se te entorpece la sesera. Pero estaba ya bastante asustada entre el asesinato de Nancy y la amenaza de mandarme al pantano a hacerle compañía. Y ahora esta agresión a la casa. Supuse que cabía la posibilidad de que fueran gamberros del barrio que hubieran espiado la casa y comprobado que no había nadie. Pero el destrozo del mobiliario. Podía haber sido un drogata tan absolutamente ido que hubiera despedazado los muebles en busca de dinero. Pero también pudieron ser sus asesinos buscando algo que ella tenía y podía incriminarlos. Por eso, introduje un segundo cargador en el bolso y me metí la pistola cargada en la cintura de los vaqueros; mi sesera no era lo bastante rápida para detener una bala a toda velocidad.

La casa de los Cleghorn tenía un aspecto distante y destartalado bajo la niebla grisácea. Incluso la torrecilla que había sido habitación de Nancy parecía algo lánguida. La señora Cleghorn me esperaba frente al camino de acceso, su cara redonda, por lo general plácida, estaba demacrada y tensa. Me ofreció una sonrisa trémula y subió al coche.

—Vamos en tu coche si no te importa. Estoy tan agitada que no sé cómo he conseguido llegar a casa.

—Si quiere puede simplemente darme las llaves de la casa —dije—. No hace falta que venga si se siente mejor quedándose aquí.

Sacudió la cabeza.

—Si fueras sola no haría más que pasar el tiempo preocupándome por si alguien te estuviera acechando.

Mientras seguía sus directrices para hacer el camino más corto hacia allí, a través de Chicago Sur hasta Yates, le pregunté si había llamado a la policía.

—Creí mejor esperar. Esperar hasta que hubieras visto lo que ha pasado. Entonces —torció la boca en una sonrisita—, podrías llamarla tú en mi lugar. Creo que ya he hablado con la policía todo lo que puedo soportar. No ya ahora, sino para toda la vida.

Pasando el brazo por encima de la palanca de cambios le estreché ligeramente la mano.

—Está bien. Encantada de poder ayudarla.

La casa de Nancy estaba en Crandon, cerca de la calle Setenta y tres. Comprendí por qué la señora Cleghorn la calificaba de elefante blanco: era un enorme monstruo blanco de madera, tres pisos que llenaban un solar de tamaño excesivo. Pero también comprendí por qué la había comprado Nancy; las pequeñas cúpulas de las esquinas, las ventanas de vidriera artística, la barandilla de madera tallada de la escalera una vez dentro, todo ello evocaba el confort y el orden de una Alcott o un Thackeray.

No era inmediatamente evidente que alguien hubiera

estado en la casa. Al parecer, Nancy había invertido todo lo que tenía en comprarla, de modo que el vestíbulo de entrada no tenía muebles. Hasta que no hube subido las escaleras de roble y encontrado el dormitorio principal no vi los daños. Entonces comprendí plenamente la decisión de la señora Cleghorn de esperarme en la entrada.

Al parecer, Nancy había convertido este dormitorio en objeto de sus primeros planes de rehabilitación. El suelo estaba acuchillado, las paredes emplastecidas y pintadas, y en la pared frente a la cama se había instalado una chimenea, con marco de azulejo y accesorios de latón reluciente. El efecto habría sido encantador, pero el mobiliario y la ropa de cama estaban desparramados por el suelo de la habitación.

De puntillas avancé entre aquel destrozo. Estaba violando todas las normas policiales posibles: no llamar para informar de los daños, recorrer el lugar alterando la evidencia, añadir mis detritus a los de los vándalos. Pero es sólo en los libros de reglamento donde todo delito recibe una inspección detallada en el laboratorio. En la vida real no creía que prestaran demasiada atención, pese a haber sido asesinada la propietaria del inmueble.

Fuera lo que fuera lo que buscaban los asaltantes, no debía ocupar mucho espacio. No sólo habían desgarrado la funda del colchón y hecho cortes en el relleno, sino que habían sacado la parrilla de la chimenea y quitado varios ladrillos. O bien dinero, si me atenía a la teoría del adicto con mono. O papeles. Algún tipo de prueba que Nancy poseía de algo tan espantoso, que había gente dispuesta a matar para ocultarlo.

Volví al piso bajo, con las manos algo temblorosas. La destrucción de una casa es una violación terriblemente personal. Si no puedes sentirte seguro entre las paredes de tu vivienda, no tienes seguridad en ningún sitio.

La señora Cleghorn me esperaba al pie de la escalera. Me rodeó la cintura con un brazo maternal; el verme tan descompuesta le ayudó a lograr cierta compostura.

—El comedor es la única otra habitación que Nancy

había arreglado realmente. Estaba utilizando los armarios empotrados como una especie de despachito hasta que tuviera tiempo y dinero para hacer su estudio.

Le sugerí a la señora Cleghorn que permaneciera en el vestíbulo. Si los merodeadores no habían encontrado arriba lo que buscaban, tuve la visión involuntaria del aspecto que podrían tener aquellos armarios.

La realidad era mucho peor que todo lo que había podido imaginar. Por el suelo se veían desparramados platos y vajilla. Habían sido arrancados los asientos de las sillas. Todos los estantes de los armarios de nogal que formaban parte del fondo de la habitación estaban hechos astillas. Y los papeles que componían la vida privada de Nancy estaban esparcidos por todas partes como serpentinas después de un gran desfile.

Apreté los labios fuertemente, procurando contener mis emociones mientras avanzaba con cuidado entre toda aquella devastación. Pasado un tiempo, la señora Cleghorn me llamó desde la puerta: yo llevaba allí tanto tiempo que estaba preocupada y se había preparado para enfrentarse a la destrucción. Juntas reunimos estadillos bancarios, sacamos una agenda del amontonamiento y nos llevamos todo lo relativo a hipotecas o seguros para que la señora Cleghorn lo repasara posteriormente.

Antes de salir, metí la cabeza en las restantes habitaciones. Aquí y allá habían levantado una tabla del entarimado. En las chimeneas —había seis en total— faltaban las parrillas. La anticuada cocina había sido también sometida a su parte de destrozo. Posiblemente no era demasiado atractiva para empezar: instalaciones de los años veinte, pila vieja, nevera vieja, y la pintura de la pared descascarillándose por todas partes. En típico estilo vandálico, los intrusos habían arrojado harina y azúcar al suelo y sacado todo lo que contenía la nevera. Si la policía les llegaba a echar el guante, yo recomendaría hacerles pasar un año arreglando la casa como parte de la condena.

Habían entrado por la puerta trasera. La cerradura había

sido apalancada y no se habían molestado en cerrarla bien al salir. El patio trasero estaba tan lleno de hierbajos altos, que los que pasaran por el callejón no se habrían percatado de que la casa estaba abierta. La señora Cleghorn encontró un martillo y clavos en el taller que había montado Nancy contiguo a la despensa; yo clavé un tablón cruzando la puerta trasera para que quedara cerrada. No parecía que pudiéramos hacer nada más para devolver su integridad al lugar. Nos marchamos en silencio.

De regreso a la casa de Muskegon, llamé a Bobby para comunicarle lo ocurrido. Emitió un gruñido y dijo que iba a referir el asunto al Tercer Distrito, pero que no me marchara por si deseaban hacerme alguna pregunta.

—Sí, claro —farfullé—. Me quedaré pegada al teléfono el resto de la semana para complacer a la policía. —Probablemente fuera una suerte que Bobby hubiera colgado ya el teléfono.

La señora Cleghorn empezó a preparar un café. Me lo trajo al comedor, con lo que quedaba de un bizcocho y una ensalada.

—¿Qué buscaban, Victoria? —preguntó al fin después de su segunda taza.

Pellizqué distraídamente un poco de bizcocho de especias.

—Algo pequeño. Plano. Papeles de algún tipo, supongo. No creo que hayan podido encontrarlos, si no, no habrían arrancado los ladrillos de las demás chimeneas. Entonces, ¿en qué otro lugar pudo Nancy haber guardado cosas? ¿Está segura de que no dejó nada por aquí?

La señora Cleghorn movió la cabeza.

—Es posible que viniera mientras yo estaba trabajando. Pero... no sé. ¿Quieres buscar en su antigua habitación?

Me mandó sola por las escaleras del ático arriba hasta la vieja torrecilla donde Nancy y yo habíamos esperado a la Hermana Ana o a piratas armados hasta los dientes. Era una habitación insoportablemente triste, con los restos de la infancia olvidados sobre el gastado mobiliario. Levanté ositos de peluche y trofeos y carteles descoloridos de los primeros Beatles con estudiada indiferencia, pero no encontré nada.

La policía llegó cuando bajaba nuevamente la escalera y pasamos alrededor de una hora hablando con ellos. Les dijimos que yo había ido con la señora Cleghorn para ayudarla a recoger los papeles de Nancy; que no quería ir sola y yo era una antigua amiga de su hija, que nos habíamos encontrado con el caos y les habíamos llamado. Hablamos con un par de detectives principiantes que lo apuntaron todo cuidadosamente a mano pero que no parecían más preocupados por este allanamiento que por el de cualquier otro inquilino del Sector Sur. Al fin, se fueron sin ofrecernos ni instrucciones ni advertencias especiales.

Yo me dispuse a marchar poco después.

—No quiero alarmarla, pero cabe la posibilidad de que los que registraran la casa de Nancy vengan también aquí. Debería plantearse el trasladarse con alguno de sus hijos, por mucho que le desagrade.

La señora Cleghorn asintió con desgana; el único de sus hijos que no tenía niños vivía en un remolque con su novia. No era precisamente una casa de huéspedes ideal.

—Supongo que debo guardar el coche de Nancy en algún lugar seguro también. ¿Quién sabe dónde darán el próximo golpe esos dementes?

—¿El coche? —Paré en seco—. ¿Dónde está su coche?

—Ahí fuera. Lo había dejado al lado de las oficinas de PRECS y una de las mujeres que trabaja allí me lo trajo después del funeral. Yo tenía un juego de llaves de repuesto, o sea que debieron... —Su voz fue apagándose al percatarse de la expresión de mi cara—. Es verdad. Tendríamos que mirar en el coche, ¿no? Si es que Nancy tenía efectivamente algo que pudiera querer un... un asesino. Aunque no puedo imaginar qué pueda ser.

La señora Cleghorn había dicho aquello mismo anteriormente y yo me repetí mis propias palabras tranquilizadoras y absurdas: que era probable que Nancy no supiera que poseía algo tan deseado por otra persona. Salí hacia el Honda azul pálido de Nancy con la señora Cleghorn y saqué un montón de papeles del asiento trasero. Nancy había tirado allí su portafolios junto con una serie de carpetas que no cabían dentro.

—¿Por qué no te lo llevas todo, querida? —La señora Cleghorn me sonrió trémula—. Si puedes ocuparte de los papeles, de devolver los que correspondan a PRECS, me serviría de gran ayuda.

Me metí todo el montón bajo el brazo izquierdo y le pasé el derecho sobre los hombros.

—Sí, claro. Llámeme si ocurre alguna otra cosa, o si le hace falta ayuda con la policía. —Era más trabajo del que quería, pero era lo menos que podía hacer dadas las circunstancias.

21

El niño de mamá

Permanecí sentada en el coche con la calefacción encendida, hojeando las carpetas de Nancy. Fui dejando a un lado todo lo relacionado con los asuntos rutinarios de PRECS. Quería descargarlo en la oficina de la calle Comercial antes de salir hacia Chicago Sur.

Buscaba algo que pudiera informarme de por qué el concejal Jurshak se oponía a la planta de reciclaje de PRECS. Eso era lo que Nancy había querido averiguar la última vez que hablé con ella. Si la habían matado por algún dato comprometedor que ella conocía sobre el Sector Sur, suponía que tendría que estar relacionado con la planta.

Al fin encontré en efecto un documento que exhibía el nombre de Jurshak, pero no tenía nada que ver con la propuesta de reciclaje; ni ningún otro asunto medioambiental. Era una fotocopia de una carta, fechada en el año 1963, dirigida a la compañía de seguros Descanso del Marino, donde se explicaba que Jurshak & Parma era a la sazón compañía garante de la fábrica Xerxes de Químicas Humboldt. Adjunto a la carta había un estudio actuarial que ponía de manifiesto que las pérdidas de Xerxes estaban al nivel de las de otras compañías similares de la zona y solicitaba se le aplicara la misma prima.

Leí el informe completo tres veces. No le veía sentido. Es decir, no tenía sentido que fuera éste el documento por el que habían matado a Nancy. Los seguros de vida y médicos no son mi especialidad, pero éste tenía el aspecto de una póliza perfectamente normal y clara. Ni siquiera se me habría antojado fuera de lugar de no haber sido por su antigüedad y por no guardar conexión alguna con el tipo de trabajo de Nancy.

Había una persona que podía explicarme su significado. En fin, más de una, pero no me apetecía presentarme ante Art el Viejo con ella. «¿De dónde ha sacado esto, jovencita?» «Ah, pues andaba revoloteando por la calle, ya sabe cómo son estas cosas.»

Pero era posible que el joven Art me lo dijera. Pese a estar claramente situado en la periferia de la vida de su padre, acaso supiera lo suficiente sobre la parte de seguros para aclararme el documento. O, si Nancy lo había encontrado y tenía algún valor para ella, pudo habérselo dicho. En realidad, tuvo que decírselo, por eso estaba el joven Art tan nervioso. Sabía por qué la habían matado y no quería dar el soplo.

Aquélla me pareció una teoría sólida. Pero cómo conseguir que Art me descubriera lo que sabía era cuestión totalmente distinta. Contraje el rostro en un esfuerzo por concentrarme. Cuando aquello no produjo resultados probé relajando todos los músculos y esperando que alguna idea subiera flotando hasta mi cabeza. Por el contrario, me encontré pensando en Nancy y en nuestra infancia. La primera vez que había ido a cenar a su casa, en cuarto grado, en que su madre nos sirvió espaguetis de lata. Tuve miedo de contar a Gabriella lo que habíamos comido; creí que no me dejaría volver a una casa donde no hacían su propia pasta.

Fue Nancy la que me convenció de que hiciera la prueba para el equipo de baloncesto de la escuela superior. Yo siempre fui buena en deportes, pero mi juego era el *softball*. Cuando me admitieron en el equipo, mi padre clavó un cesto a un lado de la casa y jugó con Nancy y conmigo. Solía asistir a todos nuestros partidos en la escuela, y después del último partido de la universidad, contra Lake Forest, nos llevó a la sala Empire para tomarnos unas copas y bailar. Él nos había enseñado a retirarnos, a simular un pase y después girar y encestar, y yo había ganado el partido en los últimos segundos precisamente con ese movimiento. Simular y encestar.

Me incorporé. Nancy y yo funcionamos juntas tantas veces en el pasado, que ¿por qué no ahora también? No tenía prueba alguna, pero que el joven Art creyera que la tenía.

Saqué la agenda más reciente de Nancy de entre el amontonamiento de papeles del asiento contiguo al mío. Había apuntado tres números de teléfono de Art en su ilegible letra. Los descifré, adivinando a medias, y fui hacia el teléfono público que había delante de la casa de la playa.

El primer número resultó ser el de las oficinas del distrito electoral, donde los tonos melosos de la señora May negaron todo conocimiento sobre el paradero del joven Art mientras intentaba sonsacarme quién era y qué buscaba. Hasta me ofreció pasarme con Art padre, antes de que yo lograra cortar la conversación.

Marqué el segundo número y salieron las oficinas Jurshak & Parma de seguros. Allí, una recepcionista de tonos nasales me dijo después de un rato que no había visto al joven Art desde el viernes y que le gustaría saber cuándo la habían contratado para cuidar al niño. La policía no se había pasado por allí aquella mañana para preguntar por él y tenía que pasar a máquina un contrato para las doce y que le contara cómo iba a hacerlo si...

—No la entretengo más —dije bruscamente, y le colgué el teléfono.

Hundí las manos en los bolsillos en busca de monedas, pero había utilizado mis últimos recursos. Nancy había escrito una dirección a lápiz junto al tercer número, en la avenida G. Aquélla tenía que ser la casa de Art. En todo caso, si se ponía el chico al teléfono, probablemente colgaría. Era mejor enfrentarme a él en persona.

Volví al coche y regresé hacia el Sector Este, entre la Ciento quince y la avenida G. La casa estaba a medio camino de la manzana, un edificio de ladrillo nuevo con una valla alta a su alrededor y cierre electrónico en la entrada. Toqué el timbre y esperé. Estaba a punto de volver a tocar cuando una voz de mujer llegó vacilante por el automático.

—Quisiera ver a Art hijo —vociferé—. Me llamo Warshawski.

Se produjo un largo silencio y después la cerradura se abrió con un clic. Empujé el portón y me introduje en la posesión. Al menos se parecía más a una gran posesión que a la típica casita del Sector Este. Si ésta era realmente la residencia de Art, presumí que sería porque aún vivía con sus padres.

Por modesta que fuera la impresión que producían las oficinas de Art el Viejo, no había escatimado en comodidades domésticas. El solar que había a la izquierda había sido anexionado y convertido en un precioso patio ajardinado. En un extremo había una construcción de cristal que podría albergar una piscina interior. Dado que a espaldas de la propiedad corría una reserva forestal, todo ello producía la sensación de estar en el campo a sólo media milla de una de las zonas industriales más activas del mundo.

A paso vivo recorrí el acceso de losas de piedra hasta la entrada, una galería porticada cuyas columnas tenían un aspecto algo incongruente junto al ladrillo moderno. Una rubia marchita me esperaba en el umbral. El entorno tenía alguna pretensión de magnificencia, pero ella era puro Sector Sur, con su vestido de flores recién planchado y el delantal almidonado encima.

Me saludó nerviosa, sin intentar invitarme a pasar.

—¿Quién... quién ha dicho que era?

Saqué una tarjeta del bolso y se la entregué.

—Soy amiga del joven Art. No habría querido molestarle en casa pero no le han visto en la oficina del distrito y es importante que me ponga en contacto con él.

Sacudió la cabeza ciegamente, un movimiento que le prestó un fugaz parecido con su hijo.

—No... no está en casa.

—No creo que le importe hablar conmigo. De verdad, señora Jurshak. Sé que la policía está intentando localizarle, pero yo estoy del lado de su hijo, no de los otros. Ni del de su padre —añadí con un destello de inspiración.

—De verdad, no está en casa. —Me miró afligida—. Cuando el sargento McGonnigal vino preguntando por él, el señor Jurshak se puso furioso, pero no sé dónde está, señorita... No le he visto desde después del desayuno, ayer por la mañana.

Intenté digerir el dato. Quizás el joven Art no había estado en condiciones de conducir anoche después de todo. Pero si había tenido un accidente, su madre habría sido la primera en enterarse. Aparté de mí una inoportuna visión de la laguna del Palo Muerto.

—¿Me podría dar los nombres de algunos de sus amigos? ¿Alguien con quien tenga bastante confianza para pasar allí la noche sin avisar?

—El sargento McGonnigal me preguntó lo mismo. Pero... pero nunca ha tenido amigos. Vamos, es que yo he preferido que se quedara en casa por la noche. No me gustaba que anduviera por ahí como muchos chicos de ahora, metiéndose en drogas y en bandas, y es mi único hijo, que si lo pierdo no tengo otro. Por eso estoy tan preocupada. Sabe que me pongo muy nerviosa si no sé dónde está y sin embargo, míralo, fuera la noche entera.

No sabía qué decir, porque con cualquiera de los comentarios que me apetecía hacer habría dejado de hablar conmigo. Al final pregunté si era la primera vez que había pasado tanto tiempo fuera de casa.

—No, no —dijo simplemente—. Algunas veces tiene que trabajar toda la noche. Cuando hay una presentación importante que hacer para un cliente o algo así. En los últimos meses ha tenido varias de ésas. Pero nunca sin llamarme.

Sonreí levemente para mis adentros: el chico era más emprendedor de lo que yo había imaginado. Pensé unos instantes y después dije con cuidado:

—Yo participo en uno de esos casos importantes, señora Jurshak. El nombre de la cliente es Nancy Cleghorn. Art está buscando unos papeles que le interesan. ¿Podría decirle que los tengo yo?

El nombre no pareció tener significado alguno para ella. Al menos no palideció y se desmayó, ni retrocedió alarmada. Por el contrario, me pidió que lo apuntara porque tenía una memoria horrible, y estaba tan preocupada por Art que no creía retener bien el nombre ni a la fuerza. Escribí el nombre de Nancy y un breve mensaje informándole de que tenía sus carpetas al dorso de la tarjeta.

—Si algo ocurre, señora Jurshak, puede dejarme un mensaje en ese número. A cualquier hora, día o noche.

Cuando llegué al portón ella seguía en el umbral de la puerta, con las manos envueltas en el delantal.

Sentí no haber sido más insistente con el joven Art anoche. Estaba asustado. Sabía lo que fuera que Nancy sabía también. De modo que o bien mi aparición había sido el último giro de la tuerca —había huido para evitar la suerte de Nancy—; o había encontrado ya la suerte de Nancy. Tendría que ir a ver a McGonnigal, decirle lo que sabía, o más bien lo que sospechaba. Pero. Pero. En realidad no tenía nada concreto. Acaso sería mejor dar al chico veinticuatro horas para que reapareciera. Si ya estaba muerto, daría igual. Pero si seguía vivo, debía informar a McGonnigal para que pudiera contribuir a que continuara así. Di vueltas y vueltas al asunto.

Al final aplacé la decisión volviendo en el coche a Chicago Sur, primero para entregar las carpetas de Nancy en PRECS, después para hacer una visita a Louisa. Se mostró encantada de verme, apagó la tele con el control remoto y después me asió la mano con dedos quebradizos.

Cuando fui poco a poco llevando la conversación hacia Pankowski y Ferraro y su fracasado pleito, pareció auténticamente sorprendida.

—No sabía que esos dos estuvieran tan enfermos —dijo con su voz ronca—. Yo los veía de vez en cuando antes de morir y nunca dijeron ni esta boca es mía de eso. Ni sabía que hubieran llevado a Xerxes a juicio. Esa compañía se portó muy bien conmigo; quizá los chicos se metieron en líos. No sería raro con Joey: siempre fue un problema para alguien. Por lo general, alguna chica que no tenía la cabeza en su sitio. Pero el bueno de Steve, ése era el hombre cabal a machamartillo, ya me entiendes. No veo por qué no le iban a pagar a él su indemnización.

Le conté lo que sabía de sus enfermedades y su muerte y sobre la angustiosa vida de la señora Pankowski. Aquello provocó su risa rasgada de toses.

—Ya, yo le podría haber dicho algunas cosillas de Joey. Todas las chicas del turno de noche podían, bien mirado. Yo ni siquiera sabía que estuviera casado el primer año que trabajé allí. Cuando me enteré puedes estar bien segura de que le di el pasaporte. Conmigo no iba eso de ser la otra mujer. Claro que hubo otras menos quisquillosas, y te tenías que reír con él. Es terrible pensar que tuvo que pasar por lo que estoy pasando yo estos días.

Charlamos hasta que Louisa se sumió en su sueño jadeante. Era evidente que nada sabía de las preocupaciones de Caroline. Tenía que reconocérselo a la mocosa; protegía bien a su madre.

22

El dilema del doctor

El señor Contreras me esperaba ansioso frente a la casa cuando llegué. La perra, percatada de su estado inquieto, bostezaba nerviosa a sus pies. Cuando me vieron, ambos expresaron su alegría: la perra brincó a mi alrededor en círculos mientras el viejo me reprendía por no haberle comunicado mi ronda del día.

Le pasé un brazo por los hombros.

—No va a empezar ahora a montarme la guardia, ¿verdad? Repita veinte veces al día: ya es una mujercita, puede descalabrarse si quiere.

—No bromees, niña. Ya sabes que no tendría que decir esto, no tendría siquiera que pensarlo, pero tú eres mi familia más que mi propia familia. Cada vez que miro a Ruthie no logro entender cómo Clara y yo pudimos tener una hija así. Cuando te miro a ti es como si fueras de mi propia sangre. Te lo digo de verdad, muñeca. Tienes que cuidarte. Por mí y por su alteza real aquí presente.

Esbocé una sonrisa burlona.

—Supongo que he salido a usted, entonces; soy muy cabezota y testaruda.

Consideró mis palabras un minuto.

—Está bien, niña, está bien —acordó con desgana—. Tienes que hacer las cosas a tu modo. No me gusta pero lo entiendo.

Cuando entraba por la puerta oí que le decía a la perra:

—Ha salido a mí. ¿Has oído, princesa? Lo ha heredado de mí.

No obstante mis bravatas ante el señor Contreras, había estado todo el día mirando a mi espalda de vez en cuando. También registré cuidadosamente el piso antes de sentarme a mirar el correo, pero nadie había intentado introducirse por el acero reforzado de la puerta de entrada ni por las barras corredizas de la trasera.

No me sentía capaz de soportar otra noche de whisky y mantequilla de cacahuete. Y tampoco quería que mi vecino de abajo sintiera que tenía derecho a revolotear a mi alrededor. Cerrando la puerta con cuidado una vez más, me dirigí a la Isla del Tesoro de Broadway para abastecerme.

Estaba salteando unos muslos de pollo con ajos y aceitunas cuando llamó Max Loewenthal. Lo primero que pensé al oír su voz inesperadamente fue que algo le había ocurrido a Lotty.

—No, no, está bien, Victoria. Pero ese médico sobre el que me preguntaste hace dos semanas, ese Curtis Chigwell, ha intentado suicidarse. ¿No lo sabías?

—No —me llegó el olor a aceite quemado y con el brazo izquierdo y el cable de teléfono estirado al máximo alcancé a apagar la cocina—. ¿Qué ha pasado? ¿Cómo te has enterado?

Lo habían dicho en las noticias de las seis. La hermana de Chigwell le había encontrado al ir al garaje a buscar unas herramientas de jardinería a las cuatro.

—Victoria, esto me resulta de lo más violento. Muy violento. Hace dos semanas me pediste su dirección y hoy intenta suicidarse. ¿Qué papel has desempeñado en esto?

Me puse rígida de inmediato.

—Gracias, Max. Te agradezco el cumplido. La mayor parte de los días yo no me siento tan poderosa.

—Por favor, no lo eches a perder con tus ligerezas. Me has implicado. Quiero saber si he contribuido a la desesperación de ese hombre.

Procuré controlar mi ira.

—¿Quieres saber si le eché en cara su dudoso pasado hasta tal punto que no pudo aguantar más y puso en marcha el monóxido?

—Algo así, efectivamente. —El tono de Max era muy grave, su fuerte acento vienés más pronunciado que de costumbre—. Ya sabes, Victoria, que muchas veces buscando la verdad fuerzas a la gente a enfrentarse a cosas sobre sí mismos que habría sido mejor que no supieran. Te perdono que lo hicieras con Lotty, porque es fuerte y puede encajarlo. Y tú no te tratas con indulgencia tampoco. Pero al ser tan fuerte no ves que hay personas que no pueden asimilar esas verdades.

—Mira, Max; no sé por qué ha querido suicidarse Chigwell. No he visto el informe médico, por tanto ni siquiera sé si lo hizo. Quizá le diera un infarto al encender el motor del coche. Pero si ha sido por las preguntas que he hecho, no siento ni un minuto de remordimiento. Estaba implicado en una operación de tapadera para Químicas Humboldt. Qué era, por qué o hasta qué punto, no lo sé. Pero eso no tiene nada que ver con sus fuerzas y sus debilidades personales; tiene que ver con las vidas de muchas otras personas. *Si* —y es un si tremendamente aventurado—, si hubiera sabido hace dos semanas que mi visita le habría llevado a encender el gas, puedes estar seguro de que volvería a hacérsela. —Cuando dejé de hablar estaba jadeando, con la boca muy seca.

—Te creo, Victoria. Y no tengo ninguna gana de hablar contigo en ese tono. Pero sí quiero pedirte una cosa: que no pienses en mí la próxima vez que necesites ayuda en alguna de tus persecuciones. —Colgó antes de que pudiera decir una palabra.

—Pues que te zurzan, santurrón de mierda —grité por el teléfono mudo—. ¿Te crees que eres mi madre, o sólo la balanza de la justicia?

No obstante mi rabia, me sentí inquieta: había azuzado a Murray Ryerson contra el matasanos en mitad de la noche. Era posible que le hubieran acosado y que su imaginación hubiera transformado un pecadillo menor en asesinato. Con la esperanza de aquietar mi conciencia, localicé al director de la sección de sucesos delictivos en la redacción del *Herald-Star*. Estaba indignado: él había enviado reporteros para interrogar al médico sobre Pankowski y Ferraro, pero no les habían permitido entrar.

—No me vengas con acosos, doña Listilla. Tú eres la que hablaste con el tipo. Hay algo que no me quieres decir, pero ni siquiera voy a especular sobre lo que es. Tenemos unos cuantos mandados en la fábrica Xerxes y vamos a llegar al grano antes que nos cruces los cables con tu ayuda. Vamos a publicar una historia preciosa de interés humano sobre la señora Pankowski mañana, y espero recibir algo de ese abogado Manheim que los representó.

Al final, le arranqué a Murray a regañadientes algunos detalles más sobre el intento de suicidio de Chigwell. Había desaparecido después de comer, pero su hermana no le había echado de menos porque había estado ocupada con la casa. A las cuatro decidió ir al garaje para revisar el equipo de jardinería con objeto de tenerlo listo para la primavera. En sus comentarios a la prensa no había incluido mención alguna ni de mí ni de Xerxes, simplemente había dicho que su hermano se había mostrado alterado desde hacía varios días. Tenía tendencia a las depresiones y a ella no le había extrañado en el momento.

—¿Existe alguna duda sobre que lo hiciera él mismo?

—¿Quieres decir si alguien entró en el garaje, le ató y le amordazó, le sujetó al coche y después le desató cuando estuvo inconsciente, suponiendo que había muerto y parecería suicidio? No me tomes el pelo, Warshawski.

Cuando al fin concluyó la conversación yo estaba de peor humor que antes de iniciarla. Había cometido el pecado mortal de dar a Murray más información de la que había recibido a cambio. Como resultado, sabía tanto sobre Pankowski y Ferraro como yo. Dado que él contaba con un equipo de trabajo que podía seguir toda una serie de pistas, era muy posible que desenmarañara lo que inducía las mentiras de Humboldt y Chigwell antes que yo.

Soy tan competitiva como el que más —y más que muchos— pero no era sólo el temor a llegar después que Murray lo que me molestaba. Era el derecho a la intimidad de Louisa; ella no se merecía que la prensa manoseara su pasado. Y no dejaba de escocerme —irracionalmente, de acuerdo— que no hubiera estado en casa en ningún momento cuando Nancy intentó localizarme el día que la mataron.

Eché un vistazo lastimero al pollo a medio cocinar. El único dato que no le había dado a Murray era la carta al Descanso del Marino que había encontrado en el coche de Nancy. Y ahora que el joven Art había desaparecido no estaba muy segura de a quién dirigirme a ese respecto. Me serví una copa (una de las diez señales de peligro: ¿recurres al alcohol en estados de ansiedad o frustración?) y me fui al salón.

El Descanso del Marino era una gran compañía de seguros de vida y médicos con central en Boston, pero tenía una sucursal grande en Chicago. Había visto su anuncio de televisión un millón de veces, con su marinero de aspecto confiado tumbado en una hamaca: descanse con los marinos y duerma tan apaciblemente como ellos.

Sería peliagudo explicar al actuario de una corporación el origen de mi información. Casi tan difícil como querer explicárselo a Art el Viejo. Las compañías de seguros guardan sus datos actuariales con un cuidado generalmente asociado al Santo Grial. De modo que, aun si estuvieran dispuestos a aceptar mi palabra de tener derecho a aquellos documentos, no sería fácil convencerles de que me dieran información sobre ellos; como, por ejemplo, si los datos eran exactos. Primero tendrían que obtener permiso de las oficinas centrales de Boston y eso podía tardar un mes o más.

Era posible que Caroline conociera el significado de los documentos, pero no me dirigía la palabra. La única otra persona a la que se me ocurría preguntar era Ron Kappelman. La información del seguro no tenía aspecto de guardar relación alguna con la planta de reciclaje de PRECS, pero a Nancy le caía bien Ron, trabajaba en estrecha colaboración con él. Quizás hubieran visto las mismas posibilidades jugosas en la carta que ella poseía.

Gracias al cielo el número de su casa estaba en la guía, y —mayor milagro si cabe— Ron estaba allí. Cuando le conté de lo que se trataba pareció muy interesado, haciéndome muchas preguntas ladinas en cuanto a la forma en que había dado con ello. Yo respondí vagamente que Nancy me había legado la responsabilidad de algunos de sus asuntos personales, y conseguí que accediera a pasarse por mi casa a las nueve de la mañana siguiente antes de irse a trabajar.

Volví a contemplar el desorden del salón. Por muchos números atrasados del *Wall Street Journal* que quitara de en medio, aquello no podía parecerse a su resplandeciente casa de Langley. Metí la sartén con el pollo en la nevera; había perdido todo interés en guisarlo, por no hablar de comerlo. Llamé a una vieja amiga mía, Velma Riter, y me fui con ella a ver *Las brujas de Eastwick*. Cuando al fin regresé a casa había conseguido despejarme la cabeza de Chigwell y Max lo bastante para permitirme dormir.

23

Carrera final

Estaba en el garaje de Chigwell. Max me tenía asida por la muñeca apretándomela ferozmente. Me obligó a acompañarle al coche negro donde estaba el médico. «Ahora vas a matarlo, Victoria», dijo Max. Yo procuré soltarme, pero me tenía tan fuertemente cogida que me forzó el brazo hacia arriba, obligándome a apretar el gatillo. Cuando disparé se disolvió el rostro de Chigwell, convirtiéndose en el perro de ojos inyectados en sangre de la laguna del Palo Muerto. Yo iba dando golpes ciegos a las altas hierbas del pantano, intentado escapar, pero el perro salvaje me perseguía implacablemente.

Me desperté a las seis empapada en sudor, jadeando, luchando contra el impulso de deshacerme en lágrimas. El perro del pantano de mi sueño era exactamente igual a Peppy.

Pese a ser tan temprano, no quería permanecer más en la cama; no iba a conseguir más que sudar, con la cabeza a punto de estallarme. Quité las sábanas, hice un bulto con ellas y el chándal sucio, me puse unos vaqueros y una camiseta y deambulé escaleras abajo a la lavandería del sótano. Si pudiera encontrar algo con que correr, podría sacar a la perra. Una carrera y una ducha fría me despejarían la cabeza para entrevistarme con Ron Kappelman.

Después de mucho buscar encontré los pantalones de calentamiento de la universidad metidos al fondo de una caja en el armario del recibidor. Tenían la goma suelta —con la cinta sola se sostendrían a duras penas— y el rojo oscuro se había convertido en un rosa descolorido, pero servirían para una mañana. Consideré la pistola, pero todavía tenía el sueño muy presente; aún no me sentía capaz de llevarla. Nadie iba a atacarme delante de todos los corredores que atestaban la orilla del lago. Sobre todo si iba acompañada de un perro grande. Eso esperaba.

El señor Contreras había soltado ya a Peppy cuando terminé de hacer los ejercicios de calentamiento. Me reuní con ella en las escaleras de la cocina y juntas nos pusimos en marcha.

Por el borde rocoso se veía un puñado de pescadores, esperanzados incluso con aquel tiempo tristón. Saludé con la cabeza a un trío con impermeables negros sentados en el rompeolas frente a mí y me dirigí hacia la entrada del puerto. Me detuve un momento en el extremo del promontorio, contemplando el agua taciturna estrellándose contra las rocas, pero con aquella neblina fría mis ropas sudadas empezaron a adherirse de forma molesta a mi cuerpo. Me até el cordón suelto de los pantalones y di media vuelta.

Las fuertes tormentas de comienzos de invierno habían arrastrado pedruscos por el rompeolas a todo lo largo de la orilla del puerto; más de una vez hube de salir del camino para evitar tropezar con una roca suelta. Cuando estuve de vuelta en el extremo de tierra del puerto tenía las piernas doloridas de correr sobre terreno irregular; aflojé el paso a un trote corto.

El trío de pescadores con impermeable había estado observando mi aproximación. No parecía que estuvieran pescando mucho. En realidad, no parecían siquiera tener los utensilios necesarios. Al alcanzar el final del rompeolas se levantaron y formaron una especie de barrera entre la carretera y yo. Un corredor solitario pasó a espaldas de los hombres.

—¡Eh! —grité.

El corredor estaba totalmente absorto en sus auriculares Sony. No nos prestó la menor atención.

—No te esfuerces, ricura —dijo uno de los hombres—. Somos simples pescadores preguntando la hora a una chica guapa.

Empecé a alejarme de ellos, haciendo frenéticos intentos por pensar. Podía volver por el rompeolas en dirección al lago. Y quedar atrapada entre rocas y agua intentando atraer la atención de alguien en competencia con algún walkman. Quizá si me moviera hacia un lado...

Un reluciente brazo negro se adelantó asiéndome por la muñeca izquierda.

—La hora, rica. Sólo vamos a mirarte el reloj.

Yo giré rápidamente bajo el círculo de su brazo, arremetiendo con fuerza y hacia arriba contra su codo. Estaba bien acolchado con impermeable y jersey, pero le cogí por el hueso lo bastante fuerte para hacerle gruñir y aflojar la mano. Al abrirse los dedos ligeramente saqué la mano de un tirón y salí despedida parque a través, pidiendo ayuda a gritos. Ninguna de las personas que se había aventurado entre la niebla estaba lo bastante próxima para oírme a través de sus auriculares.

Por lo general no hago más que seguir el rompeolas ida y vuelta. No conocía esta parte del parque, ni los posibles escondites que pudiera albergar, ni dónde me llevaría. Yo tenía la esperanza de que fuera a tierra. Al Paseo del Lago, pero cabía la posibilidad de que estuviera metiéndome irremediablemente en la boca del lobo.

Mis agresores iban lastrados por sus ropas pesadas. No obstante mi fatiga, puse cierta distancia entre nosotros. Vi a uno de ellos acercándose a mí por la izquierda. Los otros dos presumiblemente venían por el otro lado para situarse en lo alto, procurando cogerme en un movimiento de tenaza. Todo dependía de lo que tardara en llegar a la carretera.

Concentrando todas mis energías, di un quiebro variando la dirección que llevaba. Advertí que había cogido al hombre por sorpresa: dio un grito de aviso a los dos que no veía. Aquello me dio cierta confianza y empecé a correr con todas mis fuerzas. Iba a toda velocidad cuando vi el agua ante mí.

El lago. En esta parte metía un dedo líquido en el parque. El final de esta calita estaba a unas treinta yardas a mi izquierda. El hombre al que había golpeado se había trasladado allí, cerrándome el paso. A mi derecha vi los otros dos impermeables, avanzando hacia mí con un trote cómodo.

Esperé hasta que estuvieron a quince yardas, recobrando el aliento, acopiando valor. Cuando estuvieron lo bastante cerca para empezar a exclamar, «no sirve de nada correr... déjalo, rica... no tiene sentido que te revuelvas...», salté.

El agua era casi hielo. Me entró una bocanada congelada y sucia y escupí. Los pulmones y el corazón protestaron con fuertes palpitaciones. Me empezaron a doler los huesos y la cabeza. Me chillaron los oídos y vi lucecitas bailar ante mis ojos. Yardas. Son sólo unas yardas. Puedes hacerlo. Un brazo detrás de otro. Un pie arriba, un pie abajo, no pienses en el peso de los zapatos, casi estás al otro lado, casi fuera, hay una roca, deslízate por ella, ahora puedes andar, subir por esta orilla.

El cordón de mis pantalones cedió del todo. Me los arranqué y avancé torpemente hacia la carretera. El frío húmedo me estaba adormeciendo; ante mí flotaban formas como de tinta. Tenía la vista desenfocada, no veía si el hombre al final de la cala había conseguido cruzarla antes de que yo la hubiera salvado a nado, no veía ni el tamaño ni la forma de mis perseguidores. Con los zapatos mojados, y los dientes castañeteándome apenas sí podía moverme, pero más adelante encontraría ayuda. Seguí adelante tercamente.

Lo habría conseguido de no ser por las malditas piedras. Estaba en exceso cansada, en exceso desorientada para ver. Tropecé con una roca enorme y caí pesadamente. Estaba tomando grandes bocanadas de aire, intentando ponerme en pie, y a continuación me encontré retorciéndome entre los brazos negros de un impermeable, dando patadas, manotazos y hasta mordiscos, cuando de pronto todas las manchas de tinta flotantes se congregaron en una bolsa gigantesca y una llamarada me estalló en la cabeza.

Pasado un tiempo comprendí que estaba muy enferma.

No podía respirar. Pulmonía, había estado esperando a mi papá bajo la lluvia. Me había prometido que vendría a recogerme en algún momento de su turno y no encontró ese momento; no creyó que fuera a esperarle tanto tiempo. Ponte debajo de esta cámara, respira despacio, mira a mamá, ella dice que te vas a poner buena y ya sabes que nunca miente. Intenté abrir los ojos. El intento me clavó fuertes punzadas de dolor en el cerebro, obligándome a volver a la oscuridad.

Volví a despertar, oscilando impotentemente adelante y atrás, con los brazos atados y una piedra clavándoseme en el costado. Estaba envuelta en algo pesado, algo que se me metía en la boca. Si vomitaba, me iba a asfixiar. Estate todo lo quieta que puedas. No es momento de forcejear.

Esta vez sí sabía quién era. Era V. I. Warshawski. Mujer detective. Idiota *extraordinaire*. La cosa pesada era una manta. No la veía, pero la imaginaba: verde, modelo estándar de Sears. Estaba encajada entre los asientos delanteros y traseros de un coche. No era una piedra, sino el eje de la palanca de cambios. Cuando saliera de esto iba a forzar al ayuntamiento a hacer obligatoria la tracción delantera para todos los delincuentes de Chicago. Que te pescan con un eje propulsor en el coche, a cumplir condena, como los del fisco para coger a Al Capone. Cuando saliera de esto.

Mis amigos del impermeable estaban hablando pero no distinguía sus palabras entre el zumbido de mis oídos y la densidad de la manta. Al principio creí que el zumbido era lo que quedaba de mi baño de agua fría, pero poco a poco mi fatigada sesera lo clasificó como el sonido de ruedas sobre la carretera que me llegaba a través del suelo. El balanceo y el calor de mi envoltura me sumieron otra vez en un sueño.

Desperté con un aire frío en la cabeza. Tenía los brazos insensibles por donde me los habían atado a la espalda, y la lengua llena de náuseas contenidas.

—¿Sigue inconsciente?

No conocía la voz. Fría, indiferente. ¿La voz del hombre que me había llamado para amenazarme? ¿Hacía sólo dos días? ¿Sólo? No logré recordar, ni el tiempo pasado ni la voz.

—No se mueve. ¿Quieres que la destape para mirar?

—La voz más pastosa de un hombre negro.

—Déjala como está. —Otra vez la voz fría—. Es una manta vieja que vamos a tirar. Nunca se sabe quién te puede ver. O quién puede recordar una cara.

Me mantuve todo lo flácida que pude. No me hacía falta otro porrazo en el cráneo. Me sacaron bruscamente del coche, golpeándome la pobre cabeza, los brazos lastimados y la espalda dolorida contra la puerta; apreté los puños entumecidos para no gritar. Alguien me cargó a la espalda como si fuera una alfombra enrollada, como si ciento cuarenta libras no le pesaran nada, como si yo no fuera más que un paquete liviano y sin importancia. Oía el quebrarse de las ramas del suelo, el crujido de las hierbas muertas. Lo que yo no había advertido en mi anterior excursión a este lugar era el olor. El pestilente hedor de la hierba en putrefacción, mezclado con los productos químicos que se vertían en el cenagal. Procuré no ahogarme, no pensar en los peces de aletas podridas, reprimir la marea de náusea que me subía entre los latidos de mi cabeza al rebotar contra la espalda de mi porteador.

—Aquí Troy. El sitio marcado con la X.

Troy gruñó, me dejó deslizar de su hombro y caer.

—¿Está bastante dentro?

—No va a ninguna parte. Vamos a separarnos.

Las malolientes hierbas y el barro blando amortiguaron mi caída. Quedé sobre el suelo helado. El cieno frío que empezó a empapar la manta me procuró un momento de alivio a la cabeza molida, pero al permanecer tumbada el peso de mi cuerpo hizo que empezara a filtrarse agua entre el cieno. Sentí la humedad en los oídos y me llené de pánico, forcejeando inútilmente. Sola, metida en aquel denso envoltorio, me iba a ahogar, con agua negra del pantano en los pulmones, en el corazón, en el cerebro. La sangre me retumbó por la cabeza y lloré lágrimas de pura impotencia.

24

El cenagal de Grimpen

Volví a perder el conocimiento. Cuando fui recobrándolo lentamente estaba totalmente empapada. El agua se había filtrado entre mis cabellos y me cosquilleaba en las orejas. En los hombros sentía como si me hubiera metido barras de hierro para separármelos del esternón. Con todo, el breve sueño y el agua fría y fangosa me habían sanado un poco la cabeza. No quería pensar; era demasiado aterrador. Pero, instante a instante, podría aún salir de aquello con un poco de ingenio.

Rodé hacia un lado, sintiendo el peso de la manta llena de barro. Empleando hasta la última gota de energía, me incorporé hasta quedar sentada. Tenía los tobillos atados y las manos sujetas por las muñecas a la espalda; no tenía forma alguna de llevarlas a la parte delantera del cuerpo. Pero apretándolas contra la vértebra caudal logré apuntalarme lo suficiente para impulsarme hacia delante poco a poco con las piernas.

No tenía más remedio que suponer que me habían llevado por el mismo sendero que habían seguido para deshacerse de Nancy: en todo caso, era el más alejado de la carretera. Pasado un rato de duro tanteo, que me dejó boqueando para recobrar el aliento dentro de mi envoltorio cenagoso, calculé que tenía el agua a la derecha. Con mucho cuidado describí un giro de ciento ochenta grados para avanzar arrastrándome otra vez hacia la carretera. Intenté calcular la distancia, procurando no computar mi velocidad probable. Me obligué a prescindir de todo pensamiento de comida, baños o cama y me imaginé en una playa soleada. Quizá Hawai. O quizá fuera a aparecer Magnum súbitamente para liberarme de mi aprisionamiento.

Me temblaban las piernas y los brazos. Exceso de esfuerzo, glucosa insuficiente. Tenía que pararme cada pocos impulsos a descansar. La segunda vez que paré volví a dormirme no despertando hasta caer entre las matas. Después de aquello me obligué a seguir una alternancia numérica. Cinco impulsos, contar hasta quince, cinco impulsos, contar quince, cinco impulsos, contar quince. Tambaleo de piernas, vueltas a la cabeza, quince. Mi quince cumpleaños. Gabriella había muerto dos días antes. Su último aliento en brazos de Tony mientras yo estaba en la playa. Acaso existiera realmente el cielo, Gabriella con su voz pura en el coro angélico, esperándome con las alas extendidas, los brazos abiertos de amor infinito, esperando que mi timbre de contralto se uniera al suyo de soprano.

El ladrido de un perro me hizo recobrar la conciencia. La fiera de ojos sanguinolentos. Esta vez no pude evitarlo: vomité, resbalándome un hilillo de bilis por el pecho. Oí acercarse cada vez más al perro, jadeando, con ladridos breves y agudos, después sentí un hocico apretarse contra la manta, haciéndome caer. Quedé tumbada de lado en una impotente maraña de barro y manta, pateando inútilmente al aire y sentí unas patas oprimirme pesadamente el brazo.

Di estériles patadas a la manta, intentando quitarme el perro de encima. Por la nariz se me introdujeron pequeñas lágrimas de terror. Mientras tanto, al otro lado, los colmillos lanzaban tarascadas a la cabeza, a los brazos. Cuando hubieran traspasado la manta, ¿cómo podría protegerme la garganta? Tenía los brazos a la espalda. El perro no hacía caso alguno de mi débil forcejeo.

Los oídos me rugieron de pánico, convirtiendo mis piernas en una masa inútil. Por encima del bramido oí voces. Con la ínfima energía que aún quedaba en mí, procuré gritar.

—¿Ya la tienes? ¿La has encontrado? ¿Eres tú, niña? ¿Estás ahí? ¿Me oyes?

No era el perro del infierno, sino Peppy. Con el señor Contreras. Me invadió una euforia tal que mis doloridos músculos parecieron momentáneamente curados. Gruñí débilmente. El viejo se debatía febrilmente con los nudos, hablando para sí sin cesar.

—Tendría que haberme traído el cuchillo en vez de la llave inglesa. Tenías que habértelo imaginado, viejo estúpido, ¿para qué querías una llave cuando lo que hace falta es un cuchillo? Tranquila, niña, casi lo tengo, no te des por vencida ahora que estamos ya tan cerca.

Al fin consiguió desgarrar la manta por la parte de la cabeza.

—¡Ay, Dios! Esto tiene mal aspecto. Vamos a sacarte de aquí.

Trabajó frenéticamente, torpemente, con los nudos de mi espalda. La perra me miró con ansiedad y después empezó a lamerme la cara; yo era su cachorro perdido y hallado en el momento crítico. Mientras el señor Contreras iba desatándome las manos, devolviéndome a los brazos un remedo de circulación, la perra no cesó de lavarme la cara.

El señor Contreras se impresionó al verme en ropa interior, temiendo que me hubieran violado, y le costó aceptar mi repetida afirmación de que mis atacantes sólo buscaban ahogarme. Apoyándome pesadamente sobre su hombro, le dejé que me guiara, casi en brazos, a la carretera.

—Tengo aquí a un chicarrón. Dice que es abogado. No se creía que realmente pudieras estar aquí, o sea que ha esperado en el coche. Cuando su señoría volvió del lago sin ti, empecé a preocuparme. Entonces este niñato se presenta, dice que habías quedado con él a las nueve y que dónde estás, que no puede esperar todo el día. Ya sé que no quieres que meta las narices en tus asuntos, muñeca, pero yo estaba allí cuando el tipo llamó, oí a tu amiguita decirte que te iban a tirar al pantano, y le obligué a que me trajera aquí en el coche. A mí y a su señoría, ¿sabes?, porque me figuré que podríamos encontrar el sitio después que me lo habías mostrado en el mapa y eso.

Siguió dándole vueltas a la historia en el trayecto hasta la carretera. Allí nos esperaba Ron Kappelman, recostado en su destartalado Rabbit, silbando quedamente y mirando al infinito. Cuando nos vio acercarnos a los tres se incorporó rápidamente y cruzó la carretera a saltos. Ayudó al señor Contreras a subirme por encima de la alambrada y depositarme en el asiento trasero del coche. Peppy emitió un ladridito y empujó para introducir su pesado cuerpo junto al mío.

—Mierda, Warshawski. Cuando faltas a una cita lo haces a lo grande. ¿Qué demonios te ha pasado?

—Joven, haz el favor de dejarla en paz y no hables mal. Hay muchísimas palabras en el diccionario sin tener que andar con tacos a todas horas. No sé qué iba a pensar tu madre si te oyera, pero lo que tenemos que hacer es llevar esta señorita a un médico, que la arregle, y después metes la nariz y le preguntas cómo llegó al sitio donde estaba, y es posible que tenga ganas de contártelo.

Kappelman se puso rígido como para responder al ataque, después comprendió que sería en vano y se sentó en el asiento del conductor. Perdí el conocimiento antes de que hubiera girado el coche.

No recuerdo nada del resto del día. Que Kappelman paró a una patrulla de policía estatal que nos escoltó a ochenta millas por hora hasta la clínica de Lotty, ante la terca insistencia del señor Contreras que no les permitió llevarme a un hospital sin su aprobación. Ni que Lotty, al echarme una sola ojeada en el asiento trasero del coche, llamó a una ambulancia para transportarme al Beth Israel a toda velocidad. Ni siquiera que Peppy se resistió a confiarme a los asistentes clínicos. Al parecer, había cogido la muñeca de una mano entre sus fuertes mandíbulas y se había negado a soltarla. Me dijeron que me habían despertado el tiempo suficiente para hacer que dejara libre el brazo del camillero, pero no recuerdo nada de ello, ni siquiera como fragmento de un sueño.

Al fin resucité hacia las seis de la mañana del jueves. Tras unos cuantos minutos de perplejidad, comprendí que estaba en la cama de un hospital, pero no conseguía imaginar qué hacía allí ni por qué estaba allí. Tan pronto como intenté incorporarme, sin embargo, mis hombros me transmitieron un mensaje de dolor tan severo que la memoria me volvió como una marea.

La laguna del Palo Muerto. El horrible envoltorio de muerte. Levanté los brazos a la altura de los ojos, no obstante la agonía que me produjo el movimiento. Tenía las muñecas y las manos vendadas con gasa; los dedos parecían salchichas de un rojo vivo sobresaliendo por encima del vendaje blanco. Tenía una aguja intravenosa sujeta al antebrazo izquierdo con esparadrapo más arriba de la gasa. Seguí la goma hasta una serie de bolsas suspendidas en lo alto y guiñé los ojos para leer las etiquetas. D5.45NS. Mucho me decía aquello.

Uní suavemente las yemas de los dedos. Estaban hinchados, pero tenía tacto. Volví a echarme, embargada de una sosegada satisfacción. Había sobrevivido. Tenía las manos bien. Habían querido matarme, humillarme en el momento de mi muerte, pero estaba viva. Volví a dormirme.

Cuando desperté otra vez fue en pleno ajetreo de la rutina hospitalaria —tensión arterial, temperatura, visita— y ni una respuesta a mis preguntas: «El médico se lo dirá.» Después de las enfermeras vino un eficiente interno que me miró los ojos y me clavó agujas en los pies. Aquellos alfileres eran al parecer la más avanzada tecnología de la neurociencia. Otro interno estaba ocupado con mi compañera de habitación, una mujer de mi edad a la que habían hecho cirugía plástica. Cuando terminaron entró Lotty en persona, con sus ojos oscuros brillándole de una emoción nada clínica. Mi interno revoloteó a su espalda, ansioso por informarle de sus hallazgos en mi cuerpo. Lotty escuchó un minuto y después lo despidió con un imperioso movimiento de mano.

—Estoy convencida de que tienes los reflejos a la perfección, pero déjame comprobarlo personalmente. Veamos primero el pecho. Respira. Quieta. Exhala. Sí. —Me auscultó de cabo a rabo, después me hizo cerrar los ojos y juntar las manos, salir de la cama—. Un proceso lento y vacilante, y caminar con los talones, después de puntillas. No era gran cosa si se comparaba con mis ejercicios habituales, pero me dejó sin respiración.

—Tendrías que tener hijos, Victoria; ibas a producir una especie nueva de superhéroes. Por qué sigues viva en estos momentos es un milagro médico, no digamos ya el que puedas caminar.

—Gracias, Lotty. La verdad es que estoy bastante satisfecha de mí. Dime cómo he llegado aquí y cuándo me puedo ir.

Me contó los detalles de Peppy y los camilleros.

—Y tu amigo el señor Contreras está esperando ansioso en el pasillo. Ha pasado aquí toda la noche, con la perra, totalmente en contra de las normas hospitalarias, pero las dos hacéis buena pareja, tercas, obstinadas, y con una sola forma de hacer las cosas: la vuestra.

—La sartén llamando negro al cazo, Lotty —dije impenitente, tumbándome—. Y no me digas que la perra se ha quedado aquí sin tu connivencia. O por lo menos la de Max.

Fruncí levemente el ceño y me mordí la lengua, recordando mi última conversación con el director ejecutivo del hospital. Lotty me contempló comprensiva.

—Sí, Max también quiere hablar contigo. Tiene su poco de remordimiento. Y es indudablemente que por eso ha pasado la perra la noche en el hospital. Pero ahora tiene que irse, o sea, que si quieres decirle al pesado de tu vecino que vas a vivir para seguir embistiendo molinos, se irán los dos. Mientras tanto, dado que tu cerebro no está peor que de costumbre, voy a buscar a alguien que te quite esa aguja.

Giró sobre sus pies a sus normales cuarenta nudos. El señor Contreras entró en un minuto o dos después, con los ojos llenos de lágrimas y las manos temblándole ligeramente. Bajé los pies a un lado de la cama y le abrí los brazos.

—Ay, niña. No voy a olvidar nunca en qué estado te encontramos ayer. Más muerta que viva, estabas. Y ese pollo sin creer que pudieras estar allí y yo tenerle casi que aporrear para que nos llevara en el coche. Y después no conseguía que ninguna enfermera me dijera nada de cómo ibas, yo no hacía más que preguntar y no me decían porque no era de la familia. Yo, no ser yo tu familia. A ver quién tiene más derecho, que me lo digan, les decía, un primo lejano de Melrose Park que ni siquiera le felicita las Pascuas, o yo que le he salvado la vida. Pero la doctora Lotty se presentó y lo dejó todo bien claro, ella y el señor Loewenthal juntos, y me metieron con la perra en una habitación vacía de este pasillo, pero tuvimos que prometer no molestarte.

Sacó un inmenso pañuelo rojo del bolsillo trasero y se sonó la nariz ruidosamente.

—Pero bueno, a buen fin mejor principio, y tengo que llevar a casa a su señoría para darle de comer, pero no vuelvas a decirme que me meta en mis cosas, niña, no cuando haya tipos como éstos por el medio.

Le expresé mi agradecimiento lo mejor que pude, dándole un fuerte abrazo y un beso. Cuando se hubo marchado volví a tenderme en la cama, maldiciendo mi falta de energía. Lotty quería que me quedara un día más; había dicho que no descansaría si me iba por mi cuenta. Tenía razón: me encontraba ya en un estado bastante inquieto, más irritable aún a causa de los doloridos músculos de los hombros. Pero Lotty me había tirado la ropa y no me iba a traer otra hasta el viernes por la mañana.

A fin de cuentas la mayoría de las personas que yo habría querido ver vinieron a visitarme, así como otras cuantas de las que podría haber prescindido, como la policía. El teniente Mallory apareció en persona, señal no de mi importancia sino de su furibunda preocupación; furibunda porque tendría que haberme mantenido del todo al margen de un asunto policial, preocupación porque había tenido afecto a mis padres.

—Vicki, ponte en mi lugar por una vez. Uno de tus mejores amigos muere y cada vez que das media vuelta te encuentras a su única hija haciéndote un corte de mangas. ¿Cómo crees que me sienta?

—Sé cómo te sienta; me lo has dicho seis billones de veces —respondí recalcitrante. Detesto hablar con nadie cuando estoy vestida con un camisón de hospital; es como si fueras un crío metido en la cama a quien vienen a dar las buenas noches.

—Si te hubieran matado, habría cargado con esa responsabilidad hasta la tumba. ¿Es que no lo entiendes? ¿No ves que cuando te doy órdenes es porque me preocupa tu seguridad, porque se lo debo a Tony y Gabriella? ¿Qué hace falta para hacerte entrar en razón?

Miré colérica a las sábanas.

—Soy autónoma precisamente para no tener que recibir órdenes de nadie. Además, Bobby, accedí a no ir con la historia de Nancy Cleghorn al fiscal del estado. Y accedí a decírtelo si topaba con algo que pudiera parecer una pista sobre su muerte. Pues eso no ha pasado.

—¡Es evidente que sí! —vociferó, descargando el puño sobre la mesilla de noche con tal fuerza que tiró la jarra. Eso le hizo recapacitar. Pidió a gritos un ordenanza desde la puerta, después le chilló al hombre hasta que el suelo estuvo limpio a su gusto. Mi compañera de habitación apagó el *Juego del amor* de la televisión y se escabulló hacia la sala de espera.

Cuando la habitación estuvo seca Bobby hizo un esfuerzo por sofocar su ira. Me hizo repasar los detalles del episodio, esperando pacientemente en los puntos de los que me resultaba difícil hablar, inquiriendo muy profesionalmente cuando había algo que no recordaba bien. El hecho de que contara con un nombre, aunque no fuera más que un nombre de pila, le animó levemente. —Si Troy era un profesional ligado a alguna organización conocida, la policía tendría ficha suya.

—Vamos a ver, Vicki. —Bobby estaba siendo afable—.

Vayamos al fondo del asunto. Si no sabías nada sobre la muerte de Cleghorn, ¿por qué han querido matarte de la misma manera y en el mismo sitio que la mataron a ella?

—Huy, Bobby. Visto así, supongo que tendría que saber quién la mató. O al menos por qué.

—Exacto. Pues habla.

Sacudí la cabeza, con cuidado, porque la espalda seguía más bien dolorida.

—Es sólo visto así. Como yo lo veo, he debido hablar con alguien que se figura que sé más de lo que parece. El problema es que he hablado con tanta gente en los últimos días y todos han sido tan desagradables que no sé con cuál quedarme como sospechoso óptimo.

—Muy bien. —Bobby estaba siendo decididamente paciente—. Vamos a ver con quién hablaste.

Miré hacia las manchas de humedad del techo.

—Pues está el joven Art Jurshak. Ya sabes, el hijo del concejal. Y Curtis Chigwell, el médico que quiso suicidarse el otro día en Hindsdale. Y Ron Kappelman, asesor legal de PRECS. Gustav Humboldt, claro. Murray Ryerson...

—¿Gustav Humboldt? —El tono de voz de Bobby subió un registro.

—Ya sabes, el presidente de Químicas Humboldt.

—Sé a quién te refieres —dijo cortante—. ¿Vas a hacerme partícipe de por qué hablaste con él? ¿Con relación a la chica Cleghorn?

—Lo que hablé con él no tenía nada que ver con la chica Cleghorn —dije con expresión seria, mirando hacia la mandíbula apretada de Bobby—. Eso es lo que te decía. Que no he hablado de Nancy con ninguna de estas personas. Pero dado que todas fueron más o menos desagradables, cualquiera de ellas pudo querer tirarme al pantano.

—No me costaría más de dos centavos que te volvieran a dejar allí. Me ahorraría mucho tiempo. Tú sabes algo y te crees que vas a ser otra vez la reina del día, ponerte a buscar sin decirme nada de nada. Esta vez casi te cogen. La próxima te cogen de seguro, pero hasta que eso pase tengo que malgastar dinero municipal poniéndote a alguien para que te vigile.

Le centellearon los ojos azules.

—Eileen se ha alterado mucho al saber que estabas aquí. Quería mandarte flores, y llevarte a nuestra casa y cubrirte de cuidados. Le dije que no te lo merecías.

25

Horas de visita

Cuando Bobby salió me tumbé de espaldas. Intenté dormir, pero el dolor del hombro se había trasladado al primer plano de mi cabeza. Los ojos me escocían con lágrimas de ira. Casi me habían matado, y todo lo que se le ocurría era insultarme. No merecía las molestias de cuidarme, y sólo por no ser una bocazas dispuesta a contarle todo lo que sabía. Había procurado mencionar el nombre de Gustav Humboldt, y lo único que había conseguido a cambio era un grito de incredulidad.

Me retorcí incómoda. El nudo del camisón se me estaba clavando en los resentidos músculos del cuello. Claro que podía haberle comunicado todas mis actividades de la última semana con pelos y señales. Pero Bobby jamás habría creído que un pez gordo como Gustav Humboldt pudiera estar implicado en aporrear jovencitas en la cabeza. Aunque quizá si se lo presentara todo en blanco y negro... ¿Tenía razón Bobby? ¿Estaba yo simplemente faroleando con el propósito de volver a hacerle un corte de mangas?

Mientras permanecía inmóvil, dejando pasar por mi mente imagen tras imagen, comprendí que esta vez, al menos, no era el deseo de regalar con una pitada a los poderes fácticos lo que me había mantenido la boca cerrada. Estaba real y verdaderamente asustada. Cada vez que intentaba dirigir mi pensamiento hacia los tres hombres de impermeable negro, retrocedía ante el recuerdo como un caballo aterrado por el fuego. Había varias partes del asalto que no había relatado a Bobby, no porque quisiera ocultarle algo sino porque no soportaba acercarme siquiera a su memoria. La esperanza de que alguna frase o cadencia olvidada pudiera proporcionarme una pista sobre la identidad de la persona para la que trabajaban, no bastaba para forzar el recuerdo de aquella espantosa y casi mortal asfixia.

Revelar a Bobby todo lo que sabía, haciéndole depositario de todo aquel turbio asunto, sería la forma de decirlo bien claro: eh, vosotros, quien quiera que seáis, me habéis cogido. No me habéis matado pero me habéis asustado tanto que estoy abdicando toda responsabilidad sobre mi vida.

Una vez que aquel pequeño dato de autoconocimiento pudo flotar hasta la superficie de mi conciencia, empecé a ser presa de una terrible furia. No iban a conseguir convertirme en eunuco, obligarme a vivir mi vida dentro de los límites decididos por una voluntad ajena. No sabía qué estaba pasando en Chicago Sur, pero nadie, ni Steve Dresberg ni Gustav Humboldt, ni siquiera Caroline Djiak, iba a impedirme averiguarlo.

Cuando Murray Ryerson se presentó algo después de las once, me encontró paseando por la habitación con los pies descalzos y el camisón del hospital ondeando en torno a mis piernas. Vagamente, había visto a mi compañera de habitación aparecer vacilante en la puerta y volver a marchar, y confundí la presencia de Murray con su vuelta hasta que empezó a hablar.

—Me han dicho que has estado a quince minutos de la muerte, pero ya sabía yo que eso no podía creérmelo.

Di un salto.

—¡Murray! ¿No te enseñó tu madre a llamar antes de entrar embistiendo?

—Lo intenté, pero no estabas por el planeta Tierra. —Arrastró la silla junto a mi cama—. Pareces el tigre siberiano que hay en la zona abierta del zoológico de Lincoln Park, V. I. Me estás poniendo nervioso. Siéntate y dame la exclusiva de tu roce con la muerte. ¿Quién ha querido liquidarte? ¿La hermana del doctor Chigwell? ¿Los tipos de la fábrica Xerxes? ¿O tu amiguita Caroline Djiak?

Eso me hizo parar. Cogí la silla de mi compañera para sentarme frente a Murray. Yo tenía la esperanza de mantener los asuntos de Louisa al margen de la prensa, pero una vez que Murray empezara a husmear se enteraría prácticamente de lo que le diera la gana.

—¿Qué te ha dicho la pequeña Caroline? ¿Que yo era de las que sabía reconocer cuándo había metido la pata?

—Es un tanto desconcertante hablar con Caroline. Dice que estabas investigando la muerte de Nancy Cleghorn por encargo de PRECS, aunque nadie de esas oficinas parece saber nada del asunto. Afirma que no sabe nada de Pankowski y Ferraro, aunque no estoy seguro de creérmelo.

Murray se sirvió un vaso de agua de la nueva jarra traída por un enfermero.

—Los de Xerxes insisten en referirnos a su asesoría legal si queremos enterarnos de algo sobre esos dos. O sobre el médico suicida. Y cuando alguien sólo está dispuesto a hablar por medio de abogados empiezas a recelarte algo. Estamos trabajándonos a la secretaria de la fábrica, la chica empleada con el contable y administrador de personal. Y uno de mis ayudantes ronda por el bar donde van los del cambio de turno al salir del trabajo, o sea que algo vamos a pillar. Pero desde luego tú podías facilitárnoslo, señorita Marple.

Me deslicé de la silla a la cama y me tapé hasta la barbilla. Caroline estaba protegiendo a Louisa. Evidentemente. Eso era lo que había detrás de toda aquella pantomima. Una posible amenaza a su madre era lo único que podía asustarla, la única explicación consistente con su fiera personalidad de perro terrier. Nada le importaba su salvaguarda; y desde luego tampoco la mía lo bastante para ponerse histérica por no haber querido yo abandonar la investigación.

Era difícil imaginar qué peligro podía correr una mujer en el estado de Louisa. Quizás hacer explotar públicamente unos asuntos privados que ella deseaba ardientemente mantener ocultos; acaso fuera su mayor preocupación en sus últimos meses de vida. Aunque Louisa no tenía aspecto de estar alterada cuando la había visto el martes...

—Venga, Vic. Afloja. —La voz de Murray tenía un filo que me hizo volver a la habitación.

—Murray, hace dos días me mirabas lleno de desdén con el mentón muy subido diciéndome que no necesitabas nada de mí y no estabas dispuesto a hacer nada por mí. Entonces, dame una razón para que de pronto tenga que echarte un cable.

Murray agitó la mano señalando en torno a la habitación del hospital.

—Ésta, cielo. Alguien te la tiene jurada a muerte. Cuantas más sean las personas que saben lo que tú sabes, menos probabilidades habrá de que te pesquen la segunda vez.

Sonreí tiernamente; por lo menos ésa era mi intención.

—He hablado con la policía.

—Y les has dicho todo lo que sabes.

—En eso tardaría más tiempo del que el teniente Mallory dispone. Le conté con quién había hablado el día antes del... del ataque. Eso te incluye a ti; no estuviste muy simpático y el teniente quería saber si alguien se había mostrado agresivo.

Los ojos de Murray se entornaron por encima de su barba roja.

—He venido dispuesto a ser compasivo, y hasta a aplicarte ungüento en las partes doloridas. Te las pintas sola para destruir los buenos sentimientos, chiquilla.

Hice un gesto agrio.

—Curioso; Bobby Mallory dijo prácticamente lo mismo.

—Como haría cualquier hombre sensato... En fin, oigamos la historia del ataque. Lo único que tengo es el apunte que el hospital facilitó a la policía. Anoche apareciste en los titulares informativos de las cuatro televisiones, eso para que te sientas importante.

Pues no era así. Me hizo sentir más expuesta. Quienquiera que hubiera intentado tirarme al pantano de Chicago Sur había tenido pleno acceso a la noticia de que había conseguido salir de allí. No tenía ningún sentido pedirle a Murray que lo mantuviera tapado: le comuniqué todo lo que me fue tolerable revelar sobre la experiencia.

—Retiro lo dicho, V. I. —dijo cuando hube acabado—. Es una historia espantosa aun faltándole la mayor parte de los detalles. Tienes todo el derecho a dar rabotazos algún tiempo.

Pese a ello, procuró sonsacarme más información, no cejando hasta que trajeron la comida —pollo y guisantes reblandecidos—, seguida nerviosamente por la mujer que estaba recuperándose de cirugía plástica. Me llevé una rociada bastante seria de la jefa de planta por tener visitas que impulsaban a mi compañera a abandonar su cama del susto. Puesto que Murray ocupa aproximadamente el mismo espacio que un oso gris crecidito, dirigió los suficientes comentarios hacia él como para hacerle salir de allí un tanto avergonzado.

Después de comer, una diminuta subalterna asiática vino para informarme de que la doctora Herschel había dado instrucciones de que me sometieran a calor intenso en la sección de fisioterapia. Me trajo una bata de hospital. Pese a tener yo el doble de su volumen, me ayudó solícita a sentarme en una silla de ruedas y me condujo hasta la unidad de FT, en las profundidades cavernosas del hospital. Pasé una agradable hora de compresas húmedas, calor intenso y masaje, terminando con diez minutos en la piscina de rehabilitación.

Cuando al fin mi acompañante me devolvió a la habitación, estaba soñolienta y con ganas de dormir. Pero no iba a poder ser: encontré a Ron Kappelman sentado en la silla de visitas. Dejó una carpeta de papeles cuando me vio y me ofreció un tiesto de geranios.

—Tienes mucho mejor aspecto hoy de lo que yo creía posible hace veinticuatro horas —dijo sobriamente—. Lo único que siento es no haberme tomado en serio a tu vecino;

supuse simplemente que te había surgido algo importante y te habías largado. Aún no entiendo cómo pudo obligarme a que le llevara hasta allí.

Volví a meterme en la cama y me tumbé.

—El señor Contreras es algo excitable, por lo menos en lo que toca a mi bienestar, pero hoy no tengo precisamente ganas de enfadarme por eso. ¿Te has enterado de algo sobre el informe del seguro? ¿O por qué se nombraba garante a Jurshak?

—Por tu aspecto diría que tendrías que estar convaleciente, no preocupándote por un montón de papeles viejos —dijo con desaprobación.

—¿Es que han cambiado de categoría? El martes estabas todo alterado con ellos, ¿y ahora son un montón de papeles viejos? —Permanecer echada no era buena idea, porque tendía a adormilarme. Subí la cama con la manivela para poder estar incorporada.

—Según estabas cuando el viejo te arrastró hasta la valla, me pareció que no valían tantos disgustos.

Escudriñé su cara en busca de señales de peligro o falsedad o algo así. Lo único que percibí fue noble preocupación. ¿Y eso qué demostraba?

—¿Es por eso por lo que me tiraron al cenagal? ¿Por el informe al Descanso del Marino?

Pareció sorprendido.

—Yo había supuesto... porque habíamos hablado de eso y después no apareciste en nuestra reunión.

—¿Le has dicho a alguien que tengo esa carta, Kappelman?

Se inclinó hacia delante, con la boca apretada en una línea fina.

—Me está empezando a disgustar el giro que está tomando la conversación, Warshawski. ¿Quieres insinuar que tuve algo que ver con lo que te pasó ayer?

Con él eran tres las personas interesadas en mi salud a quienes lograba irritar a los pocos minutos de llegar.

—Lo que quiero es cerciorarme de que no lo tuviste.

Mira, Ron, lo único qu[...]
breve con una vieja ami[...]
vamos, yo estuve casada[...]
confiar ni la hucha de un[...]
que las hormonas pueden[...]

—Hablé contigo y co[...]
mentos. Si es por ellos por[...]
ayer... y eso no es más que u[...]
no sé... tuvo que ser por uno[...]

Hizo una mueca agria.

—Está bien. Esto puedo[...]
cómo convencerte de que yo [...]
aparte de por mi honor de bo[...] porque lo fui, hace
treinta años o así. ¿Estás dispuesta a aceptar esa prueba de
rectitud?

—La tendré en cuenta. —Volví a bajar la cama; estaba demasiado cansada para intentar presionarle más—. Mañana
me largan. ¿Quieres que volvamos sobre esos papeles?

Frunció el ceño.

—Eres realmente una fiera de sangre fría. A un pelo de la
muerte un día y husmeando el rastro al siguiente. Sherlock
Holmes no tenía nada que envidiarte. Supongo que sigo
queriendo ver los malditos documentos; me pasaré hacia las
seis si te han dejado volver a casa.

Se levantó y señaló a los geranios.

—No te los comas; son para el espíritu. Procura disfru-
tarlos.

—Muy gracioso —farfullé a su espalda. Antes de que
hubiera desaparecido estaba ya profundamente dormida.

Cuando desperté hacia las seis vi a Max sentado en la
silla de visitas. Leía una revista con sosegada concentración,
pero cuando comprobó que estaba despierta la dobló con
cuidado y la metió en su cartera.

—Habría venido mucho antes, pero me temo que he
pasado el día en juntas y más juntas. Lotty me dice que estás
bien, que sólo te hace falta descanso para estar completamente curada.

pelo. Lo tenía apelmazado y pe-
sentir en desventaja. Observé a Max

—Me cogió la mano izquierda y la sostuvo
as—. Espero que puedas perdonarme las pala-
as de hace unos días. Cuando Lotty me dijo lo que
bía ocurrido, tuve verdadero remordimiento.

—No lo tengas —dije torpemente—. No eres responsable de nada de lo que me ha ocurrido.

Sus ojos de un pardo claro me miraron sagaces.

—Nada carece de conexión en nuestras vidas. Si no te hubiera pinchado con lo del doctor Chigwell, quizá no habrías actuado tan violentamente como para buscarte un lío.

Inicié una respuesta y después callé. Si no me hubiera pinchado quizá no habría sido tan reacia a llevarme la pistola cuando salí a correr ayer. Era posible incluso que me hubiera expuesto inconscientemente para aliviar mi mala conciencia.

—Pero es que había motivos para mi mala conciencia —dije en voz alta—. No estabas tan lejos del blanco, ¿sabes? Presioné a Chigwell simplemente porque me enfureció. O sea que quizá le diera el último giro a la tuerca.

—Entonces es posible que los dos hayamos aprendido algo de esta lección: mirar antes de saltar. —Max se puso en pie dejando a la vista un magnífico arreglo floral en un jarrón de porcelana china—. Sé que te vas mañana, pero llévatelo para que te anime mientras se recuperan tus pobres músculos.

Max era experto en porcelana china. El cacharro tenía aspecto de haber formado parte de su colección particular. Procuré hacerle sabe cuánto me complacía su gesto; aceptó mis muestras de gratitud con su habitual cortesía y se fue.

26

Vuelta a empezar

Por la mañana tenía una compañera de habitación nueva, una veinteañera llamada Jean Fishback: su amante le había disparado en un hombro antes de que ella le metiera una bala en el estómago. La paciente de cirugía plástica se había trasladado tres habitaciones más allá.

Me enteré de toda la historia de los disparos, con imprecaciones en tono subido y demás, a media noche cuando la señorita Fishback volvió del postoperatorio. A las siete, cuando la ronda de la mañana apareció para ver si habíamos expirado durante la noche, dio rienda suelta a su furia por haber sido despertada con la estentórea nasalidad del Sector Noroeste. Cuando llegó Lotty hacia las ocho y media yo estaba dispuesta a ir donde fuera, hasta al ala psiquiátrica, con tal de alejarme de las obscenidades y los cigarrillos.

—Me importa tres cómo esté —le dije a Lotty irritable—. Fírmame el alta y déjame salir de aquí. Me voy en camisón si hace falta.

Lotty echó una ojeada a las arrugadas envolturas de chicle y el paquete de cigarrillos vacío del suelo. Y arqueó mucho las cejas cuando una oleada de blasfemias barrió desde detrás de las cortinas corridas mientras un interno intentaba llevar a cabo un examen.

—La jefa de planta me ha dicho que no has sido muy cortés con tu compañera de ayer y que te iban a poner con alguien más afín a tu personalidad. ¿Te desahogaste con ella dándole unos cuantos directos? —Empezó a palparme los músculos de los hombros.

—Ay, maldita sea, eso duele. Y no se dice dar sino *lanzar*. O en todo caso, *encajar*.

Lotty me aplicó el oftalmoscopio a los ojos.

—Te hicimos una radiografía y un examen de constantes después que te estabilizamos el miércoles. Milagrosamente no tienes fisuras ni fracturas. Un poco más de fisioterapia en los próximos días te irá bien para los músculos afectados, pero no esperes tenerlos recuperados de un día para otro; los desgarramientos de tejidos pueden tardar hasta un año en curarse si no descansas suficientemente la musculatura. Y sí, te puedes ir a casa; puedes hacer la terapia como paciente externo. Si me das las llaves, le diré a Carol que te traiga algo de ropa a la hora de comer.

Se puso en pie y me miró gravemente. Cuando empezó otra vez a hablar su acento vienés era muy pronunciado.

—Te pediría que no fueras insensata, Victoria. Te lo pediría, pero parece que te apasionan el peligro y la muerte. Haces la vida muy difícil a los que te quieren.

No se me ocurrió nada que decir. Me contempló un buen rato, dirigiéndome una mirada muy ensombrecida desde su rostro anguloso, después agitó levemente la cabeza y salió.

El compendio de mi personaje de las últimas veinticuatro horas no era precisamente atractivo: una fiera insensible enamorada de la muerte y el peligro que impulsaba a tímidas pacientes de cirugía plástica a buscar refugio con el personal sanitario. Cuando un enfermero apareció alrededor de una hora después para llevarme a fisioterapia, le acompañé de mala gana. La rutina normal de los hospitales, que despersonaliza a los pacientes a sus expensas, suele sumirme en un frenesí de sarcasmo anticooperativo. Hoy me lo tragué sin rechistar.

Después de la terapia yo también busqué refugio de mi vituperante compañera de habitación, esperando en la salita a que llegara mi ropa con unos ejemplares atrasados de *Glamour* y *El deporte ilustrado*. Carol Álvarez, enfermera y principal soporte de la clínica de Lotty, llegó un poco antes de las dos. Me saludó afectuosamente, con un abrazo, un beso y una pequeña exclamación de horror por mi ordalía.

—Hasta mamá ha estado rezando a la Santa Virgen María por ti, Vic.

Desde luego no era poco, porque la señora Álvarez me observaba por lo general con silencioso desprecio.

Carol me había traído unos vaqueros, sudadera y un par de botas. Tanto la ropa exterior como la interior parecían inusitadamente limpias. Se me había olvidado totalmente que la había dejado en la lavandería el miércoles. Al parecer, uno de mis vecinos de abajo la había tirado a mi puerta formando un montón húmedo acompañado de una nota furibunda; Carol había tenido la delicadeza de volver a pasarlo todo por la lavadora.

Me ayudó con rapidez en los trámites del alta. Puesto que conocía a muchas enfermeras de aquella planta, su hostilidad hacia mí se atenuó un poco cuando me vieron con ella. Llevando yo el cacharro oriental de Max y Carol los geranios, avanzamos por los largos pasillos hasta el aparcamiento de personal a espaldas del hospital.

Yo tenía la impresión de tener la cabeza llena de algodón, lejos no sólo de mi cuerpo sino de la cotidianeidad que me rodeaba. No habían pasado más que dos días desde mi desafortunada salida a correr, pero me parecía haber estado ausente del mundo durante meses. Sentía las botas como si fueran nuevas y extrañas y no me hacía a la sensación que me producían los vaqueros ajustados al cuerpo. Y eso que no estaban tan ajustados como antes: los últimos días parecían haberse llevado unas buenas cinco libras de mi peso.

El señor Contreras me esperaba cuando llegué a mi piso de Racine. Había atado un enorme lazo rojo al cuello de Peppy y cepillado su pelo cobrizo hasta hacerlo brillar a la opaca luz grisácea del día. Carol me confió a ellos dos con otro beso y nos dejó en la puerta.

Yo habría preferido sin duda quedarme sola con el fin de ordenar mis ideas, pero el señor Contreras se había ganado el derecho a mimarme. Accedí a su insistencia de llevarme a un sillón, quitarme las botas y taparme las piernas y los pies cariñosamente con una manta.

Había preparado una complicada bandeja de fruta y queso, que depositó a mi lado junto a una tetera llena.

—Y ahora, pequeña, te voy a dejar aquí a su señoría para que te haga compañía. Si quieres algo, no tienes más que llamarme. He escrito mi número al lado del teléfono para que no tengas que buscarlo. Y antes de que vuelvas a meter el pescuezo en más líos, me lo dices. No voy a estar a todas horas detrás de ti —ya sé que lo odias— pero alguien tiene que saber dónde ir a buscarte. Me prometes eso o voy a tener que cogerme un detective sólo para seguirte.

Le extendí la mano.

—Trato hecho, Tío.

Este título honorario le conmovió tanto que empezó a hablarle gravemente a la perra, enumerándole sus obligaciones conmigo, antes de darme una palmada en el hombro malo y salir escaleras abajo.

Yo no soy muy aficionada al té, pero me resultó grato quedarme donde me habían puesto. Me serví una taza, mezclada con mucha crema espesa, y compartí un racimo de uvas con la perra. Ésta se sentaba sobre los cuartos traseros observándome con mirada constante, jadeando suavemente, tomándose muy en serio sus deberes de vigilancia, asegurándose de que no volviera a desaparecer sin ella.

Forcé a mi fatigada cabeza a regresar a los momentos anteriores al ataque. Sólo hacía tres días, pero las neuronas se movían como si tuvieran moho de años. Cuando te duele hasta el último músculo es difícil recordar la sensación de estar entero.

Me habían advertido que abandonara Chicago Sur el lunes por la noche. El miércoles me habían despachado eficazmente. Eso significaba que algo de lo que había hecho el martes había suscitado una reacción inmediata.

Fruncí el ceño, procurando recordar qué había ocurrido aquel día.

Había encontrado el informe del seguro sobre Jurshak y le había hablado a Ron Kappelman del asunto. También le había dejado un mensaje al joven Art insinuando que tenía el papel. Se trataba de documentos tangibles, y resultaba tentador pensar que demostraban algo tan perjudicial que había gente dispuesta a matar para que no vieran la luz. Podría ser difícil extraer la verdad de Kappelman si me ocultaba algo, pero Jurshak era un joven tan frágil que seguramente podría sonsacarle los hechos. Si es que podía encontrarle. Si seguía vivo.

Sin embargo, no debía concentrarme en esos dos a expensas de las restantes personas implicadas. Curtis Chigwell, por ejemplo. A primera hora del martes le había azuzado a Murray Ryerson y doce horas después había querido suicidarse. Y además estaba el gran tiburón, el propio Gustav Humboldt. Fuera lo que fuera lo que sabía Chigwell, lo que estuvieran ocultando sobre Steve Ferraro y Joey Pankowski, Gustav Humboldt estaba perfectamente informado de todo. De otro modo no me habría buscado para intentar hacerme tragar una sarta de mentiras sobre dos empleados insignificantes de su imperio internacional. y el informe del seguro que había encontrado Nancy se refería a su compañía. Esto tenía que significar algo; pero ocurría que aún no sabía qué.

Y por fin, claro está, estaba la pequeña Caroline. Ahora que había comprendido que protegía a Louisa, supuse que podría hacerle hablar. Puede que incluso supiera lo que Nancy había visto en el informe del seguro. Ella era mi mejor punto de partida.

Me quité la manta de las piernas y me levanté. De inmediato, la perra se puso en pie como un resorte, moviendo la cola: si me levantaba, era evidentemente hora de salir a correr. Cuando vio que sólo me dirigía al teléfono, se tumbó alicaída.

Caroline estaba reunida, me dijo la recepcionista de PRECS. No se la podía molestar.

—Pues apunte por favor la nota siguiente y hágasela llegar: «¿La vida de Louisa en primera página del *Herald-Star*?» Y añada mi nombre. Le garantizo que se pondrá al teléfono en fracciones de segundo.

Tuve que engatusarla algo más, pero la mujer accedió al fin. Me llevé el teléfono al sillón. Peppy me dirigió una mirada de disgusto, pero yo quería esperar sentada la descarga que se acercaba.

Oí la voz de Caroline sin preámbulos. La dejé despotricar sin rechistar unos minutos, en los que hizo trizas mi personalidad, expresándome su pesar porque hubiera salido indemne del pantano, y hasta lamentándose de que no me hubiera quedado enterrada en fango.

Ante eso decidí interrumpir.

—Caroline, eso es vil y ofensivo. Si tuvieras un ápice de sensibilidad o imaginación nunca habrías pensado semejante cosa, no digamos ya decirlo.

Quedó en silencio unos instantes y después refunfuñó

—Lo siento, Vic. Pero no debiste mandarme mensajes amenazando a mamá.

—Está bien, pequeña. Lo entiendo. Entiendo que la única razón de que hayas estado dando más coces que de costumbre es porque hay alguien acorralando a Louisa. Quiero saber quién y por qué.

—¿Cómo lo sabes? —exclamó abruptamente.

—Es tu carácter, cielo. Simplemente tardé algo en acordarme. Manipulas a los demás, te pasas las reglas por donde quieres con tal de lograr lo que buscas, pero no eres gallina. Sólo hay una cosa que puede aterrarte.

Volvió a callar un buen rato.

—No pienso decirte si te equivocas o no —dijo al fin—. No puedo ni hablar de ello. Si no te equivocas ya comprendes por qué. Si te equivocas... supongo que será porque doy coces.

Intenté transmitir toda la fuerza de mi personalidad por el teléfono.

—Caroline, esto es importante. Si alguien te ha dicho que le hará daño a Louisa a menos que me obligues a dejar de rastrear a tu padre, tengo que saberlo. Porque significa que hay alguna relación entre la muerte de Nancy y mis pesquisas sobre Joey Pankowski y Steve Ferraro.

—Tendrías que embaucarme y no creo que puedas. —Su tono era serio, más maduro del que estaba acostumbrada a oírle.

—Por lo menos dame una pista, chiquilla. ¿Te vienes por aquí mañana a cualquier hora? Como puedes comprender, no estoy muy en forma ahora mismo, si no me pasaba a verte esta noche.

Al final, a regañadientes, accedió a venir mañana por la tarde. Colgamos el teléfono con una afabilidad que no habría creído posible hacía diez minutos.

27

El juego está servido

Una irritante laxitud se había apoderado de mi cuerpo. Incluso la breve conversación con Caroline me había agotado. Me serví más té y encendí la tele. Faltando aún dos semanas para los entrenamientos de primavera, no había gran cosa durante el día. Pasé de un serial a otro serial, después de una lacrimógena congregación de rezo —la sollozante sucesora de Tammy Faye— y a *Barrio Sésamo* y apagué el aparato asqueada. Era mucho esperar que ordenara papeles o pagara facturas en mi debilitado estado; me envolví en la manta y me eché en el sofá para dormir un rato.

Desperté unos veinte minutos antes de la hora de llegada de Kappelman y me tambaleé hasta el cuarto de baño para mojarme la cara con agua fría. Alguien me había robado todas las toallas sucias, había fregado el lavabo y la bañera, y había ordenado los cachibaches de aseo y maquillaje. Eché un vistazo a mi habitación y me quedé pasmada al ver la cama hecha y prendas de vestir y zapatos guardados. Detestaba admitirlo, pero las habitaciones limpias alegraban mi ánimo afligido.

Había escondido los documentos de Nancy entre los montones de música del piano. Los duendes habían metido las partituras cuidadosamente en el banco del piano, pero los papeles del seguro permanecían intactos entre *Italienisches Liederburch* y las *Arias de concierto* de Mozart.

Estaba muy enfrascada con *Che no sei capace* —cuyo título me parecía admirablemente adecuado, puesto que no entendía nada— cuando Kappelman tocó el timbre. Antes de que pudiera llegar al telefonillo, el señor Contreras había salido de un salto al vestíbulo para inspeccionarle. Cuando abrí la puerta escuché sus voces en la escalera mientras subían juntos, procurando el señor Contreras acallar los recelos que le despertaba todo hombre que viniera a verme, y Kappelman disimular la impaciencia que le producía su acompañante.

Mi vecino empezó a hablarme en cuanto asomó su cabeza por el último giro de la escalera y me echó la vista encima.

—Ah, qué tal, pequeña. ¿Has descansado bien? Vengo sólo a recoger a su señoría, para que tome el aire y algo de comer. No estarías dándole queso, ¿verdad? Iba a decírtelo; no lo digiere.

Entró en la habitación y empezó a inspeccionar a Peppy por si hubiera señales de enfermedad.

—Ahora no debes llevártela de paseo sola, ni irte por tu cuenta a correr por ahí. Y no dejes que este joven te tenga levantada hasta que te agotes. Que necesitas mi ayuda para algo, la perra y yo estamos al tanto; no tienes más que darnos un grito.

Con esta advertencia apenas velada, recogió a Peppy. Remoloneó en la puerta con más admoniciones hasta que tuve que empujarle suavemente al descansillo.

Kappelman me miró agriamente.

—De haber sabido que el viejo me iba a investigar los papeles me habría traído a mi abogado. Yo diría que si lo tienes al lado no corres peligro; mataría con su charla a cualquiera que se le ocurriera atacarte.

—Es que le encanta imaginarse que tengo dieciséis años y es mi padre y mi madre —dije con más indulgencia de la que sentía. El deberle la vida al señor Contreras no me impedía encontrarle un tanto pesado.

Ofrecí una copa a Kappelman. Su primera opción fue cerveza, que casi nunca tengo en casa, seguida de coñac. Al fin conseguí topar con una botella de éste al fondo del armario de bebidas.

—Una chica del Sector Sur como tú tendría que tener siempre a punto un disparo y una cerveza —refunfuñó.

—Supongo que es un indicio más de hasta qué punto he abandonado mis raíces. —Le conduje al salón, doblando la manta que había dejado en el sofá para que pudiera sentarse. Mi casa nunca podría igualar su vitrina de la calle Pullman, pero al menos estaba aseada. No me felicitó por ello, pero es que tampoco podía saber cómo suele estar.

Después de unas cuantas naderías de cortesía sobre mi salud y su trabajo del día, le entregué el paquete de Nancy. Kappelman sacó unas gafas del bolsillo de la pechera de su raída chaqueta y repasó detenidamente los documentos uno a uno. Yo bebía mi vaso de whisky y leía la prensa del día procurando no mostrarme impaciente.

Cuando hubo terminado se quitó las gafas con un pequeño gesto de perpleja impotencia.

—No entiendo por qué tenía estos papeles Nancy. O por qué creía que podrían ser importantes.

Yo rechiné los dientes.

—No me digas que son totalmente insignificantes.

—No lo sé. —Encogió un hombro—. Tú puedes ver de lo que se trata igual que yo. No entiendo demasiado de seguros, pero me da la impresión de que Xerxes estaría pagando más que esos otros tipos y Jurshak intentaba persuadir a la compañía —miró los papeles buscando el nombre— Descanso del Marino para que le rebajaran las primas. Es evidente que eso significaba algo para Nancy, pero nada para mí. Lo siento.

Yo fruncí el ceño de un modo terrible, originando la clase de arrugas contra las que advierten a las estrellas en ciernes.

—Quizá la cuestión no sean los datos sino el hecho de que fuera Jurshak el que se ocupara del seguro. Quizá siga siendo esa la cuestión. Jurshak no sería la persona que yo elegiría ni como agente de seguros ni como garante.

Ron sonrió levemente.

—Tú te puedes permitir el lujo de ser exigente; porque no tienes que abrirte camino en Chicago Sur. Es posible que Humboldt creyera más fácil seguir la corriente general con Jurshak que recurrir a un agente independiente. O quizá sea un caso de verdadero altruismo, de querer dar trabajo a la comunidad donde ha montado su fábrica. Jurshak no era gran cosa en Chicago Sur, no digamos ya en la ciudad, en el año sesenta y tres.

—Es posible —giré el vaso, viendo cómo el dorado líquido se volvía ámbar al reflejar la luz de la lámpara. Art y Gustav haciendo el bien por bien de la comunidad en general. Podía imaginarlo en carteles, pero no tan fácilmente en la vida real. Además yo me había criado cerca de Art y, por consiguiente, seguía lo que se decía de él: que gracias a ciertos tratos, él o su socio, Freddy Parma, eran directores, y agentes de seguros, de una compañía local de transportes por camión, una empresa de aceros, un transportista por ferrocarril y otros servicios. Las contribuciones a sus campañas electorales fluían desde estas compañías formando una corriente enormemente gratificante. Podría ser que la compañía de seguros Descanso del Marino no supiera estas cosas, pero Ron Kappelman debía saberlas.

—Tienes una mirada tremendamente siniestra. —Ron Kappelman interrumpió mi ensimismamiento—. Como si creyeras que soy el asesino del hacha.

—No es más que mi expresión de zorra insensible. Me estaba preguntando cuánto sabrías del negocio de seguros de Art Jurshak.

—¿Quieres decir cosas como el Ferrocarril Mid-States? Claro que lo sé. Por qué me... —Calló a mitad de frase, abriendo los ojos ligeramente—. Sí. Mirándolo así no tiene mucho sentido recurrir a Jurshak como compañía garante. ¿Crees que Jurshak tiene algo contra Humboldt?

—Podría ser lo contrario. Podría ser que Humboldt tuviera algo que ocultar y pensara que Jurshak era la persona para hacerlo.

Me hubiera gustado saber si podía fiarme de Kappelman;

no tendría que haber hecho falta que le explicara aquella cuestión. Recuperé los documentos y los observé absorta.

Pasados unos momentos Kappelman me sonrió con curiosidad.

—¿Qué te parece si cenamos antes de que me vuelva al sur? ¿Te sientes lo bastante fuerte para salir?

Comida de verdad. Supuse que podría hacer el esfuerzo. Por si acaso Kappelman pensaba volver a llevarme con mis amigos de los impermeables negros, fui a mi habitación a coger la pistola. Y a hacer una llamada desde la extensión que hay junto a la cama.

La madre del joven Art contestó al teléfono; su hijo seguía sin aparecer por allí, me dijo con un susurro inquieto. El señor Jurshak no sabía aún que había desaparecido, o sea que me agradecería que no fuera diciéndolo.

—Si va por allí, o si sabe algo de él, insista por favor en que se ponga en contacto conmigo. No puedo decirle lo importante que es que lo haga. —Vacilé unos momentos, no sabiendo si el melodrama la dejaría totalmente paralizada o me garantizaría que transmitiera mi mensaje a su hijo—. Puede que su vida corra peligro, pero si puedo hablar con él creo que podría evitar que le ocurra nada.

Empezaba a dirigirme preguntas en un murmullo sibilante y tenso, pero Art el Viejo se personó a su espalda, inquiriendo con quién hablaba. Colgó el teléfono apresuradamente.

Cuanto más tiempo faltara el joven Art, más preocupante me resultaba. El chico no tenía amigos y no sabía moverse por las calles. Agité la cabeza inútilmente y me metí la Smith & Wesson en la cintura de los vaqueros.

Kappelman leía tranquilamente el *Wall Street Journal* cuando volví al salón. No parecía que hubiera estado escuchándome por el teléfono, pero si era realmente un tipejo malvado no tendría dificultad para mostrarse inocente. Renuncié a rumiar sobre la cuestión.

Kappelman hizo un gesto fatalista.

—Creí haber perdido de vista esta clase de mierda cuando me fui de casa de mi madre. Por eso vivo en Pullman; fue lo más lejos de Highland Park que pude trasladarme dentro de lo posible.

Cuando empezaba a echar el cerrojo sonó el teléfono. Pensando que podría ser el joven Art, me excusé con Ron y volví a entrar en el piso. Para mi gran asombro era la señorita Chigwell, sumamente angustiada. Me preparé, creyendo que me llamaba para recriminarme por haber impulsado a su hermano a un intento de suicidio. Probé unas cuantas disculpas torpes.

—Sí, sí, ha sido muy lamentable. Pero Curtis no fue nunca un carácter fuerte; no me ha sorprendido. Y no es que no pudiera haberlo logrado. Yo sospecho que quería que le encontraran: dejó todas las luces del garaje encendidas y sabía que yo entraría para ver la razón. Después de todo, según él, fui yo la que le impulsé a hacerlo.

El condescendiente desdén de su voz me hizo parpadear levemente. Era evidente que no me llamaba para aliviar una culpabilidad putativa por mi parte. Le hice una pregunta exploratoria.

—Bueno, pues es que... es que ha pasado una cosa muy extraña esta tarde. —Súbitamente vaciló, perdiendo su habitual seguridad áspera.

—¿Sí? —dije para alentarla.

—Comprendo que no es considerado por mi parte molestarla, cuando acaba de pasar por un trauma tan horrible, pero usted es investigadora, y me ha parecido que era más adecuado recurrir a usted que a la policía.

Después se produjo otra larga pausa. Yo me eché en el sofá para mitigar el dolor que sentía entre los hombros.

—Es... bueno, es Curtis. Estoy segura de que se ha metido en casa por la fuerza esta tarde.

Aquello era lo bastante asombroso para hacerme incorporar otra vez.

—¿Por la fuerza? ¡Yo creía que vivía con usted!

—Sí, y vive, claro, pero es que yo le llevé a toda prisa al hospital cuando le encontré el martes. Como no estaba muy mal le dejaron marchar el miércoles. Estaba tremendamente avergonzado, no quiso verme cara a cara a la hora del desayuno y dijo que se iba a casa de unos amigos. Y para serle franca, señorita Warshawski, me alegré de perderle de vista unos cuantos días.

Kappelman se acercó hasta donde me encontraba. Agitó una nota ante mis narices: estaría abajo con el señor Contreras pidiéndole permiso para mi salida a cenar. Cabeceé distraídamente y pedí a la señorita Chigwell que continuara.

Por la línea telefónica le oí tomar aliento.

—Los viernes son mi día en el hospital, ¿sabe? Hago trabajo voluntario con ancianas que ya no... en fin, ahora no interesa eso. Pero cuando volví supe enseguida que alguien se había metido en casa por la fuerza.

—¿Y llamó a la policía y se fue con una amiga hasta que llegaron?

—No, no. No fue así. Porque comprendí casi de inmediato que tenía que haber sido Curtis. O que había dejado entrar a alguien que no conocía la casa lo bastante para no crear cierto desorden.

—La confusión me estaba empezando a irritar. La interrumpí para preguntarle si le faltaban objetos de valor.

—No, nada de eso. Pero mire, faltan los cuadernos médicos de Curtis. Yo se los había escondido después que él quiso quemarlos, y por eso... —Calló—. Lo estoy explicando tan mal. Por eso me gustaría que pudiera acercarse, aunque esto esté lejos y usted esté muy cansada. Tengo la convicción de que sea lo que sea en lo que estuvo metido Curtis en la fábrica Xerxes y que no ha querido decirle, está en esos cuadernos.

—Que han desaparecido —apunté yo secamente.

Soltó un esbozo de risa.

—Sólo sus copias. Yo guardé los originales. Fui yo la que mecanografió sus notas durante muchos años. Ésas son las que faltan. Nunca le dije que había guardado los cuadernos originales.

—¿Sabe usted?, él había puesto los datos en los antiguos

diarios de piel de mi padre, los que le habían hecho por encargo en Londres. Parecía... como una profanación tirarlos, pero yo sabía que Curtis se pondría como una fiera si sabía que los estaba guardando por el recuerdo de mi padre. Por eso no se lo dije.

Sentí un cosquilleo en la base del cuello, esa primitiva descarga de adrenalina que te hace saber que andas cerca del tigre de colmillos de sable. Le dije que estaría en su casa dentro de una hora.

28

Los cuadernos dorados

Kappelman y el señor Contreras habían acordado una precaria tregua ante la botella de *grappa*. Ron se levantó rápidamente cuando entré, poniendo fin a una larga anécdota sobre cómo había adivinado el señor Contreras que uno de mis antiguos amantes era tan sólo un peso ligero. Les expliqué con desparpajo que había recibido un SOS urgente de una tía mía que vivía en la periferia y que no podía dejar de acudir.

—¿Tu tía, niña? Yo creía que estabais... —El señor Contreras captó el destello acerado de mi mirada—. ¡Ah!, tu tía. ¿Tiene algún problema?

—Más bien está aterrada por mí —dije firmemente—. Pero es la única pariente viva de mi madre. Es mayor y no puedo dejarla plantada. —En cierto modo me parecía mal confundir a la temible señorita Chigwell con la loca tía Rosa de mi madre, pero hay que echar mano de lo que tengas.

Kappelman se mostró educadamente de acuerdo; el que me creyera era otra cuestión. Se terminó su *grappa* con un gran trago, respingó cuando el alcohol puro le llegó al esófago, y dijo que me acompañaba al coche.

—Los parientes son una lata, ¿verdad? —añadió con socarronería.

Esperó pacientemente mientras registraba el coche en busca de alguna señal obvia de bomba, después me cerró la puerta con una cortesía anticuada discordante con sus destartaladas ropas.

La temperatura había bajado unos diez grados, alcanzando el bajo cero. Tras las opacas nieblas de las últimas semanas, aquel aire afilado me reanimó. Unos cuantos copos de nieve empezaban a depositarse en el parabrisas, pero las carreteras estaban despejadas e hice una carrera rápida desde la Eisenhower hasta la carretera de York.

La señorita Chigwell me esperaba a la puerta, con su fiero rostro enjuto inalterado por los penosos acontecimientos de los últimos días. Me agradeció sin una sonrisa el que hubiera hecho el viaje, pero yo empezaba a conocerla y sabía que sus maneras bruscas no pretendían ser tan desabridas como parecía.

—Me estoy tomando un taza de té. Mi hermano no hace más que decirme que es una señal de debilidad recurrir a los estimulantes cuando estás alterado, pero creo haber demostrado que soy más fuerte que él. ¿Quiere una taza?

Una ración de té al día era todo el estímulo que podía encajar. Rehusándola todo lo cortésmente que pude, la seguí al salón. Éste presentaba un aspecto de confortable domesticidad digna de Harriet Beecher Stowe. El fuego que ardía limpiamente sobre la parrilla refractaba intensos colores en el servicio de té de plata colocado en una mesa baja cercana. La señorita Chigwell me invitó con un gesto a sentarme en uno de los sillones de chintz de cara a la chimenea.

—En mi época, las jovencitas no tenían vida alguna fuera de la casa —me dijo abruptamente, echando té en una taza de porcelana traslúcida—. Nuestro deber era casarnos. Mi padre era médico aquí cuando esto era aún un pueblecito, y no formaba parte de la ciudad. Yo solía ayudarle. Cuando cumplí los dieciséis años ya sabía arreglar una fractura simple, y trataba muchas de las fiebres que él atendía. Pero cuando llegó el momento de la universidad y la formación médica, ésa era función de Curtis. Después de muerto mi padre en 1939, Curtis intentó mantener la clientela. Pero no se le daba muy bien; los pacientes no hacían más que cambiar de médico y al final tuvo que tomar el puesto de la fábrica.

Me miró con fijeza.

—Veo que es usted una joven muy activa, que hace lo que quiere y no admite un no como respuesta. Ojalá hubiera yo tenido sus agallas a su edad, eso es todo.

—Sí —dije suavemente—. Pero yo tuve ayuda. Mi madre se encontró sola en un país extraño; no sabía el idioma, lo único que sabía era cantar. Estuvo a punto de morir como consecuencia, y juró que yo nunca me vería tan inerme y tan asustada como ella. Créame, eso cambia mucho las cosas. Se está exigiendo demasiado al pensar que debería haberlo hecho todo por su cuenta y riesgo.

La señorita Chigwell se bebió el té a grandes tragos, agitando los músculos de la garganta, apretando y abriendo la mano izquierda. Por último se encontró lo bastante sobrepuesta para volver a hablar.

—En fin, como ve, yo no me casé. Mi madre murió cuando yo tenía diecisiete años. Yo atendí en los quehaceres domésticos a mi padre y después a Curtis. Hasta aprendí a escribir a máquina para ayudarles en su trabajo.

Sonrió melancólica.

—Nunca hice por enterarme de los asuntos de Curtis en la compañía donde trabajaba. Mi padre había sido un gran médico rural, un maestro del diagnóstico. Sospecho que Curtis se limitaba a tomarles la temperatura a los que se ponían enfermos para comprobar si tenían una excusa legítima para salir del trabajo antes de la hora. Hacia 1955, cuando empezó con esos archivos detallados, yo no sabía ya qué pasaba en el mundo de la medicina; los cambios eran inmensos con respecto a mis días de infancia. Pero seguía sabiendo escribir a máquina, y por eso mecanografiaba todo lo que me traía a casa.

Su historia me hizo estremecer ligeramente. Y susurrar una palabra de agradecimiento al espíritu de mi madre. Fiera, intensa y espinosa como era, resultaba difícil vivir con ella, pero entre mis primeros recuerdos figuraba su firme creencia en mí y en lo que podía lograr en mi vida.

La señorita Chigwell debió advertir algo de mis reflexiones en mi expresión.

—No me compadezca. He pasado muchos momentos buenos en esta vida mía. Y nunca me he abandonado a la autocompasión; una debilidad mucho mayor que el té, y a la que Curtis es muy propenso.

Permanecimos en silencio unos momentos. Se sirvió una segunda taza de té y la bebió a sorbos pausados, mesurados, mirando fijamente sin ver el fuego. Cuando hubo terminado dejó la taza con un decidido chasquido y corrió la bandeja hacia un lado.

—Pero no está bien que la entretenga con mis divagaciones. Ha venido desde muy lejos y me doy cuenta que está bastante dolorida, aunque quiera disimularlo.

Se puso en pie con un esfuerzo mínimo. Yo la emulé lentamente, con el cuerpo tirante, y la seguí por las escaleras enmoquetadas hasta el segundo piso. El rellano de arriba estaba forrado de estanterías. Era evidente que muchos de los buenos momentos de la señorita Chigwell se los habían procurado los libros; habría fácilmente unos mil, todos esmeradamente limpios y cuidadosamente alineados en sus estantes. Cómo era posible que se hubiera percatado de que algo fallaba en aquella ordenada infantería era increíble. Para que yo supiera que mi casa había sido víctima de una invasión habría hecho falta que alguien me hiciera astillas la puerta a hachazos.

La señorita Chigwell señaló con la cabeza hacia la puerta abierta de mi derecha.

—El despacho de Chigwell. Vine aquí el lunes pasado por la noche porque olía a fuego. Estaba intentando quemar sus cuadernos en la papelera. Una idea de loco porque la papelera es de cuero y también empezó a arder despidiendo un olor espantoso. Entonces supe que lo que le preocupaba tenía relación con aquellos registros. Pero pensé que estaría muy mal por su parte querer dar la espalda a los hechos destruyéndolos.

Sentí una molesta compasión hacia Curtis Chigwell, que

había de convivir con este batallón de rectitud. A mí me induciría a otros estimulantes más fuertes que el té.

—En fin, los cogí, y los escondí detrás de mis libros de deportes náuticos. Claramente una equivocación estúpida, porque la navegación ha sido siempre mi mayor afición. Sería el primer sitio en el que se le habría ocurrido buscar a Curtis. Pero creo que se sintió tan humillado porque le sorprendiera con las manos en la masa, o posiblemente tan asustado de no haber podido deshacerse de su secreto culpable, que a la tarde siguiente intentó matarse.

Agité la cabeza. De modo que Max tenía razón en cierto modo. Al remover las aguas en torno a Xerxes había apretado tanto a Chigwell que se había creído acorralado. Aquello me produjo un cierto mareo. Seguí a la señorita Chigwell en silencio por el pasillo, hundiendo los pies en la blanda alfombra gris.

La habitación del fondo contenía una profusión de plantas en flor que atrajo mi vista. Ésta era la habitación de estar de la señorita Chigwell, con una mecedora, su cesta de costura y una útil Remington antigua sobre una mesa pequeña. Los libros continuaban allí, en estantes construidos hasta la altura de la cintura, y servían de plataforma para las flores rojas, amarillas y moradas.

Se arrodilló ante una balda contigua a la máquina de escribir y empezó a sacar de allí unos volúmenes encuadernados en piel. Eran libros de memoria de estilo anticuado, con encuadernación de un verde intenso y las letras Horace Chigwell, D. M., labradas en dorado en las portadas.

—Me sentaba muy mal que Curtis utilizara los diarios personales de mi padre, pero no parecía haber una buena razón para que no lo hiciera. Claro que la guerra —la de Hitler— acabó con algunas cosas como los libros de memoria encuadernados de encargo, y Curtis nunca tuvo los suyos propios. Ambicionaba éstos tremendamente.

Había doce en total, correspondientes a un período de veintiocho años. Los hojeé con curiosidad. El doctor Chigwell había escrito con caligrafía decorosa y alargada que daba a la página un aspecto limpio, con todas las letras cuidadosamente alineadas, pero resultaba de difícil lectura. Los libros parecían ser un inventario de los historiales médicos de los empleados de Xerxes. Al menos yo suponía que los nombres deletreados con aquella difícil escritura eran los de los empleados.

Sentada en una silla de mimbre de respaldo recto, rebusqué entre los volúmenes hasta encontrar el de 1962: el año en que Louisa había entrado en Humboldt. Recorrí los nombres lentamente con el índice —no estaban dispuestos en orden alfabético— pero no encontré el suyo. En 1963, cuando Louisa llevaba allí un año, aparecía al final de la lista como mujer blanca, diecisiete años, residencia en Houston. De pronto topé con el nombre de mi madre: Gabriella Warshawski era la persona a avisar en caso de urgencia. Nada sobre la criatura, nada sobre el padre. Desde luego aquello no demostraba que Chigwell no hubiera tenido conocimiento de Caroline, sino simplemente que no lo había anotado en sus cuadernos.

El resto de su entrada parecía ser una serie de notas en taquigrafía médica: «TA 110/72, Hgb 13, BUN 10, Bili 0,6, CR 0,7.» Supuse que TA sería tensión arterial pero no tenía la más remota idea del significado de las restantes letras. Pregunté a la señorita Chigwell, que movió la cabeza negativamente.

—Toda esta medicina técnica es tan posterior a mi época. Mi padre nunca trabajó con la sangre; entonces no sabían nada de grupos sanguíneos, no digamos ya lo que hacen hoy con esas cosas. Digo yo que no quería enterarme de nada por el resquemor de no haber podido hacerme médico.

Me centré en las notas unos minutos más, pero esto era labor de Lotty. Amontoné los volúmenes. Había llegado el momento de hacer algo de lo que sí entendía: le pregunté cómo habían entrado en la casa los intrusos.

—Supongo que Curtis les abrió la puerta —dijo con tirantez. Me recosté en la silla y la observé pensativamente. Acaso no hubiera entrado nadie en la casa aquella tarde.

Podría ser que estuviera aprovechando la oportunidad de la desaparición de su hermano para vengarse de él por haber echado a perder la obra de su padre durante todos estos años. O acaso en la confusión de los últimos días hubiera olvidado dónde tenía ocultas las notas mecanografiadas. Después de todo, tenía casi ochenta años.

Procuré tantearla, pero no muy hábilmente. Frunció las cejas ferozmente.

—Jovencita, haga el favor de no tratarme como a una anciana senil. Estoy en plena posesión de mis facultades. Vi a Curtis intentando quemar sus notas hace cinco días. Puedo incluso enseñarle el sitio donde el fuego traspasó la papelera y quemó la alfombra.

—No tengo idea de por qué querría destruirlas. Ni por qué se metió aquí a hurtadillas para robarlas. Pero las dos cosas pasaron.

Sentí la cara un tanto acalorada. Me levanté y le dije que iba a registrar la casa. Ella seguía algo fría, pero me llevó a hacer un recorrido. Aunque me había dicho que había arreglado el desorden de los libros y la plata, no había pasado el aspirador ni el polvo. Tras una laboriosa búsqueda digna de Sherlock Holmes, hallé en efecto rastros de barro seco en la moqueta de la escalera. No estaba segura de lo que aquello probara, pero no tenía dificultad para creer que no lo habría traído la señorita Chigwell. Ninguna de las cerraduras exhibía muestras de haber sido forzada.

En mi opinión, no debía quedarse sola en casa por la noche; cualquiera que hubiera entrado una vez de aquel modo podía volver fácilmente, con o sin su hermano. Y si me habían visto llegar, no era impensable que volvieran para saber por qué, con métodos que una mujer mayor —por muy fuerte que fuera— no podría aguantar.

—Nadie va a hacerme salir de mi casa. Yo me crié aquí y no estoy dispuesta a dejarla ahora. —Me miró terriblemente ceñuda.

Hice lo que pude por disuadirla, pero se mostró inflexible. O bien estaba asustada y no quería admitirlo, o conocía el motivo de que su hermano quisiera echarle el guante a los cuadernos tan desesperadamente. Pero entonces no me habría entregado los originales a mí.

Moví la cabeza disgustada. Estaba agotada, me dolían los hombros, la cabeza me latía levemente en el punto donde me habían golpeado. Si la señorita Chigwell no decía la verdad, ésta no era la noche para resolverlo; tenía que irme a la cama. Al salir, no obstante, se me ocurrió otra cosa.

—¿Con quién ha ido a instalarse su hermano?

Ante aquello pareció un tanto turbada: no lo sabía.

—Me extrañó cuando dijo que se iba con unos amigos, porque no tiene ninguno. Es verdad que recibió una llamada el miércoles por la tarde unas dos horas después de salir del hospital, y un poco después fue cuando me anunció que se iba unos días. Pero se marchó mientras yo estaba cumpliendo mis horas voluntarias en el hospital, de modo que no tengo ni idea de quién pudo venir a recogerle.

La señorita Chigwell tampoco tenía idea de quién había llamado a su hermano. Había sido un hombre, porque ella había descolgado la extensión al mismo tiempo que Curtis. Al oír la voz de un hombre decir el nombre de su hermano había colgado inmediatamente. Era una pena, desde luego, que su sentido de la rectitud moral hubiera sido demasiado fuerte para impedirle espiar a su hermano, pero no se puede tener todo en este mundo imperfecto.

Eran casi las once cuando al fin me fui. Volviendo la vista atrás, vi la silueta de su enjuta figura en el umbral de la puerta. Levantó una mano con gesto severo y cerró la puerta.

29

Sabandijas nocturnas

No me había dado cuenta de lo cansada que me sentía hasta que me metí en el coche. El dolor de los hombros me volvió en una oleada que me forzó a recostarme débilmente en el asiento. Los ojos me escocieron con lagrimitas de sufrimiento y autocompasión. Los que abandonan no ganan nunca y los que ganan no abandonan nunca, me dije citando a mi antigua entrenadora de baloncesto sombríamente. Juega a pesar del dolor, no contra él.

Bajé la ventanilla del coche, moviendo el brazo resentido lentamente a órdenes de mi cerebro. Permanecí un rato sentada, observando la casa de los Chigwell y la calle a su alrededor, adormilándome un poco, y decidiendo al fin que la indomable anciana no estaba bajo vigilancia, antes de meter la marcha del coche y salir hacia mi casa.

La vía Eisenhower no está nunca vacía de tráfico del todo: los camiones retumban de entrada a la ciudad durante toda la noche, hay personas que salen de los últimos turnos nocturnos, otros que buscan la acción que no comienza hasta después de oscurecido. Me incorporé al flujo de vehículos anónimos en Hillside. La continua corriente de luces —rojas las de los coches, naranja a los costados de los camiones, filas de farolas avanzando hacia el horizonte hasta donde alcanzaba la vista— me hizo sentirme aislada y sola. Una motita en aquel gran universo de luces, un átomo de polvo que podía unirse al barro de la laguna del Palo Muerto sin dejar un solo rastro.

Este estado de ánimo fragmentado me acompañó mientras avanzaba sin prisa por la Belmont hasta mi casa de Racine. Con la mitad de mi cabeza abrigaba la esperanza de que el señor Contreras y Peppy estuvieran aún levantados para recibirme; la otra mitad decía seriamente que no quería que el viejo metiera la nariz en mis asuntos a todas horas.

Puede que ese secreto anhelo me salvara la vida. Me había detenido en el piso bajo a la puerta del señor Contreras, dejando los volúmenes en el suelo para atarme el zapato, y comprobar si mi presencia lograba animar a la perra para poder disfrutar de un poco de compañía antes de acostarme.

El silencio que percibí al otro lado de la puerta me dijo que el piso estaba vacío. Era seguro que Peppy se habría dejado sentir al oírme, y el viejo no la habría dejado fuera y sola a estas horas de la noche. Miré escaleras arriba, preguntándome absurdamente si acaso estarían esperándome en el descansillo.

Mi pensamiento inconsciente comprendió que algo pasaba. Me forcé a permanecer inmóvil, obligué a mi fatigado cerebro a pensar. El rellano de arriba estaba oscuro. Era posible que se hubiera fundido una de las bombillas, pero ambas en la misma noche era llevar las coincidencias demasiado lejos. Puesto que el círculo del vestíbulo estaba iluminado, cualquiera que subiera por las escaleras hacia el segundo o tercer piso quedaría bien destacado en un pozo de luz.

Desde el rellano más alto provenía un débil murmullo, no el sonido del señor Contreras hablándole a Peppy. Recogiendo los cuadernos, me deslicé sin ruido hasta el vestíbulo. Me metí los volúmenes bajo el brazo, saqué la pistola y le quité el seguro. Me volví en dirección a la calle. Muy agachada, abrí la puerta de entrada y me confundí con la noche.

Nadie me disparó. La única persona que había fuera era un joven de aspecto taciturno que vivía en la misma manzana. Ni tan siquiera me miró cuando pasé a su lado apresuradamente hacia Belmont. No quería llevarme el coche: si alguien me esperaba fuera del piso, es posible que estuvieran vigilando mi Chevy; mejor sería que creyeran que aún seguía por allí. Si alguien me esperaba. Quizás el miedo y la fatiga me hacían sobresaltarme por meras interpretaciones fantasiosas de la luz y los ruidos de la calle.

En Belmont me volví a guardar la Smith & Wesson en los vaqueros y paré un taxi para que me llevara a casa de Lotty. Estaba sólo a una milla de allí aproximadamente, pero no estaba en condiciones para caminar tanto aquella noche. Le pedí al taxista que esperara hasta comprobar si me abrían la puerta o no. Con el servicial estilo de los conductores de hoy, me contestó con un exabrupto.

—No soy su esclavo. Le doy la carrera, no mis servicios perpetuos.

—Espléndido. —Retiré los cinco dólares que iba a entregarle—. Entonces le pagaré después que sepa si me voy a quedar aquí a pasar la noche o no.

Empezó a vociferar, pero no le hice el menor caso y abrí la portezuela. Eso le impulsó a utilizar la fuerza; se volvió hacia mí y me dirigió un revés. Yo le dejé caer el montón de cuadernos sobre el brazo con toda la rabia reconcentrada por las frustraciones de los últimos días.

—¡Zorra! —escupió—. Fuera. Fuera de mi taxi. No me hace falta tu dinero.

Me deslicé sobre el asiento trasero, y salí con la precaución de no perderle de vista hasta que se fue con un gran chirrido de ruedas. Lo único que me faltaba es que Lotty se hubiera tenido que ir por una urgencia o tuviera el sueño demasiado pesado para oír el telefonillo. Pero los dioses no habían dispuesto que sufriera una racha total de desastres aquella noche. Tras unos minutos, en los que fue creciendo mi nerviosa irritación, su voz vibró por el sistema interior.

—Soy Vic. ¿Puedo subir?

Me recibió en la puerta de su piso envuelta en una bata rojo fuerte, con aspecto de mandarín y sus oscuros ojos parpadeando de sueño.

—Lo siento, Lotty; siento despertarte. Había salido esta

noche. Cuando volví me pareció que podría haber un comité de recepción esperándome.

—Si quieres que vaya contigo para tirotear a unos cuantos cacos, la respuesta es decididamente no —dijo sardónica—. Pero me alegro de que tengas bastante apego a tu pellejo para no salir detrás de ellos sola.

No era capaz de responder a su tono jovial.

—Quiero llamar a la policía. Y no quiero volver a Racine hasta que hayan podido registrar la casa.

—Pero qué bien —dijo Lotty asombrada—. Empiezo a creer que incluso vas a llegar a los cuarenta.

—Mil gracias —murmuré, avanzando hacia el teléfono. No me agradaba enseñar los talones, traspasando mis dificultades a otros para que las resolvieran. Pero negarme a buscar ayuda simplemente porque Lotty se hubiera puesto sarcástica me parecía estúpido.

Bobby Mallory estaba en casa. Como Lotty, se mostró propenso a burlarse de mí por haber acudido a él, pero una vez que hubo escuchado los hechos su persona profesional predominó. Me hizo unas cuantas preguntas precisas y después me aseguró que habría un coche patrulla en mi casa con las luces apagadas antes de que él hubiera salido de la suya. Antes de colgar, sin embargo, no pudo evitar la tentación de restregarme la cuestión por las narices.

—Quédate donde estás, Vicki. No acabo de creerme que estés dejando a la policía ocuparse de los asuntos policiales, pero recuerda: lo último que queremos de ti es que te metas como un bólido entre nosotros y un par de maleantes.

—De acuerdo —dije agriamente—. Miraré en los periódicos de la mañana para enterarme de cómo ha ido la cosa.

Ahí se cortó la comunicación. Pasé la hora siguiente paseando inquieta por el salón de Lotty. Ésta procuró en un principio convencerme para que me acostara en su habitación libre, preparándome un vaso de leche con brandy, pero al final me dejó sola.

—Yo necesito dormir aun si tú puedes prescindir de ello, Victoria. No te voy a sermonear sobre el descanso después del trago físico que has pasado. —Si no te has enterado ya de que te hace falta, nada de lo que yo diga te hará efecto—. Pero recuerda: tu cuerpo es un organismo que va envejeciendo. Se recuperará cada vez más lentamente con el paso del tiempo, y cuanto menos le ayudes, menos podrás confiar en él.

Sabía por el tono tanto como por las palabras que Lotty estaba realmente enfadada, pero yo seguía estando fragmentada en exceso para ofrecer respuesta alguna. Lotty me quiere; temía que me expusiera a tales peligros que pudiera morir y abandonarla. Eso lo entendía; simplemente no era capaz de reaccionar bien aquella noche.

Hasta que no hubo cerrado la puerta con un chasquido iracundo no recordé los cuadernos de Chigwell. No era el momento para llamar a su habitación y pedirle que me descifrara su taquigrafía médica. Bebí un poco de leche y me tumbé en el sofá cama quitándome las botas, pero no conseguí relajarme. No lograba sino pensar en que había huido asustada de mis problemas, que había recurrido a la policía, y ahora esperaba a que me rescataran como cualquier damisela desfasada en peligro.

Era demasiado. Poco después de media noche me calcé las botas otra vez. Dejando a Lotty una nota en la mesa de la cocina, salí sigilosamente del piso, cerrando la puerta con cuidado tras de mí. Empecé a caminar en dirección sur, siguiendo las calles principales con la esperanza de encontrar un taxi. Mi inquieta energía mantenía mi agotamiento a raya; cuando llegué a Belmont dejé de buscar taxis y recorrí la última media milla con paso ligero.

Había imaginado la calle llena de destellos azules y blancos y hombres uniformados corriendo de aquí para allá. Pero cuando llegué a mi casa toda actividad policial había desaparecido sin dejar huella. Entré con cautela en el vestíbulo, agachándome ligeramente, apretándome a las paredes que no eran visibles desde la escalera.

Las luces del rellano superior estaban nuevamente encendidas. Al subir el primer medio tramo, de costado, con la espalda resbalando contra la pared, se abrió la puerta del piso del señor Contreras. Peppy salió de un salto seguida por el viejo.

Cuando me vio, empezaron a correrle lágrimas por las mejillas.

—Ay, niña, gracias a Dios que estás bien. Vino la poli, pero no quisieron decirme si sabían dónde estabas. ¿Qué te ha pasado? ¿Dónde has estado?

Tras unos cuantos minutos descoyuntados empezamos a contar nuestras mutuas historias. Hacia las diez y media alguien le había llamado, diciéndole que yo estaba en mi oficina y en mal estado. No se le ocurrió buscar ayuda o preguntarse quién sería el extraño que llamaba. Por el contrario, preparó a Peppy, forzó a un taxista que pasaba para que los llevara a ambos, y se lanzó hacia el centro. Como nunca había estado en mi oficina, había perdido algún tiempo hasta encontrar el sitio. Cuando comprobó que la puerta estaba cerrada y las luces apagadas, no tuvo paciencia para buscar al vigilante nocturno: había utilizado su eficaz llave inglesa para romper la cerradura.

—Lo siento, niña —dijo apesadumbrado—. Te la arreglaré por la mañana. Si hubiera utilizado la cabeza, supongo que me habría dado cuenta de que alguien quería quitarnos de en medio a mí y a la perra.

Yo asentí abstraída. Había alguien siguiéndome los pasos lo bastante cerca para saber que mi vecino de abajo estaría al acecho si me ponían una trampa. Ron Kappelman. ¿Qué otro había visto al señor Contreras tan de cerca?

—¿Encontró a alguien la policía? —pregunté bruscamente.

—Se llevaron a un par de tipos en una furgoneta, pero yo no pude echarles ni un vistazo. Ni siquiera pude hacer eso por ti. Vinieron para arrinconarte y me quitaron de en medio con un truco burdo que no habría engañado a un niño de seis años. Y encima yo sin saber dónde te habías ido ni nada. Sabía que no era a casa de tu tía, después de lo que me habías dicho de ella y tu mamá, pero no tenía la menor idea de dónde habrías ido.

Tardé un rato en tranquilizarle lo bastante para que me dejara pasar la noche sola. Tras unos cuantos ensayos más de preocupación y autorreproche, me acompañó por último hasta mi piso. Habían intentado forzar la entrada, pero la doble puerta de acero que había instalado después de la última intrusión en mi casa había resistido. No habían conseguido traspasarla ni habían podido abrir mi tercer cerrojo de seguridad. Aun así, hice un pormenorizado recorrido de la casa con el señor Contreras y la perra, la cual dejó conmigo esperando fuera hasta que oyó cerrarse el último cerrojo antes de bajar a su propia casa.

Hice un intento de llamar a Bobby en el Distrito Central, pero había desaparecido; o no quería responder a mi llamada. Ninguno de los restantes agentes que conocía estaban allí y los que no conocía no me dirían nada sobre los hombres que habían pescado en mi casa. No tenía otro remedio que dejarlo hasta la mañana.

30

Reparación de cercas

Me estaban enterrando viva. Un verdugo con una capucha de plástico negro me iba echando tierra encima. «Anda, dinos la hora, rica», decía. Lotty y Max Loewenthal estaban sentados allí cerca comiendo espárragos y bebiendo coñac, haciendo caso omiso de mis impotentes gritos. Desperté del sueño sudando y jadeante, pero cada vez que volvía a dormirme empezaba otra vez la pesadilla.

Cuando al fin me levanté definitivamente la mañana estaba acabando. Tenía el cuerpo tirante y dolorido, y la cabeza llena de los vapores que una noche inquieta deja siempre tras de sí. Deambulé hacia el cuarto de baño con piernas pesadas y torpes. Permanecí un buen rato en remojo en la bañera, sin que Peppy dejara de observarme con ansiedad desde la puerta.

Tuvo que haber sido Kappelman el que había dispuesto la emboscada de anoche. Era el único que sabía que yo había salido, el único que conocía los afanosos cuidados que me prodigaba el señor Contreras. Pero por mucho que me esforzara, no lograba imaginar por qué lo habría hecho.

El pensar que pudiera haber asesinado a Nancy era del todo increíble. Los amores agriados llevan por lo menos a una persona al día a la comisaría de la Veintiséis con California. Pero un crimen pasional no tenía nada que ver conmigo. Ninguna de mis maquinaciones sobre Humboldt, sobre

Pankowski y Ferraro, sobre Chigwell parecía conectar con Ron Kappelman. A menos que supiera algo sobre el documento de seguros de Jurshak que quisiera desesperadamente mantener oculto. ¿Pero cuál había podido ser su participación en aquello?

Era más fácil creer que Art Jurshak hubiera montado el abortado ataque anoche. Después de todo, pudo haber despistado al viejo sin saber que yo no estaba en casa, y decidido después quedarse al acecho hasta que volviera. Mi cabeza se devanaba infructuosamente. El agua se quedó fría, pero no me moví hasta que el teléfono empezó a sonar. Era Bobby, más animado y más alerta de lo que me era posible tolerar en mi estado febril.

—La doctora Herschel dice que la dejaste en mitad de la noche. Creo haberte dicho que no fueras por tu casa hasta que te diera aviso de que había pasado todo.

—No quise esperar hasta la Segunda Venida de Cristo. ¿A quién encontrasteis anoche aquí?

—Cuidado con el vocabulario cuando hables conmigo, jovencita —dijo Bobby automáticamente; es de los que cree que las chicas buenas no deben hablar como polizontes empedernidos. Y aunque sabe que lo hago casi por hacerle entrar al trapo, no puede resistirse a embestir. Antes de que yo pudiera regalarle con lo de no ser un subalterno para que me diera órdenes, que son trapos que yo tampoco puedo resistir, prosiguió apresuradamente.

—Pescamos a dos tipos rondando tu puerta. Dicen que habían subido solamente a fumarse un cigarrillo, pero llevaban ganzúas y pistolas. El fiscal estatal nos los ha dejado veinticuatro horas por ocultar y no tener registradas armas delictivas. Queremos que vengas para una rueda de reconocimiento; a ver si identificas a alguno de estos caballeros como participante en el ataque del miércoles.

—Ya, claro —dije apagadamente—. Llevaban impermeables negros de los que tienen capuchas que cubren gran parte de la cara. No estoy segura de poder reconocerlos.

—Estupendo. —Bobby no hizo el menor caso de mi falta de ardor—. Voy a mandar a uno de uniforme a recogerte dentro de media hora; a menos que sea demasiado pronto para ti.

—Como la Justicia, yo nunca duermo —dije educadamente, y colgué.

Después llamó Murray. Habían cerrado la edición de mañana antes de recibir aviso de sus soplones policiales de que se había hecho una detención en mi casa. Su jefe, conociendo nuestra amistad, le había despertado con la noticia. Murray siguió bombeando con incansable energía durante varios minutos. Finalmente le interrumpí malhumorada:

—Me voy a una rueda de reconocimiento. Si entre ellos están Art Jurshak o el doctor Chigwell te doy un telefonazo. Por cierto, que el bueno del doctor anda con la clase de gente a la que le gusta colarse en las casas ajenas.

Colgué a medio berrido de Murray. El teléfono volvió a sonar cuando me dirigía a grandes pasos hacia mi habitación para vestirme. Decidí no hacer caso: que Murray se enterara de las cosas por la radio o similares. Mientras me cepillaba el pelo con desabrida mala gana, el señor Contreras me trajo el desayuno a la puerta. Mi deseo de anoche de tener su compañía se había agotado. Bebí una taza de café con displicencia y le dije que no tenía tiempo para comer nada. Cuando empezó a ponerse pesado perdí los estribos y le contesté una impertinencia.

Sus ojos de un pardo desvaído se llenaron de una expresión herida. Recogió a la perra con sosegada dignidad y se fue. De inmediato me sentí avergonzada y corrí tras él. Pero estaba ya en el vestíbulo y yo no llevaba las llaves. Volví escalera arriba.

Mientras cogía llaves y bolso, metiéndome la Smith & Wesson en la cinturilla del pantalón, llegó el hombre de uniforme para llevarme a la rueda de reconocimiento. Cerré el cerrojo de seguridad con cuidado —algunos días no me molesto en hacerlo— y corrí escalera abajo. Cuanto antes empezara, antes acabaría, o lo que fuera que dijo lady Macbeth.

El hombre de uniforme resultó ser una mujer, agente de patrulla Mary Louise Neely. Era tranquila y seria, iba embutida como una vara en su uniforme azul marino agresivamente planchado y se dirigió a mí con un «señora» que me hizo agudamente consciente de los doce años o más que nos separaban. Me abrió la puerta con eficiencia militar y me escoltó por el caminillo hasta el coche patrulla que esperaba.

El señor Contreras estaba frente a la casa con Peppy. Yo quería hacer algún gesto de reconciliación, pero la severa presencia de la agente Neely me dejó sin palabras. Le alargué la mano, pero él cabeceó muy tieso, llamando a la perra con voz aguda cuando ésta saltó tras de mí.

Intenté hacer preguntas perspicaces a la agente sobre su trabajo y sobre si los Cubs o los Sox conseguirían empeorar su espantosa actuación de la pasada temporada. Pero la agente me desdeñó por completo, manteniendo fija su grave mirada para malhechores sobre la carretera del lago, susurrando periódicamente en el transmisor que llevaba colgado a la solapa.

Recorrimos las seis millas hasta el Distrito Central a buen paso. Paró el coche briosamente en el aparcamiento policial unos quince minutos después de salir de mi casa. Está bien, era sábado y escaso el tráfico, pero con todo era una demostración impresionante.

Neely me guió con ligereza por el laberinto del viejo edificio, intercambiando sobrios saludos con otros agentes, y me llevó a la sala de observación. Allí estaba Bobby, con el sargento McGonnigal y el detective Finchley. Neely les hizo un saludo tan impetuoso que temí que fuera a caerse de espaldas.

—Gracias, agente. —Bobby la despidió cordialmente—. Ahora nos hacemos cargo nosotros.

Comprobé que me sudaban levemente las palmas de las manos y el corazón me latía algo más rápidamente. No quería ver a los hombres que me habían envuelto en la manta el miércoles. Por eso había huido de mi casa anoche. Me tenían acobardada, del todo y a fondo. ¿Y ahora iba a tener que comportarme como un perro obediente bajo la mirada vigilante de la policía?

—¿Tienen nombre los dos que cogisteis anoche? —pregunté, manteniendo un tono sereno, procurando disimular con un poco de arrogancia.

—Sí —gruñó Bobby—. Joe Jones y Fred Smith. Es casi tan divertido tratar con ellos como contigo. Y sí, hemos pedido una comprobación de huellas dactilares, pero estas cosas nunca van tan rápidas como quieres. Podemos montar una acusación por vagabundeo en propiedad privada y por llevar armas ocultas y sin licencia. Pero tú sabes y yo sé que el lunes vuelven a estar en la calle a menos que podamos añadir intento de asesinato. De modo que tienes que decirme si son los amigos que te mandaron a nadar el miércoles.

Movió la cabeza en dirección a Finchley, un negro de paisano que yo conocí cuando empezaba a patrullar. El detective fue hacia la puerta del extremo opuesto de la habitación y dio algunas órdenes a unas personas no visibles para que formaran la fila.

El reconocimiento por parte de testigos presenciales no es esa gran revelación que aparece en los dramas de género legal. Bajo tensión, la memoria te juega malas pasadas: tienes la certeza de haber visto a un hombre algo negro con vaqueros y en realidad era un gordo blanco con traje de calle. Cosas así. Probablemente una tercera parte de mis actuaciones como defensor de oficio se habían fundado en la exposición de increíbles casos de identidad equivocada. Por otra parte, la tensión puede grabar recuerdos indelebles —un gesto, una mancha de nacimiento— que vuelven cuando ves otra vez a la persona. Nunca está de más intentarlo.

Con las manos metidas en los bolsillos para ocultar su temblor, acompañé a Bobby hasta la ventana de observación de visión unilateral. McGonnigal encendió la luz desde nuestro lado y la pequeña habitación del otro lado se recortó claramente.

—Tenemos dos grupos —murmuró Bobby en mi oído—. Ya conoces el procedimiento: piénsalo despacio, pide al que te parezca que se vuelva de espaldas o lo que quieras.

Seis hombres entraron con estudiada pugnacidad. Todos eran, a mi juicio, parecidos entre sí: blancos, corpulentos, en torno a los cuarenta años. Intenté imaginármelos con capuchas negras, el verdugo de mi pesadilla de esta mañana.

—Pídeles que hablen —dije bruscamente—. Que digan «Anda, dinos la hora, rica», y después «Tírala aquí, Troy. En el sitio marcado con la X.»

Finchley transmitió la petición a los agentes invisibles que dirigían el espectáculo. Uno por uno, los hombres fueron balbuciendo las palabras obedientemente. Yo no hacía más que observar al segundo tipo por la izquierda. Tenía una especie de sonrisa reservada, como si supiera que iba a ser imposible sostener una acusación en serio. Los ojos. ¿Podría recordar los ojos del hombre que se me había acercado a la orilla del lago? Fríos, inexpresivos, calculando las palabras para tocarme en lo más débil.

Pero cuando el hombre habló no reconocí su voz. Era ronca, con el sonsonete del Sector Sur, no el tono impasible que yo recordaba.

Moví la cabeza.

—Creo que es el segundo por la izquierda. Pero no reconozco la voz y no puedo decirlo con absoluta seguridad.

Bobby asintió imperceptiblemente y Finchley dio orden de llevarse a la fila.

—¿Y? —pregunté—. ¿Es ése?

El teniente sonrió con renuencia.

—Creí que iba a ser como una aguja en un pajar, pero es el tipo que cogimos delante de tu puerta anoche. No sé si tu identificación será suficiente para el fiscal del estado. Pero quizá podamos enterarnos de quién ha pagado su fianza.

Trajeron a la segunda fila, una serie de hombres negros. Sólo había visto de cerca a uno de mis atacantes. Aun presumiendo que Troy fuera uno de los hombres que tenía ante mí, no pude señalarlo, incluso con prueba de voz.

Bobby estaba de un humor excelente por mi identificación del primer hombre. Me ayudó afablemente con todos los trámites y llamó a la agente Neely para que me llevara a casa, despidiéndome con una palmadita en el brazo y la promesa de comunicarme cuándo sería la primera fecha para el juicio.

Mi estado de ánimo, sin embargo, no era tan jovial. Cuando Neely me dejó en casa subí a ponerme los zapatos de correr. Todavía no me sentía con fuerza para una carrera, pero me hacía falta un paseo largo para aclarar mi cerebro antes de ver a Caroline por la tarde.

Primero, no obstante, tenía que reparar mis cercas. El señor Contreras me recibió distante, procurando disimular sus heridos sentimientos con un barniz de cortesía. Pero la sutileza no formaba realmente parte de su constitución. Cedió pasados unos minutos, me dijo que nunca más subiría a mi casa sin llamar antes, y me frió unos huevos con bacon para comer. Después, permanecí un rato sentada charlando con él, conteniendo mi impaciencia ante su prolongado flujo de reminiscencias irrelevantes. Además, cuanto más tiempo estuviera hablando él, más podía postergar el enfrentarme a una conversación mucho más difícil. Pese a ello, a las dos supuse que ya estaba bien de eludir a Lotty y salí hacia Sheffield.

No fue tan fácil hacer las paces con Lotty y darle un beso. Estaba en casa entre sus horas de clínica de la mañana y un concierto con Max por la tarde. Hablamos en la cocina mientras ella sobrecosía con diminutas puntadas el dobladillo de una falda negra. Por lo menos no me dio con la puerta en las narices.

—No sé cuántas veces he tenido que remendarte en los últimos diez años, Victoria. Muchas. Y prácticamente siempre ha sido una situación con riesgo de muerte. ¿Por qué te quieres tan poco?

Miré fijamente al suelo.

—No quiero que nadie me resuelva mis propios problemas.

—Pero anoche viniste aquí. Me metiste en tus problemas, y después desapareciste sin decir palabra. Eso no es independencia; eso es crueldad desconsiderada. Tienes que decidirte sobre lo que quieres de mí. Si es sólo que sea tu médico, la persona que te cose cuando te empeñas en meter la cabeza delante de una bala, muy bien. Pasaremos a encuentros fríos del todo. Pero si quieres que seamos amigas, no puedes comportarte con ese alegre desprecio por mis sentimientos hacia ti. ¿Lo comprendes?

Me froté la cabeza fatigada. Al fin miré hacia ella.

—Lotty, estoy asustada. Nunca he estado tan atemorizada desde el día en que mi padre me dijo que Gabriella se moría y no se podía hacer nada. Entonces supe que era un enorme error depender de alguien para que me solucionara las cosas. Ahora estoy, por lo visto, demasiado aterrada para resolverlos sola y estoy dando coletazos. Pero cuando pido ayuda me pone totalmente frenética. Sé que es difícil para ti. Y lo siento. Pero ahora mismo no consigo el suficiente distanciamiento para remediarlo.

Lotty terminó de pasar el hilo por el dobladillo y dejó la falda. Sonrió con gesto torcido.

—Sí. No es fácil perder a tu madre, ¿verdad? ¿Podíamos llegar a un acuerdo, querida? No te exigiré conductas que no puedes seguir. Pero cuando te encuentres en este estado, ¿me lo dirás, para que no me enfade tanto contigo?

Cabeceé unas cuantas veces, con la garganta tan apretada que me impedía hablar. Lotty se acercó a mí y me abrazó fuertemente.

—Tú eres la hija de mi corazón, Victoria. Ya sé que no es lo mismo que tener a Gabriella, pero el cariño está ahí.

Sonreí trémula.

—En vuestro ardor sois las dos iguales.

Después de aquello le hablé de los cuadernos que me había dejado allí. Prometió revisarlos el domingo, para ver si podía sacar algo en limpio.

—Y ahora tengo que vestirme, cariño, ¿Pero por qué no te vienes a pasar la noche? Es posible que nos venga bien a las dos.

31

Bola de fuego

Cuando volví a casa pasé a informar al señor Contreras de que había llegado y a decirle que Caroline llegaría pronto. Mi conversación con Lotty había contribuido algo a devolverme el equilibrio. Me sentía lo bastante tranquilizada para abandonar mi plan de pasear en pro de un poco de trabajo doméstico.

El pollo a medio hacer que había metido en la nevera el martes por la noche estaba bastante maloliente. Lo llevé al callejón de los cubos de basura, fregué la nevera con bicarbonato para amortiguar el olor, y saqué los periódicos a la puerta de entrada para que los recogiera el equipo de reciclaje. Cuando llegó Caroline poco después de las cuatro, había pagado todas mis facturas de diciembre y había organizado los recibos para pagar el impuesto sobre la renta. También se me resentían todos los músculos doloridos.

Caroline subió las escaleras despacio, sonriendo un poco nerviosa. Me siguió al salón, rechazando mi oferta de refrescos con voz queda y nasal. No recordaba haberla visto nunca tan turbada.

—¿Cómo va, Louisa? —pregunté.

Hizo un gesto de rechazo con la mano.

—Ahora mismo parece estable. Pero los fallos renales te dejan hecha polvo; al parecer la diálisis sólo extrae del organismo una fracción de las impurezas, de modo que te encuentras fatal en todo momento.

—¿Le contaste la llamada que recibiste, sobre que Joey Pankowski era tu padre?

Movió la cabeza.

—No le he dicho nada. Ni que tú estuvieras buscándolo ni... ni, en fin, nada. No tuve más remedio que hablarle de la muerte de Nancy, claro; lo habría visto en la televisión o se lo habría dicho su hermana. Pero no puede tolerar más perturbaciones como ésa.

Jugueteó nerviosamente con los flecos de uno de los cojines del sofá y después exclamó:

—Ojalá no te hubiera pedido nunca que buscaras a mi padre. No entiendo qué clase de magia creí que podrías invocar. Y no sé por qué pensé que encontrarle iba a alterar mi vida de alguna manera —soltó una risita áspera—. ¿Qué estoy diciendo? Sólo el hecho de ponerte a buscarlo me ha cambiado la vida.

—¿Podríamos hablar de eso un poco? —pregunté mansamente—. Alguien te llamó hace dos semanas y te dijo que me hicieras salir de la escena, ¿no? Entonces me telefoneaste con esa monserga increíble de que no querías que buscara a tu padre.

Inclinó tanto la cabeza hacia abajo que sólo vi sus indómitos rizos cobrizos. Esperé pacientemente. No habría hecho todo el recorrido hasta Lakeview si no estuviera resuelta a contarme la verdad; simplemente estaba costándole algún tiempo el poner el último perno a su valor.

—Es la hipoteca —susurró al fin mirándose los pies—. Pasamos muchos años en alquiler. Entonces, cuando yo empecé a trabajar pudimos al fin ahorrar lo suficiente para una entrada. Recibí una llamada. Un hombre... no sé quién era. Dijo... dijo... que había estado estudiando nuestro préstamo. Creía... me dijo... que lo iban a cancelar si no te obligaba a dejar de buscar a mi padre... a dejar de ir por ahí haciendo preguntas sobre Ferraro y Pankowski.

Por último levantó los ojos, destacándose fuertemente

sus pecas en la palidez de su cara. Alargó las manos suplicante y yo me levanté de la silla para ir a abrazarla. Durante unos minutos se acurrucó contra mí, temblando, como si siguiera siendo la pequeña Caroline y yo la chica mayor que podía protegerla de todo peligro.

—¿Llamaste al banco? —pregunté al fin—. ¿Para enterarte de si sabían algo del asunto?

—Tenía miedo de que si me oían hacer preguntas lo hicieran, ya sabes. —La voz se apagaba en mi axila.

—¿Qué banco es?

Se incorporó y me miró alarmada.

—¡No irás a hablarles de eso, Vic! ¡No puedes!

—Puede que conozca a alguien que trabaja allí, o alguien del consejo de dirección —dije pacientemente—. Si veo que no puedo hacer unas pocas preguntas muy discretamente, te prometo que no voy a remover el barro. ¿De acuerdo? Además, casi podría apostar que es el Banco Metalúrgico de Ahorro y Crédito; es allí donde ha ido siempre todo el barrio.

Sus grandes ojos escudriñaron mi cara angustiados.

—Ése es, Vic. Pero tienes que prometerme, prometerme en serio, que no vas a hacer nada que ponga en peligro nuestra hipoteca. Sería la muerte de mamá si algo así nos pasara ahora. Sabes que es cierto.

Asentí solemnemente y le di mi palabra. No creí que estuviera exagerando el efecto que tendría en Louisa cualquier perturbación de importancia. Mientras reflexionaba sobre la frenética reacción de Caroline a cualquier amenaza a su madre, se me ocurrió otra cosa.

—Cuando asesinaron a Nancy le dijiste a la policía que yo sabía por qué la habían matado. ¿Por qué lo hiciste? ¿Fue porque realmente querías que os tuviera vigiladas a ti y a Louisa?

Enrojeció violentamente.

—Sí. Pero no me sirvió de nada. —Su voz era apenas un rumor.

—¿Quieres decir que lo hicieron? ¿Te anularon la hipoteca?

—Peor. No sé cómo... cómo se imaginaron... que había acudido a ti por su asesinato. Volvieron a llamarme. Por lo menos era el mismo hombre. Y me dijeron que si no quería que le retiraran a mamá el seguro médico sería mejor que te hiciera salir de Chicago Sur. Y entonces sí que me asusté. Hice todo lo posible, y cuando el hombre volvió a llamarme le dije... le dije que no podía... no podía impedírtelo, que trabajabas por cuenta propia.

Me miró temerosa.

—¿Me perdonas, Vic? Cuando vi las noticias, vi lo que te había pasado, me hizo pedazos. Pero si tuviera que volver a hacerlo, lo haría exactamente igual. No podía permitir que le hicieran daño a mamá. Después de todo lo que ha pasado por mí; con todo el padecimiento que está pasando ahora.

Me puse en pie y caminé iracunda hacia la ventana.

—¿No se te ocurrió que si me lo decías podría hacer algo? ¿Protegerte a ti y a ella? En lugar de ir a ciegas, con lo cual casi me matan a mí.

—No creía que pudieran hacer nada —dijo simplemente—. Cuando te pedí que buscaras a mi padre seguía pareciéndome que eras mi hermana mayor, que podías resolverme todos mis problemas. Después vi que no eras tan omnipotente como yo te imaginaba. Es que, sencillamente, con mamá tan enferma y todo lo demás me hacía mucha falta alguien que se ocupara de mí, y pensé que quizá siguieras siendo tú esa persona.

Su declaración disipó mi ira. Volví al sofá y le sonreí con una mueca.

—Creo que por fin te has hecho mayor, Caroline. De eso se trata precisamente; de no llevar detrás a personas mayores que vayan limpiando nuestros traspiés. Pero aun si no soy ya la chica que podía zurrar a toda la barriada para sacarte las castañas del fuego, tampoco soy del todo inútil. Creo que es posible limpiar parte de la basura que flota por aquí.

Sonrió vacilante.

—Está bien, Vic. Haré por ayudarte.

Fui al comedor y saqué una botella de Barolo del armario de los licores. Caroline no bebía casi nunca, pero el vino espeso contribuyó a sosegarla. Charlamos un rato, no sobre nuestros actuales problemas, sino de cosas en general: si Caroline quería realmente el título de derecho ahora que ya no tenía que jugar a alcanzarme. Tras uno o dos vasos, ambas nos sentimos capaces de volver al asunto de marras.

Le hablé sobre Pankowski y Ferraro y los informes contradictorios de su pleito contra Químicas Humboldt.

—No sé qué puede tener que ver eso con la muerte de Nancy. O con mi ataque. Pero fue cuando me enteré y empecé a preguntar a la gente sobre ellos cuando alguien me amenazó.

Escuchó la narración detallada de mis encuentros con el doctor Chigwell y su hermana, pero no pudo darme ningún dato sobre los análisis de sangre que hacía a los empleados de Xerxes.

—Es la primera noticia que tengo. Ya sabes cómo es mamá: si le hacían un examen médico todos los años, lo pasaría sin pensar en ello. Muchas de las cosas que le decían que hiciera en su trabajo no tenían ningún sentido para ella, y ésa no sería más que una de ellas. No puedo creer que tenga alguna relación con la muerte de Nancy.

—Muy bien. Veamos otra cosa. ¿Por qué contrataba Xerxes sus seguros a través de Art? ¿Sigue siendo Jurshak garante de sus asuntos de seguros de vida y médicos? ¿Por qué eran lo bastante importantes para Nancy como para llevar los papeles consigo?

Caroline se encogió de hombros.

—Art tiene muy cogidas a una serie de empresas de la zona. Puede que hicieran el seguro con él a cambio de un respiro en los impuestos o algo así. Claro que cuando eligieron a Washington, Art no tuvo ya tantos favores que ofrecer, pero sigue teniendo posibilidades de hacer muchas cosas por una empresa, si la empresa hace algo por él.

Saqué el informe de Jurshak al Descanso del Marino de entre las páginas de las *Arias de concierto* de Mozart y se lo entregué a Caroline. Lo repasó con el ceño fruncido durante varios minutos.

—No sé nada de seguros —dijo al fin—. Lo único que puedo decirte es que la cobertura de mamá ha sido de primera clase. No sé nada de estas otras compañías.

Sus palabras me evocaron un recuerdo evasivo. Algo que alguien me había dicho en las últimas semanas sobre Xerxes y los seguros. Arrugué el entrecejo, concentrándome para traerlo a la superficie, pero no pude atraparlo.

—Para Nancy tenía importancia —dije impacientemente—. ¿Qué era? ¿Reunía datos sobre tasas de salud y mortandad para alguna de estas compañías? Quizá tuviera algún modo de comprobar la veracidad de este informe.

O quizás el informe no tuviera significado alguno. Pero entonces, ¿por qué lo llevaba Nancy encima?

—Sí. Efectivamente rastreó un montón de estadísticas clínicas; era directora de los Servicios de Salud y Medio Ambiente.

—Entonces vamos a PRECS a revisar sus archivos. —Me levanté y empecé a buscar mis botas.

Caroline agitó la cabeza.

—Los archivos de Nancy han desaparecido. La policía requisó todo lo que había en su mesa, pero alguien había dejado limpios sus archivos clínicos antes de que le echaran mano los polis. Supusimos que se los habría llevado a casa.

La ira me volvió como una embestida, espoleada por mi decepción: estaba segura de haber abierto brecha en el caso.

—¿Por qué demonios no se lo dijiste a la policía hace dos semanas? ¡O a mí! ¿No lo comprendes, Caroline? El que la mató se llevó sus papeles. ¡Podíamos habernos dedicado exclusivamente a personas involucradas en estas compañías, en lugar de seguir las huellas de amantes despechados y esa clase de bobadas!

Caroline empezó a calentarse con igual rapidez.

—¡Te dije entonces que la mataron por su trabajo! Pero estabas como siempre con tus jodidas ínfulas de arrogancia y no me hiciste el menor caso!

—Tú dijiste que había sido por la planta de reciclaje, que no tiene nada que ver con esto. Y, además, ¿por qué no me dijiste que habían desaparecido sus archivos?

Así seguimos como un par de crías, desahogando nuestra mutua furia por las amenazas y humillaciones de las pasadas semanas. No sé cómo habríamos podido arrancarnos de aquella escalada de insultos de no haber sido interrumpidas por el timbre de la puerta. Dejé a Caroline en el salón y salí como un vendaval hacia la entrada.

Allí encontré al señor Contreras.

—No quiero inmiscuirme, pequeña —dijo disculpándose—, pero este joven ha estado tocando el telefonillo durante dos minutos y estabais tan enfrascadas que pensé que no le habríais oído.

El joven Art entró siguiendo los pasos del señor Contreras. Su rostro cuadrado y perfilado estaba acalorado y su cabello cobrizo en desorden. Se mordía los labios, cerrando y abriendo los puños, mostrándose tan agitado que su habitual atractivo quedaba oscurecido. El parecido familiar que advertí en sus enloquecidas facciones me dejó tan impresionada que amortiguó mi sorpresa al verle.

Por último exclamé débilmente:

—¿Qué haces aquí? ¿Dónde has estado? ¿Te ha mandado tu madre?

Carraspeó, intentando hablar, pero no parecía capaz de pronunciar palabra.

El señor Contreras, con la promesa de no atosigarme aún presente en su espíritu, no remoloneó para emitir sus acostumbradas y poco sutiles amenazas contra mis visitas masculinas. O quizá le hubiera tomado las medidas a Art y decidido que no había por qué preocuparse.

Cuando el viejo se hubo ido, Art abrió al fin la boca.

—Tengo que hablar contigo. Es... Las cosas son más graves de lo que creía. —La voz le salió en un susurro chillón.

Caroline vino a la puerta del salón para ver a qué se debía aquella conmoción. Me volví hacia ella y dije todo lo sosegadamente que pude:

—Éste es Art Jurshak, Caroline. No sé si os conocéis, pero es hijo del concejal. Tiene algo confidencial que comunicarme. ¿Puedes llamar a alguno de tus compañeros de PRECS para ver si alguno sabe algo sobre el informe que llevaba Nancy encima?

Temí que fuera a discutirme, pero se percató de mi ánimo aturdido. Me preguntó si me encontraba bien, si podía dejarme a solas con el joven Art. Cuando la hube tranquilizado volvió al salón para buscar su abrigo.

Se detuvo brevemente en la puerta al salir y dijo en voz baja:

—No eran ciertas todas esas cosas que dije. Volví para reconciliarme contigo, no para gritar de ese modo.

Le froté los hombros cariñosamente.

—No te preocupes, bola de fuego; lo da la tierra. Yo también dije unas cuantas tonterías. Vamos a olvidarlo.

Me dio un abrazo rápido y se fue.

32

Salido de la manga

Conduje a Art al salón y le serví un vaso de Barolo. Se lo bebió de un trago. Probablemente el agua habría servido igual dadas las circunstancias.

—¿Dónde te has metido? ¿Sabes que todas las patrullas policiales llevan tu descripción? ¿Y que tu madre se está volviendo loca? —No eran aquellas las preguntas que quería hacerle, pero no se me ocurría cómo espetarle ésas.

Sus labios se expandieron en una angustiada parodia de su hermosa sonrisa.

—Estuve en casa de Nancy. Supuse que nadie me buscaría allí.

—¡Ah-ah! —Sacudí la cabeza—. Llevas desaparecido desde el lunes por la noche y yo estuve en casa de Nancy el martes con la señora Cleghorn.

—Pasé el lunes por la noche en el coche. Entonces se me ocurrió que nadie iba a pensar en la casa de Nancy. Se veía que... que le habían hecho un buen destrozo. Ha sido un poco siniestro, pero sabía que ahí estaría a salvo porque ya la habían registrado.

—¿Quiénes la «habían» registrado?

—Los que mataron a Nancy.

—¿Y quiénes son? —Tuve la sensación de estar interrogando a un jarro de miel.

—No lo sé —murmuró, mirando hacia otro lado.

—Pero lo supones —pinché yo—. Háblame del seguro que tu padre le tramita a Xerxes. ¿Por qué estaba interesada Nancy en eso?

—¿Cómo conseguiste esos papeles? —dijo en un susurro—. He llamado a mi madre esta mañana. Sabía que estaría preocupada, y me dijo que habías estado allí. Mi... padre... el viejo Art había encontrado tu tarjeta y se había puesto como un basilisco, me dijo. Estaba vociferando que... que si me ponía las manos encima ya se ocuparía de que no volviera a traicionarle. Por eso he venido. Para ver lo que sabes. Para ver si puedes ayudarme.

Le dirigí una mirada agria.

—He estado intentando hacerte hablar de unas cuantas cosas durante las últimas semanas y te has estado comportando como si no supieras mover tu lengua con soltura.

Se estrujó la cara con desesperación.

—Lo sé. Pero cuando Nancy murió me asusté tanto. Temía que mi padre tuviera algo que ver con ello.

—¿Por qué no saliste corriendo entonces? ¿Por qué esperaste hasta que hablé contigo?

Se ruborizó aún más intensamente.

—Creí que posiblemente nadie conocía... conocía nuestra relación. Pero si tú la descubriste, cualquiera lo haría.

—¿Como la policía, por ejemplo? ¿O el viejo Art? —Al no recibir respuesta dije con toda la paciencia que pude reunir—: Está bien, ¿por qué has venido aquí hoy?

—He llamado a mi madre esta mañana. Sabía que mi padre estaría en una junta, que podía contar con que no estuviera en casa. Ya sabes, con los de la lista de candidatos. —Sonrió tristemente—. Con Washington muerto, se están reuniendo esta mañana para planear la elección. Mi padre —Art— puede dejar de asistir a alguna junta municipal, pero no se perdería ésa.

—En fin, mi madre me dijo lo tuyo. Y que habías estado allí pero que después estuviste a punto de acabar como... como Nancy. No podía quedarme en casa de Nancy toda la vida, apenas quedaba comida y me daba miedo encender las luces de noche por si alguien las veía y se acercaba a investigar. Y si iban a acabar con todo el que supiera lo de Nancy y el seguro, pensé que sería mejor buscar ayuda o era hombre muerto.

Contuve mi impaciencia lo mejor que pude. Iba a ser una tarde muy larga si quería obtener información de él. Las preguntas que realmente estaban quemándome la lengua —sobre su familia— tendrían que esperar hasta que pudiera sacarle toda la historia con sacacorchos.

Lo primero que quería aclarar era su relación con Nancy. Puesto que se había metido en su casa no era fácil seguir negando que habían sido amantes. Y la historia salió, dulce, triste y absurda.

Nancy y él se habían conocido hacía un año en un plan de la comunidad. Ella representaba a PRECS, él al despacho del concejal. Nancy le había atraído inmediatamente; siempre había sentido inclinación por las mujeres mayores que él con el aspecto y la simpatía que Nancy tenía y había querido salir con ella inmediatamente. Pero Nancy le había rechazado con una excusa u otra hasta hacía unos meses. Entonces habían empezado a salir y habían pasado rápidamente a una relación intensa. Él se sentía delirantemente feliz. Ella era tierna, cariñosa... y todo lo demás.

—¿Entonces, por qué nadie lo sabía si erais tan felices? —pregunté. Lo comprendía, con dificultad. Cuando no estaba desgarrándose con sus desdichas, su increíble hermosura te movía a desear tocarle. Quizá fuera suficiente para Nancy, quizá pensara que la estética compensaba su inmadurez. Es posible que hubiera sido lo bastante calculadora para quererle como vía hacia la oficina del concejal, pero no creía que fuera eso.

Se removió incómodo.

—Mi padre siempre bramaba tanto contra PRECS que yo sabía que le sentaría fatal que saliera con una persona que trabajaba allí. Según él estaban procurando quitarle el distrito, ya sabes, porque se pasaban la vida criticando cosas como las aceras rotas de Chicago Sur y el paro y cosas así. No es culpa suya, desde luego, pero cuando Washington tomó posesión, no iba ni un centavo a las barriadas de minorías étnicas blancas.

Abrí la boca para contradecirle, y volví a cerrarla. Chicago Sur había iniciado su agonía cuando el gran alcalde Daley, ya fallecido, había sido asiduamente desoído tanto por Bilandic como por Byrne. Y el viejo Art había sido concejal todo el tiempo. Pero librar aquella batalla no me iba a servir de nada aquella tarde.

—De modo que no querías que se enterara. Y Nancy no quería que sus amigos lo supieran tampoco. ¿Por la misma razón?

Volvió a retorcerse.

—Creo que no. Creo que... Nancy era algo mayor que yo, ¿sabes? Sólo diez años. Bueno, casi once. Pero creo que temía que se rieran de ella por salir con una persona tan joven.

—Muy bien. Era un gran secreto. Entonces vino a verte hace tres semanas para saber si Art se oponía a la planta de reciclaje. ¿Qué pasó después?

Alargó la mano nerviosamente para coger la botella de vino y se sirvió lo que quedaba de Barolo en el vaso. Cuando se hubo tragado la mayor parte empezó a escupir la historia, poco a poco. Sabía que Art era contrario a la planta de reciclaje. Su padre estaba esforzándose mucho por atraer nuevas industrias hacia Chicago Sur, y temía que la planta de reciclaje intimidara a algunas compañías; que no quisieran operar en una comunidad donde tendrían la dificultad extra de tener que meter sus residuos en bidones para ser reciclados, en lugar de verterlos simplemente en lagunas practicadas en el río.

Le había dicho aquello a Nancy y ella había insistido en ver toda la documentación sobre los planes. Al parecer, igual que yo, había pensado que sería inútil discutir si los pretendidos motivos de Art el Viejo eran los auténticos o no.

El joven Art se había resistido, pero ella le había presionado mucho. Volvieron a la agencia de seguros una noche a última hora y ella registró la mesa de Art. Fue horrible, la noche más horrible que había pasado en toda su vida, angustiado porque pudieran aparecer su padre o el secretario de su padre, o uno de los policías de la ronda al ver luz, y les sorprendieran.

—Lo comprendo. La primera vez que entras clandestinamente es la peor. ¿Pero por qué eligió Nancy este documento del seguro en vez de algo sobre el reciclaje?

Sacudió la cabeza.

—No lo sé. Estaba buscando algo donde aparecieran los nombres de las compañías implicadas en la planta de reciclaje. Y entonces vio esos papeles y dijo que no sabía que nosotros —la agencia de mi padre— lleváramos los seguros de Xerxes, después lo leyó y afirmó que aquello era materia caliente, que iba a copiarlo y a llevárselo. Entonces se fue por el pasillo para buscar la fotocopiadora. Y entró el viejo Art.

—¿Tu padre la vio? —pregunté sin aliento.

Cabeceó afligido.

—Steve Dresberg venía con él. Nancy corrió, pero se le cayeron los originales por el suelo. Por eso supieron lo que estaba copiando.

Sus facciones se disolvieron en un concentrado de vergüenza tan abyecta que casi le tuve lástima.

—No se enteraron de que yo estaba allí también. Me escondí en mi oficina con las luces apagadas.

No supe qué decir. Que hubiera sido capaz de abandonar a Nancy a su suerte. Que supiera que Dresberg había estado allí con su padre. Y al mismo tiempo la parte lógica de mi cabeza empezó a darle vueltas al problema: ¿eran los papeles del seguro, o era el hecho de que Nancy hubiera visto a Art con Dresberg? No era extraño que el concejal tuviera relación con el Rey de la Basura. Pero era comprensible que lo mantuviera bien cubierto.

—¿No lo entiendes? —exclamé al fin, con una voz que era casi un aullido—. Si hubieras dicho algo sobre tu padre y Dresberg la semana pasada podríamos haber avanzado en la investigación de la muerte de Nancy. ¿Es que te da igual que encontremos o no a sus asesinos?

Me miró fijamente con sus trágicos ojos azules.

—Si fuera tu padre, ¿querrías saber, saber de verdad, que hacía esa clase de cosas? Además, ya cree que soy un fracasado total. ¿Qué habría pensado si le entregara a la policía? Diría que estaba poniéndome al lado de PRECS y de la facción Washington en contra de él.

Agité la cabeza para ver si lograba aclararme las ideas, pero no me sirvió de gran cosa. Quise hablar, pero las frases que inicié acabaron todas con unas cuantas palabras farfulladas. Al fin, pregunté débilmente qué quería que hiciera yo.

—Necesito ayuda —susurró.

—Y que lo digas, chico. Pero no sé siquiera si un psicoanalista de la avenida Madison puede hacer algo por ti, y te juro que yo no puedo.

—Sé que no soy muy fuerte. No como tú o... o Nancy. Pero tampoco soy un imbécil. No tengo que aguantar tus burlas. No puedo arreglar esto solo. Me hace falta ayuda y pensé que como habíais sido amigas podrías... —Su voz fue apagándose.

—¿Salvarte? —concluí yo con sarcasmo—. Muy bien. Te voy a ayudar. A cambio de lo cual quiero información sobre tu familia.

Me miró con ojos enloquecidos.

—¿Mi familia? ¿Qué tiene que ver eso con nada?

—Simplemente dime esto. No tiene nada que ver contigo. ¿Cuál es el nombre de soltera de tu madre?

—¿El nombre de soltera de mi madre? —repitió estúpidamente—. Kludka. ¿Por qué lo preguntas?

—¿No era Djiak? ¿Nunca oíste ese nombre?

—¿Djiak? Claro que conozco ese apellido. La hermana de mi padre se casó con uno que se llamaba Ed Djiak. Pero se trasladaron a Canadá antes de nacer yo. No llegué a conocerlos; no sabría nada de la hermana de mi padre si no hubiera visto el nombre en una carta cuando me incorporé a la agencia. Cuando le pregunté a mi padre me lo contó... Me contó que nunca se habían llevado bien y ella había cortado toda relación. ¿Por qué te interesa eso?

No le respondí. Era tal la repugnancia que sentía que

bajé la cabeza y la apoyé sobre las rodillas. Cuando Art había entrado con el rostro acalorado y el cabello rojizo frenéticamente alborotado en torno a la cabeza, el parecido con Caroline había sido tan fuerte que podrían haber sido gemelos. El color de pelo lo había heredado de su padre. Caroline se parecía a Louisa. Era evidente. Qué sencillo. Qué sencillo y qué horrendo. Los mismos genes, la misma familia. Simplemente me había negado a empezar siquiera a considerar semejante posibilidad cuando los vi uno junto al otro. Por el contrario, había querido imaginar alguna forma en que la mujer de Art pudiera estar relacionada con Caroline.

Mi conversación con Ed y Martha Djiak de hacía tres semanas volvió a mí con fuerza arrolladora. Y con Connie. Que a su tío le gustaba venir y hacer bailar a Louisa delante de él. La señora Djiak lo sabía. ¿Qué había dicho? «Los hombres se controlan con dificultad.» Pero que era culpa de Louisa; porque ella le había incitado.

Me subieron unas náuseas tan violentas que creí que iba a asfixiarme. ¡Hacerla culpable a ella! ¡Hacer culpable a su hija de quince años cuando había sido su propio hermano el que la había dejado embarazada! Mi primera reacción fue salir de allí, irme al Sector Este con la pistola y pegar a los Djiak hasta que admitieran la verdad.

Me levanté, pero la habitación osciló oscuramente ante mí. Volví a sentarme, sobreponiéndome, cobrando conciencia de que el joven Art hablaba asustado en la silla de enfrente.

—Te he dicho lo que querías. Ahora tienes que ayudarme.

—Ya, claro. Te voy a ayudar. Ven conmigo.

Empezó a protestar, a exigir que le dijera lo que iba a hacer, pero le interrumpí bruscamente.

—Tú ven conmigo. Ahora mismo no tengo más tiempo.

El tono de mi voz, más que mis palabras, le hizo callar. Me observó en silencio mientras cogía el abrigo. Metí el carnet de conducir y algo de dinero en el bolsillo de los vaqueros para que no me estorbara la cartera. Empezó a balbucir más preguntas —¿iba a matar a su padre?— cuando me vio sacar la Smith & Wesson y comprobar el cargador.

—Se han cambiado los papeles —dije secamente—. Los compinches de tu padre han estado queriendo matarme toda la semana.

Volvió a sonrojarse avergonzado y quedó en silencio.

Le llevé a casa del señor Contreras.

—Éste es Art Jurshak. Es posible que su papá haya tenido algo que ver con la muerte de Nancy y ahora mismo no está lleno de cariño por su hijo tampoco. ¿Puede quedarse aquí hasta que le busque algún otro sitio? Quizá Murray esté dispuesto a acogerle.

El viejo se irguió satisfecho.

—Desde luego, muñeca. No digo ni una palabra a nadie, y puedes contar con su señoría para que haga lo mismo. No hace falta que vayas a pedirle al Ryerson ése que haga nada; estoy perfectamente conforme con tenerlo aquí todo el tiempo que quieras.

Sonreí débilmente.

—Después de un par de horas con él es posible que cambie de opinión; no es muy divertido. Pero no le hable a nadie de él. Puede que ese abogado —Ron Kappelman— venga por aquí. Dígale que no sabe dónde he ido ni cuándo volveré. Y ni una palabra del invitado.

—¿Dónde vas, niña?

Apreté los labios con un reflejo de irritación, y después recordé nuestra tregua. Le llamé al pasillo para decírselo sin que oyera Art. El señor Contreras vino rápidamente con la perra a los tobillos, y cabeceó gravemente para demostrarme que recordaba el nombre y la dirección.

—Aquí estaré cuando vuelvas. Esta noche no voy a dejar que nadie me aleje de aquí. Pero si no has vuelto a media noche, voy a llamar al teniente Mallory, niña.

La perra remoloneó detrás de mí hasta la puerta, pero suspiró resignada cuando el señor Contreras la llamó. El animal sabía que llevaba las botas, no los zapatos de correr; pero abrigaba esperanzas.

33

Asunto de familia

Oí los pasos apresurados de la señora Djiak cuando toqué el timbre. Abrió la puerta, secándose las manos en el delantal.

—¡Victoria! —Estaba horrorizada—. ¿Qué haces aquí a estas horas de la noche? Te pedí que no volvieras más. El señor Djiak se va a poner furioso si se entera de que estás aquí.

El tono nasal de barítono del señor Djiak flotó pasillo abajo, preguntando a su mujer quién estaba a la puerta.

—Es sólo... sólo uno de los niños del vecino, Ed —contestó sofocada. A mí me dijo con un siseo apremiante—: Y ahora vete antes de que te vea.

Moví la cabeza. Voy a entrar, señora Djiak. Vamos a hablar los tres, sobre el hombre que dejó a Louisa embarazada.

Los ojos se le dilataron en el rostro tenso. Me asió por el brazo implorante, pero yo estaba demasiado indignada para sentir la menor compasión por ella. Me libré de su mano. Sin hacer caso de sus lastimeros ruegos pasé a su lado y empecé a caminar por el pasillo. No me quité las botas: no para añadir un insulto deliberado a su aflicción, sino porque quería poder salir sin tardanza si era necesario.

Ed Djiak estaba sentado en la mesa de la inmaculada cocina, con un pequeño aparato de televisión en blanco y negro delante y una jarra de cerveza en la mano. No levantó la mirada inmediatamente, suponiendo que no era más que su mujer, pero cuando me vio su oscuro rostro alargado adquirió un tono ocre intenso.

—Aquí no tienes nada que hacer, señorita.

—Ojalá pudiera estar de acuerdo con usted —dije, sacando una silla para sentarme frente a él—. Me da asco estar aquí y no voy a prolongar la visita. Sólo quiero hablarle del hermano de la señora Djiak.

—No tiene hermanos —dijo ásperamente.

—No pretenda que Art Jurshak no es su hermano. No creo que fuera muy difícil encontrar el nombre de soltera de la señora Djiak; tendría que esperar al lunes para ir al ayuntamiento y comprobar su licencia matrimonial, pero estoy casi segura de que diría Martha Jurshak. Después podría obtener copias de los certificados de nacimiento de Art y de ella y con eso probablemente rematábamos el asunto.

El ocre de su cara se volvió marrón oscuro. Se volvió hacia su esposa.

—¡Maldita zorra chismosa! ¿A quién le has estado contando nuestra vida privada?

—A nadie, Ed. De verdad. No le he dicho una palabra a nadie. Ni una sola vez en todos estos años. Ni siquiera al padre Stepanek, cuando te pedí...

La interrumpió con un gesto cortante de la mano.

—¿Con quién has estado hablando, Victoria? ¿Quién ha estado difamando a mi familia?

—La difamación implica datos falsos —respondí con insolencia—. Todo lo que ha dicho desde que he venido a esta casa confirma que es cierto.

—¿Que es cierto qué? —inquirió, recuperándose con un gran esfuerzo—. ¿Que el nombre de soltera de mi mujer es Jurshak? ¿Y qué?

—Sólo esto. Que su hermano Art dejó preñada a su hija Louisa. Martha, usted me dijo que no era muy fuerte. ¿Tenía antecedentes de que le gustaran las niñas?

Martha se frotaba las manos incesantemente con el delantal.

—Él me prometió... me prometió no volver a hacerlo más.

—Maldita sea, no le digas nada a ésta —rugió Djiak, levantándose de un salto. Pasó a mi lado empujándome groseramente dirigiéndose hacia la señora Djiak para darle una bofetada.

Me puse en pie y le aplasté el puño contra la cara antes de darme cuenta de lo que hacía. Él me llevaba treinta años, pero seguía estando muy fuerte. Solamente por haberle cogido de forma totalmente inesperada conseguí pegarle con todas mis fuerzas. Reculó cayendo contra la nevera y quedó allí un momento, agitando la cabeza para recuperarse del puñetazo. Después volvió su furia ciega y vino hacia mí.

Yo estaba lista. Al abalanzarse hacia mí metí una silla a su paso. Chocó con ella y el impulso le hizo caer contra la mesa junto a la silla. Con el impacto cayeron televisión y cerveza al suelo en un revoltijo de vidrio y líquido. Quedó tumbado bajo la mesa, con la silla encima.

Martha Djiak emitió un pequeño gemido de horror, no sé si por la perspectiva de su marido o por haberse ensuciado el suelo. Yo permanecí en pie a su lado, jadeando su furia, con la pistola en la mano cogida por el cañón, dispuesta a estampársela si empezaba a levantarse. Él tenía la expresión vidriosa: ninguna de las mujeres de su familia se había atrevido a contestarle un golpe.

La señora Djiak chilló súbitamente. Me volví para mirarla. No pudo hablar, sólo señalar, pero vi unas chispas en la parte trasera del televisor donde algo había entrado en contacto con los cables al aire. Quizás un frasco de disolvente que estaba siempre a mano por si alguna mancha de grasa amenazaba la cocina. Me metí la pistola otra vez en la cinturilla del pantalón y le arranqué el paño de secar del bolsillo del delantal. Evitando con cuidado el charco de cerveza me escurrí debajo de la mesa y desenchufé el aparato.

—Bicarbonato —le grité fuertemente a la señora Djiak.

La petición de un ingrediente doméstico común contribuyó a devolverle la presencia de ánimo. Vi sus pies avanzar hacia un armario. Se agachó y me alargó el envase por encima del cuerpo de su marido. Yo vacié el contenido sobre las llamas azuladas que ardían alrededor del televisor y el fuego se extinguió.

El señor Djiak se liberó lentamente del revoltijo de silla y cristales rotos. Durante unos momentos contempló el desastre del suelo, las manchas húmedas de sus pantalones. Después, sin decir nada, salió de la habitación. Oí sus pesados pasos recorrer el pasillo. Martha Djiak y yo esperamos el portazo de la puerta de entrada.

La señora Djiak estaba temblando. La senté en una de las sillas tapizadas de plástico y puse agua a calentar en la tetera. Ella me observaba aturdida mientras yo revolvía en los armarios buscando el té. Cuando encontré las bolsitas de Lipton muy metidas en una lata, le preparé una taza, mezclándolo bien con leche y azúcar. Se lo bebió obediente a tragos abrasadores.

—¿Cree que puede hablarme de Louisa ahora? —pregunté cuando rechazó una segunda taza.

—¿Cómo te enteraste? —Tenía la mirada sin vida, la voz era poco más que un hilo agotado.

—El hijo de su hermano vino a verme esta tarde. Cada vez que le veía me resultaba familiar, pero lo achacaba a tantos años de ver a Art en carteles y en televisión. Pero hoy Caroline estaba conmigo. Estábamos a mitad de una discusión. El joven Art entró con la cara turbada, muy agitado, y de pronto comprendí cuánto se parecía a Caroline. Casi podrían ser gemelos; simplemente, antes no había hecho la conexión porque no me lo esperaba. Desde luego él tiene una especie de perfección sobrehumana y ella va siempre tan desaliñada que hasta que no ves a los dos alterados al mismo tiempo no te das cuenta.

Escuchó mis explicaciones con la cara dolorosamente contraída, como si le estuviera hablando en latín y ella quisiera hacerme creer que me seguía. Al no responderme nada la pinché un poco más.

—¿Por qué echaron a Louisa de casa cuando se quedó embarazada?

Entonces me miró a los ojos, con una mezcla de miedo y repugnancia en la expresión.

—¿Y que se quedara aquí? ¿Para que el mundo entero se enterara de esa vergüenza?

—Pero la vergüenza no era suya. Era de Art, de su hermano. ¿Cómo puede siquiera compararlos?

—Louisa no se habría... metido en líos si no le hubiera provocado. Ella sabía cuánto le gustaba a él que bailara y le besuqueara. Tenía esa... esa debilidad. Ella no tenía que haberse acercado a él.

Mis náuseas eran tan intensas, que tuve que emplear toda mi voluntad para no saltar sobre ella físicamente, y arrojarla sobre los desechos de debajo de la mesa.

—Si sabía que tenía debilidad por las niñas, ¿por qué *puñetas* le permitió que se acercara a sus hijas?

—Dijo... dijo que no volvería a hacerlo. Después que le vi... jugando... con Connie cuando tenía cinco años, le dije que se lo contaría a Ed si volvía a hacerlo. Y lo prometió. Le tenía miedo a Ed. Pero Louisa era demasiado para él, ella era mala, le incitaba contra su propia fuerza de voluntad. Cuando vimos que iba a tener un niño, nos contó cómo había sido y Art nos lo explicó, cómo ella le había incitado contra su voluntad.

—De modo que la arrojaron en mitad de la calle. De no haber sido por Gabriella, ¿quién sabe lo que le pudo haber pasado? Ustedes dos... vaya par de gentuzas, santurrones y pontificantes.

Ella encajó mis insultos sin pestañear. No entendía por qué me enfurecía ante un proceder tan lógico para unos padres, pero me había visto vapulear a su marido. No estaba dispuesta a arriesgarse a excitarme.

—¿Estaba Art ya casado por entonces? —pregunté súbitamente.

—No. Le dijimos que iba a tener que buscarse una mujer, formar una familia, o tendríamos que decirle al padre Stepanek, el cura, lo de Louisa. Prometimos no decir nada si se iba a otro sitio y formaba una familia.

No supe qué decir. Sólo podía pensar en Louisa, con dieciséis años, embarazada, sola en el mundo, con las sacrosantas señoronas de San Wenceslao desfilando ante su puerta. Y Gabriella montada en su caballo blanco al rescate. Todos los insultos de los Djiak hacia Gabriella por ser judía me volvieron de golpe.

—¿Cómo son capaces de llamarse cristianos? Mi madre era mil veces más cristiana que ustedes. No se pasaba la vida sermoneando toda esa bazofia mojigata; ella vivía la caridad. Pero usted y Ed dejaron que su hermano sedujera a su niña y luego la llamaron mala. Si de verdad hubiera un dios les habría aniquilado por tan sólo atreverse a ir ante su altar, barbotando sus mojigangas santurronas. Si hay un dios, mi único ruego es que no vuelva a tener que acercarme a ustedes en toda mi vida.

Me puse en pie tambaleándome, con los ojos ardiéndome de lágrimas de rabia. Ella se encogió en la silla.

—No voy a pegarle —dije—. ¿De qué nos iba a servir a ninguna de las dos?

Antes de llegar al pasillo, la señora Djiak estaba ya arrodillada en el suelo recogiendo los cristales rotos.

34

Golpe bancario

Salí vacilante de la casa y fui hacia el coche, con el estómago levantado, la garganta apretada y amarga de bilis. Lo único en que podía pensar era en llegar hasta Lotty, sin parar a coger nada, ni un cepillo de dientes, ni una muda. Ir directamente a la cordura.

Llegué hasta allí de milagro. En la calle Setenta y uno una bocina estridente me devolvió al mundo súbitamente. Hice un cauto rodeo por el parque Jackson, pero estuve a punto de atropellar a un ciclista que cruzó el paseo como una flecha hacia la Cincuenta y nueve. Aún después de aquello, la aguja del indicador de velocidad siguió subiendo sin querer hacia las setenta millas.

Max estaba bebiéndose un coñac en el salón de Lotty cuando llegué. Le sonreí espasmódicamente. Con un gran esfuerzo, recordé que los dos habían ido juntos a un recital y pregunté si lo habían pasado bien.

—Soberbio. El Quinteto Cellini. Los conocimos en Londres cuando estaban empezando después de la guerra.

—Recordó a Lotty una noche en la sala Wigmore en que se habían ido las luces, y ellos dos habían sostenido linternas sobre las partituras para que sus amigos pudieran continuar el concierto.

Lotty rio y empezó a añadir sus propios recuerdos cuando se interrumpió.

—¡Vic! No te había visto la cara a la luz cuando entraste. ¿Qué ha pasado?

Forcé los labios en una sonrisa.

—Nada por lo que peligre mi vida.

Sólo una conversación peregrina que te contaré algún día.

—Yo tengo que irme de todos modos, querida —dijo Max levantándose—. Me he quedado demasiado tiempo bebiéndome tu excelente coñac.

Lotty le acompañó a la puerta y volvió apresuradamente.

Procuré volver a sonreír. Pero, para mi consternación, empecé a sollozar.

—Lotty, yo creía que conocía todos los horrores que la gente se hace mutuamente en esta ciudad. Hombres que se matan por una botella de vino. Mujeres que echan lejía a sus amantes. Por qué ha de afectarme esto tanto es algo que no entiendo.

—Toma. —Lotty me puso un poco de coñac en los labios—. Bébete esto y cálmate un poco. Intenta contarme lo que ha pasado.

Tragué parte del coñac, que arrastró de mi garganta el sabor a bilis. Mientras Lotty me cogía la mano, solté la historia sin detenerme. Cómo había advertido el parecido entre el joven Art y Caroline, y había pensado que la madre del chico debía tener alguna relación con el padre de Caroline. Que después había sabido que era el padre el que estaba emparentado con la abuela de Caroline.

—Esa parte no fue tan espantosa —dije ahogando un sollozo—. Quiero decir que sí es espantoso, claro, pero lo que me puso totalmente enferma fue esa horrenda beatería fregadita de los Djiak y su insistencia en que había sido culpa de Louisa. ¿Sabes cómo la criaron? ¿Con qué rigidez vigilaron a las dos hermanas? Ni salidas, ni chicos, ni una charla sobre el sexo. Y después el hermano de la madre. Abusó de una de las niñas y le dejaron quedarse por ahí a ver si abusaba de la otra. Y entonces la castigaron.

Estaba levantando la voz; ya no podía controlarla.

—No puede ser, Lotty. No debe ser. Yo tendría que poder evitar que pasaran cosas tan viles, pero no tengo ningún poder.

Lotty me rodeó con sus brazos, y me estrechó sin hablar. Pasados unos momentos mis sollozos cedieron, pero seguí recostada en su hombro.

—No puedes curar al mundo entero, *liebchen*. Sé que lo sabes. Sólo se puede trabajar con una persona a la vez, en escala menor. Y sobre esas personas a las que ayudas sí tienes un gran efecto. Son sólo los megalómanos, los Hitlers y parecidos, los que creen que tienen la solución para la vida de todos los demás. Tú perteneces al mundo de los cuerdos, Victoria, al mundo de los limitados.

Me llevó a la cocina y me dio los restos del pollo que había guisado para Max. Siguió sirviéndome coñac hasta que empecé a sentir sueño. Después me llevó a la habitación de invitados y me quitó la ropa.

—El señor Contreras —dije torpemente—. Olvidé decirle que iba a pasar aquí la noche. ¿Puedes llamarle, por favor? Si no, Bobby Mallory va a empezar a drenar el lago buscándome.

—Desde luego, cariño. Lo haré en cuanto estés dormida. Descansa y no te preocupes.

Cuando desperté el domingo por la mañana estaba algo aturdida como resultado del exceso de coñac y lágrimas. Pero era la primera vez que dormía profundamente desde la agresión; había disminuido el dolor de los hombros hasta el punto de no notarlo ya con cada movimiento.

Lotty me trajo el *New York Times* con un plato de panecillos frescos y mermelada. Pasamos la mañana relajada de prensa y café. A mediodía, cuando quise empezar a hablar de Art Jurshak —sobre el modo de evitar a sus ubicuos guardaespaldas para hablar con él— Lotty me hizo callar.

—Hoy es día de descanso para ti, Victoria. Nos vamos al campo, a respirar aire puro y a desconectar totalmente de toda preocupación. Así mañana nos parecerá todo más posible.

Yo cedí con todo el buen talante que me fue posible,

pero Lotty tenía razón. Nos fuimos a Michigan, pasamos el día paseando por las dunas de arena, dejando que el aire frío del lago nos batiera el cabello. Remoloneamos por las pequeñas vinaterías y compramos una botella de vino de cereza y arándanos de recuerdo para Max, que se enorgullecía de su paladar. Cuando finalmente regresamos a casa hacia las diez de la noche, me sentía totalmente depurada.

Fue una suerte que me tomara ese día de descanso. El lunes resultó ser largo y frustrante. Lotty se había ido ya cuando desperté; hace su ronda de visitas en el Beth Israel antes de abrir su clínica a las ocho y media. Me había dejado una nota diciendo que había revisado los cuadernos del doctor Chigwell después de irme a la cama, pero no estaba segura de la interpretación de los valores sanguíneos que el doctor había apuntado. Se los había llevado a una amiga especializada en nefrología para que los descifrara.

Llamé al señor Contreras. Me dio un parte de noche sin percances, pero dijo que el joven Art estaba empezando a impacientarse. Le había dejado una máquina de afeitar y una muda de ropa interior, pero no sabía cuánto tiempo podría retener al muchacho en el piso.

—Si quiere marcharse que se vaya —le dije—. Es él quien quería protección. No me importa demasiado si ahora no quiere aceptarla.

Le dije que me pasaría por allí para hacer una maleta pequeña, pero que iba a quedarme con Lotty hasta que tuviera más garantías frente a los merodeadores nocturnos. El señor Contreras asintió melancólico: hubiera preferido con mucho que mandara al joven Art con Lotty y me alojara con él y Peppy.

Tras haber ido a mi casa para ducharme y cambiarme de ropa, bajé a pasar unos minutos con Peppy y el señor Contreras. La tensión de las últimas semanas empezaba a labrar profundas líneas en el rostro del joven Art. O acaso fueran las treinta y seis horas pasadas con el señor Contreras.

—¿Has... has hecho algo? —Su voz vacilante se había reducido a un murmullo patético.

—No puedo hacer nada hasta no haber hablado con tu padre. Tú puedes ayudarme en eso. No veo cómo puedo colarme entre sus guardaespaldas para verlo a solas.

Eso le alarmó mucho: no quería que Art padre supiera que había recurrido a mí; entonces sí que se vería en un brete. Razoné con él e intenté engatusarle sin resultado. Por último, ya un tanto harta, fui hacia la puerta.

—No tengo más remedio que llamar a tu madre y decirle que sé dónde estás. Estoy segura de que no tendrá inconveniente en arreglar una entrevista entre tu padre y yo a cambio de saber que su preciado bebé está sano y salvo.

—Coño, Warshawski —siseó—. Sabes que no quiero que hables con ella.

El señor Contreras se ofendió por la manera de hablarme del muchacho y empezó a interrumpir. Yo levanté la mano, lo cual le paró los pies gracias al cielo.

—Entonces ayúdame a ponerme en contacto con tu padre.

Al final, fulminándome, accedió a llamar a su padre para decirle que tenía que hablarle a solas y acordó una cita frente a la fuente de Buckingham.

Le pedí a Art que procurara fijar nuestro encuentro para las dos de aquel día; que volvería a llamar a las once para confirmar la hora. Cuando salí, oí al señor Contreras reprobándole por hablarme de modo tan descortés. Me dirigí hacia el sur con la única risa del día.

Mis padres habían hecho sus operaciones bancarias con el Banco Metalúrgico de Ahorro y Crédito. Mi madre me había abierto mi primera cartilla de ahorro allí cuando cumplí diez años para que pudiera ir guardando las monedas que iban cayendo en mis manos y mis ganancias de cuidar niños en pro de la educación universitaria que tanto me había prometido. En mi memoria, seguía siendo un lugar intimidante y sobredorado por todas partes.

Cuando me aproximé al mugriento edificio de piedra entre la Noventa y tres y la Comercial, me pareció que se había encogido tanto con los años que tuve que comprobar el rótulo de la puerta para asegurarme de estar en el lugar debido. El techo abovedado, que tanto me impresionaba de pequeña, me parecía ahora simplemente cochambroso. En lugar de tener que ponerme de puntillas para mirar la cabina del cajero, miré hacia abajo a la muchacha con acné sentada tras el mostrador.

Ella no sabía nada sobre el informe anual del banco, pero me remitió con indiferencia a un funcionario del local. La verbosa historia que había preparado para explicar por qué lo quería fue innecesaria. El hombre maduro con el que hablé estaba encantado de encontrar a alguien interesado en un banco de ahorro en decadencia. Me habló largo y tendido sobre los fuertes valores éticos de la comunidad, donde la gente hacía lo posible por mantener en orden sus pequeños hogares, y que el propio banco volvía a negociar préstamos a su clientela de toda la vida cuando se veían en apuros.

—No hacemos informes anuales del tipo que está acostumbrada a estudiar, porque somos banca privada —concluyó—. Pero si lo desea puede ver nuestros balances de final de ejercicio.

—En realidad lo que quiero ver son los nombres del consejo de dirección —contesté.

—Desde luego. —Rebuscó en un cajón y sacó un montón de papeles—. ¿Está segura de no querer inspeccionar los balances? Si está pensando en invertir, puedo asegurarle que tenemos una situación extraordinariamente solvente, pese a la desaparición de una de las fábricas de la zona.

Si me hubieran sobrado unos miles de dólares, me habría sentido obligada a entregárselos al banco para disimular mi bochorno. Dadas las circunstancias, murmuré una evasiva y cogí la lista de directores que me ofrecía. Contenía trece nombres, pero sólo conocía uno: Gustav Humboldt.

«Ah, sí», me confirmó orgulloso mi informante, el señor Humboldt había accedido a formar parte del consejo de dirección del banco en los años cuarenta cuando empezó sus negocios en la zona. Y ahora que su compañía se había convertido en una de las mayores del mundo y era director de una docena de empresas Fortuna 500, aún seguía en el consejo del Metalúrgico.

—El señor Humboldt sólo ha dejado de asistir a ocho juntas en los últimos quince años —concluyó.

Yo farfullé algo que podía entenderse como desmedida admiración hacia la dedicación del gran hombre. El panorama empezaba a aparecer tolerablemente claro. Había alguna cuestión respecto a los seguros de la mano de obra de la fábrica Xerxes que Humboldt estaba decidido a no dejar salir a la luz. No veía qué era lo que aquello podía tener que ver con las muertes de Ferraro y Pankowski. Pero posiblemente Chigwell sabía lo que significaba el informe actuarial que yo había encontrado; quizá fuera eso lo que iban a revelar sus cuadernos médicos. Esa parte no me preocupaba demasiado. Era el papel personal de Humboldt lo que a un tiempo me enfurecía y me asustaba. Estaba harta de que me empujara de aquí para allá. Había llegado el momento de hacerle frente directamente. Logré librarme del esperanzado funcionario del Metalúrgico y me dirigí al Loop.

No estaba con ánimos para perder el tiempo buscando un aparcamiento barato. Paré el coche en un solar contiguo al edificio Humboldt en Madison. Deteniéndome sólo lo preciso para peinarme mirándome en el espejo retrovisor, avancé hacia la caleta del tiburón.

El edificio Humboldt albergaba los despachos corporativos de la compañía. Como la mayoría de los conglomerados industriales, el negocio de verdad se llevaba a cabo en las fábricas distribuidas por el mundo entero, por tanto no me extrañó que su cuartel general pudiera estar contenido en veinticinco pisos. Era una estructura estrictamente funcional, sin árboles ni esculturas en el vestíbulo. Los suelos estaban cubiertos con esa baldosa utilitaria que solía verse en los rascacielos antes de que Helmut Jahn y compañía empezaran a llenarlos de atrios forrados de mármol.

En el anticuado panel de anuncios negro del pasillo no aparecía el nombre de Gustav Humboldt, pero sí que las oficinas de la compañía estaban en la planta veintidós. Llamé a uno de los ascensores de puertas de bronce que me subió con parsimonia.

El corredor al que salí desde el ascensor era austero, pero el tono había cambiado sutilmente. La mitad inferior de las paredes estaba cubierta de la misma manera oscura que se veía en el suelo a ambos lados de la alfombra verde pálido. Sobre los paneles pendían grabados enmarcados de alquimistas medievales con retortas, sapos y murciélagos.

Avancé sobre la espesa alfombra verde hasta una puerta abierta que había a mi derecha. El alfombrado se continuaba al otro lado abriéndose en una gran explanada. La madera oscura se repetía en una mesa escritorio bien pulida. Tras ella había una mujer con un distribuidor telefónico y un procesador de textos. Ella estaba también impecablemente pulida, con el cabello oscuro recogido en un delicado moño que dejaba al descubierto las grandes perlas de unas orejas como conchas. Dejó el ordenador para saludarme con una cortesía experimentada.

—Vengo a ver a Gustav Humboldt —dije, procurando adoptar tono de autoridad.

—Comprendo. ¿Me dice su nombre, por favor?

Le entregué una tarjeta y se volvió con ella hacia los teléfonos. Cuando terminó sonrió con expresión disculpatoria.

—No la encuentro en el calendario de citas, señorita Warshawski. ¿La espera el señor Humboldt?

—Sí. Me ha dejado mensajes por todas partes. Ésta es la primera ocasión que he tenido para contestarlos.

Regresó a los teléfonos. Esta vez, cuando terminó me pidió que me sentara. Me acomodé en un sillón con relleno excesivo y empecé a hojear un número del informe anual convenientemente depositado a su lado. Las operaciones brasileñas de Humboldt mostraban un asombroso crecimiento en el año anterior, constituyendo un sesenta por ciento de los beneficios del exterior. La inversión de un capital de 500 millones de dólares en el Plan del río Amazonas rendía ya suculentos dividendos. No pude evitar preguntarme cuánto desarrollo haría falta para que el Amazonas adquiriera el aspecto del Calumet.

Estaba estudiando la descomposición de los beneficios por productos, y sintiendo un algo de satisfacción de propietario ante el buen comportamiento de la xerxina, cuando la pulida recepcionista me llamó: el señor Redwick iba a recibirme. La seguí hasta la tercera de una fila de puertas en un pasillito a espaldas de su mesa. Tocó con la mano y abrió, después regresó a su puesto.

El señor Redwick se levantó detrás de su mesa para alargarme la mano. Era un hombre alto y bien acicalado aproximadamente de mi edad, con ojos grises y distantes. Me estudió sin sonreír mientras nos estrechábamos las manos y pronunciábamos los saludos de rigor, después señaló hacia un pequeño tresillo junto a una pared.

—Tengo entendido que usted cree que el señor Humboldt quiere verla.

—*Sé* que el señor Humboldt quiere verme —le corregí—. No estaría usted hablando conmigo si no fuera así.

—¿Con qué motivo cree que quiere verla? —Apretó las yemas de los dedos entre sí.

—Me ha dejado un par de mensajes. Uno en la agencia de seguros de Art Jurshak, el otro en el Banco Metalúrgico de Chicago Sur. Ambos mensajes eran muy urgentes. Por eso he venido en persona.

—¿Por qué no me dice lo que decían, y entonces podré juzgar si es o no necesario que hable con usted personalmente o si puedo yo ocuparme del asunto.

Sonreí.

—O goza usted de la absoluta confianza del señor Humboldt, en cuyo caso ya sabrá lo que decían, o no; en cuyo caso él preferirá con seguridad que no se entere usted.

La mirada distante se volvió aún más fría.

—Puede creer sin lugar a dudas que cuento con la confianza del señor Humboldt; soy su auxiliar ejecutivo.

Bostecé y me levanté para examinar un cuadro de la pared frente al sofá. Era un dibujo satírico del Trust Petrolero realizado por Nast, y en la medida en que mi mirada inexperta podía discernirlo, parecía un original.

—Si no está dispuesta a hablar conmigo, va a tener que marcharse —dijo Redwick secamente.

—No me volví.

—¿Por qué no pregunta primero al hombre fuerte; infórmele de que estoy aquí y poniéndome nerviosa.

—Ya sabe que está aquí y me pidió que la recibiera yo.

—Qué difícil es cuando las personas de carácter discrepan tan violentamente —dije pesarosa, y salí de la habitación.

Caminé deprisa, probando todas las puertas con que topaba, sorprendiendo a una serie de atareados asistentes. La puerta del fondo abría la cueva del hombre fuerte. Una secretaria, presumiblemente la señorita Hollingsworth, levantó la cabeza extrañada de mi presencia. Antes de que pudiera formular una sola protesta, me había introducido en la cámara interior. Redwick me pisaba los talones, intentando agarrarme por los brazos.

Al otro lado de la puerta de caoba, en medio de toda una colección de muebles de oficina antiguos, estaba Gustav Humboldt, sentado con un documento sin abrir sobre las rodillas. Dirigió la mirada detrás de mí, hacia su auxiliar ejecutivo.

—Redwick. Creí haber dejado muy claro que no permitieran a esta mujer molestarme. ¿Es que ha llegado a la conclusión de que mis decisiones no tienen ya autoridad?

Con considerable disminución de su distante postura, Redwick intentó explicarle lo ocurrido.

—Realmente hizo todo lo que pudo —intervine yo compasiva—. Pero yo sabía que en el fondo se arrepentiría usted eternamente si no hablaba conmigo. Verá, acabo de venir del Banco Metalúrgico de Ahorro y Crédito, de modo que ya sé que fue usted quien presionó a Caroline Djiak para que me despidiera. Y además está el asunto del seguro médico y de vida que Art Jurshak ha estado gestionándole. No me parece el garante más apropiado, un hombre que se entiende con tipos como Steve Dresberg, y el inspector de seguros del estado de Illinois probablemente coincidiría conmigo.

Estaba pisando terreno muy resbaladizo, porque no estaba segura de lo que el informe significaba. Era evidente que para Nancy era un bombazo, pero tan sólo podía conjeturar la razón. Continué trenzando posibilidades, dejando caer referencias a Pankowski y Ferraro, pero Humboldt se negó a morder el anzuelo. Caminó hacia su mesa y cogió el teléfono.

—¿Por qué me mintió sobre el pleito? —proseguí en tono conversador cuando hubo colgado—. Comprendo que tener un gran ego es un *sine qua non* para alcanzar el éxito en la escala suya, pero tiene que ser muy miope para creer que iba a aceptar su palabra no contrastada sobre el asunto. Habían estado pasando demasiadas cosas en Chicago Sur para que yo no recelara de un jefazo de alto voltaje que...

Fui interrumpida por nuevas presencias: tres guardias de seguridad. No pude evitar sentirme halagada porque Humboldt creyera que hacían falta tantos hombres para sacarme de su edificio; uno sólo de aquel tamaño y aparente musculatura habría bastado dado el estado en que me encontraba. No tenía ánimos para hacer una exhibición de arrestos y me fui sin protestar.

Cuando me hicieron salir de la habitación —con más fuerza de la que realmente era necesaria— grité por encima del hombro:

—Vas a tener que buscarte ayuda más competente, Gustav. Los tipos que me tiraron a la laguna del Palo Muerto están detenidos y es sólo cuestión de tiempo que se busquen una defensa diciendo a la policía quién les contrató.

No me respondió. Cuando Redwick cerró la puerta tras nosotros, sin embargo, oí a Humboldt decir:

—Alguien va a tener que hacerme el favor de callar a esa zorra metomentodo.

En fin, aquello parecía anular mi idea de volver a beber su excelente coñac nunca más.

35

Intercambios verbales en la fuente
de Buckingham

Eran algo más de las once cuando los gorilas terminaron su labor de hacerme salir del zoológico, hora de ponerme al habla con el joven Art. Estaba a poca distancia de mi oficina, pero quería perder de vista el edificio Humboldt cuanto antes. Pagué los ocho dólares que me costó el privilegio de aparcar junto a él durante una hora y trasladé el coche a un garaje subterráneo.

Había olvidado que el señor Contreras había forzado la puerta de mi oficina el viernes por la noche. Se había empleado a fondo. Primero había destrozado el cristal con la esperanza de poder alcanzar la cerradura de dentro. Cuando comprobó que era un cerrojo de seguridad que se abría con llave, había roto metódicamente toda la madera de alrededor y lo había arrancado de la puerta. Rechiné los dientes ante aquel panorama, pero no creí que tuviera ningún sentido mencionarlo cuando hablara con el viejo. Sería más fácil buscar a alguien que lo reparara en lugar de tener que someterse a su retahíla de remordimiento; y mucho más fácil contratar a un profesional que pasar por la agonía de observar al señor Contreras mientras lo arreglaba.

Art se puso al teléfono inquieto. Había hablado con su padre, pero quería decirme que, desde luego, aquélla se la debía. Había sido un auténtico infierno tener que negociar con Art el Viejo. Sí, sí, había conseguido que el hombre accediera a venir a la fuente, aunque había dicho que no podría llegar antes de las dos y media. Habían hecho falta grandes dosis de incienso; su padre le había presionado increíblemente para enterarse de dónde estaba alojado. Si me hacía idea de lo difícil que era resistirse al viejo Art, podría al menos tratarle con algo más de respeto.

—¿Y no se te ocurre ningún sitio mejor para mí que éste? Este señor no me deja en paz. Se comporta como si yo fuera un crío.

Yo respondí en tono más tranquilizador de lo que sentía:

—Y si quieres realmente marcharte a otro sitio, no tengo nada que objetar. Veré si puedo arreglar algo con Murray Ryerson en el *Herald-Star* cuando hable con él esta tarde. Claro que querrá alguna historia a cambio.

Colgué el teléfono cuando empezaba a chillar que tenía que prometerle no decir nada a la prensa sobre él, pero me abstuve en efecto de mencionar su nombre a Murray cuando le llamé.

—¿Sabes una cosa?, Warshawski, eres un jodido grano en el culo —fue su saludo—. ¿Es que nunca escuchas tu contestador automático? Te he dejado unos diez mensajes durante el fin de semana. ¿Qué le has hecho a la mujer Chigwell? ¿Hipnotizarla? No quiere hablar con la prensa; dice que tú puedes responder a cualquier interrogante sobre su hermano.

—Fue un curso que hice por correspondencia —dije, sorprendida y complacida—. Mandas un montón de cajas de cerillas y te envían un juego de lecciones para hacerte invisible, meterte en la cabeza de los demás... esas cosas. Es que antes no había tenido ocasión de ponerlo en práctica.

—De acuerdo, lista —dijo con resignación—. ¿Estás dispuesta ya a revelárselo todo al pueblo de Chicago?

—Tú dijiste que no te hacía ninguna falta; que tenías toda la información que querías directamente de Xerxes. Quiero hablarte de algo mucho más emocionante: de mi vida. O su posible terminación.

—Ésa es una noticia rancia. Ya la publicamos la semana

pasada. Esta vez vas a tener que llegar hasta el final para que nos emocionemos.

—Pues no pierdas onda; es posible que se cumplan tus deseos. Tengo a unos matones detrás de mi cuello. —Contemplé a un puñado de palomas que se disputaban el espacio del poyete de mi ventana. Pájaros urbanos, duros, sucios; mejor decoración para mi oficina que dibujos originales de Nast o Daumier.

—¿Por qué me cuentas eso ahora? —inquirió receloso.

Por el paso elevado de Wabash matraqueó el metro. Las palomas aletearon momentáneamente cuando las vibraciones sacudieron los cristales, y después volvieron a posarse en el alféizar.

—En caso de que no llegue a mañana quiero que alguien que me haya estado siguiendo los pasos sepa hacia dónde me han encaminado. Quiero que esa persona seas tú, porque tienes más capacidad para pensar mal de las vacas sagradas que la policía, pero la dificultad está en que tengo que hablar contigo antes de la una y media.

—¿Qué pasa a la una y media?

—Que me sujeto la pistolera y avanzo sola por la calle Mayor.

Después de fisgar algo más, para cerciorarse de que el asunto era tan apremiante como yo decía, Murray accedió a reunirse conmigo cerca del periódico a mediodía para comer algo. Antes de salir del Pulteney revisé el correo, tiré todo salvo el cheque de un cliente al que le había hecho una investigación financiera, y luego llamé a un amigo para que me cambiara la puerta de la oficina. Me dijo que lo intentaría para el miércoles por la tarde.

Puesto que eran ya casi las doce, me dirigí hacia el río en sentido norte. El aire se había espesado en una llovizna suave. Pese a las negras palabras de Lotty, tenía los hombros bastante bien. Un par de días más —si seguía llevándole la delantera a Humboldt— y podría volver a correr otra vez.

El *Herald-Star* está frente al *Sun-Times* viniendo desde

el lado sur del río de Chicago. Gran parte de esa zona está empezando a ponerse de moda, y han surgido pistas de tenis y restaurancitos coquetones, pero Carl's sigue sirviendo sándwiches como es debido a la gente de la prensa. Sus compartimientos llenos de arañazos y sus mesas de pino se aprietan en un deslustrado edificio de piedra de la calle Wacker, donde ésta corre bajo la vía principal junto al río.

Murray entró precipitadamente en la taberna unos minutos después que yo, con destellos de gotas de lluvia en el cabello pelirrojo bajo las débiles luces. A Lucy Moynihan, hija de Carl, que se había hecho cargo del local a la muerte de éste, le cae bien Murray. Nos dejó saltarnos la cola de espera para ocupar un compartimiento del fondo, y permaneció unos minutos con nosotros para bromear con Murray sobre el dinero que ella le había ganado la semana pasada en las apuestas de baloncesto.

Mientras comía una hamburguesa le conté gran parte de lo que había hecho en las últimas tres semanas. Pese a toda su ostentación y su engreimiento, Murray sabe escuchar con atención, absorbiendo la información por todos sus poros. Dicen que no se recuerda más del treinta por ciento de lo que te cuentan, pero yo nunca le he tenido que repetir una historia a Murray.

Cuando terminé dijo:

—Muy bien. Estás en un lío. Tienes a esa mocosa de tu infancia que te pide que busques al que liquidó a tu compañera de equipo, a un infumable joven Jurshak, y a una compañía química que actúa de modo extraño. Y quizás al Rey de la Basura. Si Steve Dresberg está realmente implicado, ve con cuidado. Ese mozo no se anda con chiquitas. Comprendo que pueda tener algo que ver con Jurshak, pero, ¿qué pinta Humboldt en todo esto?

—Eso quisiera yo saber. Jurshak se hace cargo de sus seguros, que no es un crimen, más bien un delito menor, pero no puedo evitar preguntarme qué está haciendo Jurshak a cambio por Humboldt.

El recuerdo huidizo que había estado intentando hacer

salir desde el sábado volvió a flotar por la superficie de mi cabeza y desapareció.

—¿Qué hay? —preguntó Murray con suspicacia.

—Nada. Creí que había recordado algo pero no consigo echarle mano. Lo que me gustaría saber es por qué miente Humboldt sobre Joey Pankowski y Steve Ferraro. Tiene que ser algo muy importante, porque cuando hoy fui a su oficina para preguntárselo me despidieron unos gorilas de seguridad monumentales.

—Quizá simplemente no le apetezca que andes zumbando a su alrededor —dijo Murray maliciosamente—. Hay veces en que también a mí me gustaría tener gorilas de seguridad para darte una buena patada.

Hice como si fuera a lanzarle un puñetazo pero me agarró por la mano y la sostuvo un minuto.

—Venga, Warshawski. Todavía no me has dado una historia. Sólo especulaciones que no puedo poner en letra de imprenta. ¿Por qué estamos comiendo juntos?

Retiré la mano.

—Estoy haciendo unas indagaciones. Cuando tenga algún resultado puede que me haga una idea más clara de por qué miente Humboldt, pero ahora mismo tengo que irme para reunirme con Art Jurshak. Tengo guardado un buen triunfo para él, de modo que espero que escupa lo que sabe. Eso es lo que quiero de ti. Si muriera de alguna manera, habla con Lotty, con Caroline Djiak y con Jurshak. Estos tres son la clave.

—¿Dices realmente en serio lo de estar en peligro?

Contemplé a Murray mientras apuraba su cerveza y gesticulaba para pedir otra. Pesa entre doscientas cuarenta y doscientas cincuenta libras; él puede asimilarla. Yo seguí con mis cafés: quería tener la cabeza todo lo despejada posible para mi entrevista con Jurshak.

—Más en serio de lo que quisiera. Alguien me dejó por muerta hace cinco días. Dos de los mismos matones me estaban esperando a la puerta de mi casa el viernes. Y hoy Gustav Humboldt recordaba extrañamente a Peter O'Toole queriendo convencer a sus nobles de que liquidaran a Becket. Es muy real.

Murray quiso saber, claro está, qué triunfo me reservaba para Jurshak, pero yo estaba totalmente decidida a no permitir que aquello se hiciera público. Forcejeamos hasta aproximadamente la una y cuarto, cuando me levanté depositando un billete de cinco en la mesa y avancé hacia la salida. Murray vociferó a mi espalda, pero yo esperaba encontrarme en un autobús hacia el sur antes de que él pudiera salir de allí para seguirme.

El autobús 147 estaba cerrando las puertas cuando llegué al último peldaño. El conductor, un raro humanitario, las volvió a abrir cuando me vio corriendo hacia la calzada. Art había dicho a las dos y media en lugar de las dos; quería cerciorarme de que no se presentaba antes de la hora con compañía armada. Apenas conocía al joven Art y desde luego no me fiaba de él: podía haberme mentido sobre haber engañado a su padre. O quizás el viejo Art no confiara en su propio hijo y no se hubiera tragado la historia. Por si acaso, quería adelantarme a una posible trampa.

El autobús me llevó hasta Jackson y desde allí caminé tres manzanas en sentido este hacia la fuente. En verano, la fuente de Buckingham es la pieza de resistencia de la panorámica del lago. En esa época está umbría de árboles y atestada de turistas. En invierno, caído el follaje y cerrados los chorros de agua, es un buen punto para charlar. Son pocos los que la visitan, y los que van pueden ser detectados a considerable distancia.

—Hoy, el parque Grant estaba desolado bajo el plomizo cielo invernal. Las bolsas vacías de patatas fritas y las botellas de whisky que se entremezclaban con las hojas secas proporcionaban el único indicio de presencia humana del lugar. Retrocedí a la rosaleda que hay en el lado sur de la fuente y me pertreché en la base de una de las estatuas de sus esquinas. Me metí la Smith & Wesson en el bolsillo de la chaqueta con el pulgar sobre el seguro.

Una suave llovizna caía intermitentemente por la tarde.

Pese a que el aire invernal era relativamente templado, estaba totalmente aterida por haber permanecido quieta en medio de la humedad. No me había puesto guantes para poder manejar la pistola más fácilmente, pero cuando Jurshak apareció tenía los dedos tan entumecidos, que no estoy segura de haber podido disparar.

Hacia las tres menos cuarto una *limousine* se detuvo en el Paseo del Lago para depositar al concejal y su acompañante. El coche subió por Monroe, donde dio media vuelta y vino a pararse a un cuarto de milla aproximado de la fuente. Cuando estuve segura de que nadie salía de él para hacer puntería, bajé de mi posición y volví hacia el parque.

Jurshak miraba a su alrededor, intentando ver a su hijo. A mí no me prestó demasiada atención hasta que comprendió que tenía intención de hablarle.

—Art no va a poder venir, señor Jurshak; me ha mandado en su lugar. Soy V. I. Warshawski. Creo que su mujer le ha mencionado mi nombre. O Gustav Humboldt.

Jurshak llevaba un abrigo negro de cachemir que se abrochaba hasta el mentón. Con el rostro resaltado por el cuello negro, percibí su extraordinario parecido con Caroline: los mismos pómulos altos y redondeados, nariz breve, labio superior largo. Incluso sus ojos tenían el mismo color de genciana, algo desvaído por la edad, pero de ese azul intenso que es tan poco frecuente. En realidad, el parecido con Caroline era más evidente que con el joven Art.

—¿Qué le ha hecho a mi hijo? ¿Dónde le tiene retenido? —demandó con voz enérgica y ronca.

Yo sacudí la cabeza.

—Vino a mi casa el sábado temiendo por su vida; dijo que le había dicho usted a su madre que podía darse por muerto por darme acceso al informe que había usted tramitado para Xerxes con el Descanso del Marino. Está en lugar seguro. No quiero hablarle de su hijo, sino de su hija. Quizá quiera decirle a su amigo que se retire mientras hablamos.

—¿De qué me está hablando? ¡Art es mi único hijo! Exijo que me lleve con él de inmediato, o traigo a la policía antes de que pueda pestañear. —Su boca se apretó formando esa línea iracunda y obstinada que yo había visto en Caroline mil veces.

Art había sido uno de los poderes de Chicago desde antes que yo empezara la universidad. Aun si su camarilla no controlaba el ayuntamiento, había policías en abundancia que debían favores a Jurshak y estarían más que dispuestos a empapelarme si él se lo pidiera.

—Remóntese un cuarto de siglo atrás —dije con sosiego, procurando que la indignación no diera un tono desgarrado a mi voz—. Las niñas de su hermana. Esas tardes fastuosas en que su sobrina bailaba para usted mientras su cuñado estaba trabajando. No puede haber olvidado lo importante que fue usted en las vidas de esas muchachas.

Su expresión, tan mudable como la de Caroline, pasó de la furia al temor. El viento había dado algo de color a sus mejillas, pero por debajo del rojo tenía el rostro gris.

—Ve a dar un paseo, Manny —dijo al tipo corpulento que tenía a su lado—. Espera en el coche. Volveré en un par de minutos.

—Si te está amenazando, Art, debería quedarme.

Jurshak movió la cabeza.

—Son antiguos problemas de familia. Creí que la cosa era seria cuando te dije a ti y a los muchachos que me acompañarais. Anda ve; por lo menos que uno de nosotros no se hiele de frío.

El hombre corpulento me miró con ojos entornados. Al parecer decidió que el bulto de mi bolsillo debían ser guantes o un cuaderno y se fue hacia el coche.

—Muy bien, Warshawski, ¿qué quieres? —silbó Jurshak.

—Un montón de respuestas. A cambio de las respuestas no filtraré a la prensa el hecho de que es culpable de abusos deshonestos con menores y que tiene una hija que es además sobrina-nieta suya.

—No puede demostrar nada. —Su tono era malévolo, pero no hizo por marcharse.

—Y una mierda —dije impaciente—. Ed y Martha me

han contado todo el asunto la otra noche. Y su hija se parece tanto a usted que sería un paseo. Murray Ryerson del *Herald-Star* se lanzaría en un instante si se lo pidiera, o Edie Gibson del *Tribunal*.

Me trasladé a los bancos metálicos que bordean la zona pavimentada en torno a la fuente.

—Tenemos mucho que decirnos. O sea que será mejor que se ponga cómodo.

Le vi dirigir la mirada hacia la *limousine*.

—Ni se le ocurra. Tengo una pistola, y sé utilizarla, e incluso si sus chicos me remataran, Murray Ryerson sabe de mi entrevista con usted. Venga a sentarse y acabemos de una vez.

Se acercó, con la cabeza inclinada, las manos metidas en los bolsillos.

—No pienso admitir nada. Lo que yo creo es que está marcándose un farol, pero una vez que la prensa le hubiera hincado el diente a una historia como ésa, me arruinarían sólo a base de insinuaciones.

Le ofrecí lo que pretendía ser una sonrisa atractiva.

—Todo lo que tendría que hacer es decir que estoy haciéndole chantaje. Claro está que yo pasaría la foto de Caroline, y entrevistarían a su madre y esas cosas, pero podría arriesgarse. Bueno, vamos a ver... tenemos tantos asuntos de familia que tratar, no sé siquiera dónde empezar. Con la hipoteca de Louisa Djiak, o conmigo en el cieno de la laguna del Palo Muerto, o con Nancy Cleghorn.

Yo hablaba en tono meditativo, observándole con el rabillo del ojo. Me pareció que se ponía algo más nervioso con el nombre de Nancy que con el de Louisa.

—¡Ya sé! Con ese informe que mandó al Descanso del Marino relativo a Xerxes. Está usted sacando tajada de ese seguro, ¿no es cierto? ¿Qué hacen, pagar una prima más alta de la que les cobran para que pueda embolsarse usted la diferencia? Eso no tiene por qué arruinarle precisamente en el barrio. Le han acusado de cosas peores y ha sido reelegido.

Súbitamente, el recuerdo que me había eludido desde que hablara con Caroline el sábado subió a la superficie. La señora Pankowski a la puerta de su casa, diciendo que Joey no le había dejado seguro alguno. Quizá no se hubiera incorporado al plan general. Pero, pensé, aquélla era una de las prestaciones de Xerxes, un seguro de vida sin pagar cuota. Sólo que quizás hubiera vencido; puesto que él no estaba en la compañía cuando murió, no estaría cubierto. En fin, nada se perdía por preguntar.

—¿Cuando murió Joey Pankowski, por qué no le quedó seguro de vida?

—No sé de qué demonios me habla.

—De Joey Pankowski. Trabajó en Xerxes. Usted es garante de sus planes de cobertura, por tanto debe saber por qué uno de los empleados no cobraría seguro de vida al morir.

De pronto, pareció como si Jurshak fuera a desplomarse al suelo. Yo me devanaba la cabeza frenéticamente, intentando conservar la ventaja con preguntas capciosas. Pero él era veterano en encajar golpes y percibía que yo realmente no tenía nada tangible. Recuperó la suficiente presencia de ánimo para sostener un frente de obstinada negativa.

—Muy bien. Lo dejaremos de momento. Puedo enterarme de lo que se trata en un minuto hablando con el afectado. O con cualquier otro empleado. Volvamos a Nancy Cleghorn. Ella le vio a usted con Dresberg en su oficina, y usted sabe tan bien como yo que no hay inspector de seguros que le permita conservar la licencia si tiene relaciones con la mafia.

—Venga, Warshawski, corte ya. No sé quién es esa chica Cleghorn, aparte de leer en los periódicos que la mataron. Puede que de vez en cuando hable con Dresberg... tiene muchos asuntos en *mi* distrito y yo soy concejal de todo el distrito. No puedo permitirme ser una señorita remilgada que se tape la nariz cuando huele a basura. El inspector de seguros no se lo va ni a plantear, no digamos ya a actuar.

—¿Entonces no le molestaría que se supiera que usted y Dresberg se reunieron en su despacho a última hora de la noche?

—Demuéstrelo.

Bostecé.

—¿Cómo cree que me he enterado, para empezar? Hubo un testigo, desde luego.

Ni siquiera aquello le sacudió lo bastante para poder sonsacarle nada más. Cuando la conversación finalizó no sólo me invadía un sentimiento de frustración, sino también de ser demasiado joven para aquel trabajo. Sencillamente, la experiencia de Art era muy superior a la mía. Ganas tuve de rechinar los dientes y decir: «Ya verás, perro, al final te cogeré.» En vez de eso le dije que estaríamos en contacto.

Me alejé de él en dirección a la carretera del lago. Cruzándola metida entre el tráfico, le observé desde lejos. Permaneció un rato largo mirando al vacío, después se sacudió y volvió hacia su coche.

36

Mala sangre

Recuperé mi coche y volví hacia casa de Lotty. En realidad, lo único que había logrado de mi entrevista con Jurshak era el dato de que había estado cometiendo alguna clase de fraude con el seguro de Xerxes. Y algo gordo, a juzgar por su expresión. Pero no sabía qué era. Y me hacía falta enterarme enseguida, antes de que todas las personas a las que estaba sacando de sus casillas convergieran de una vez por todas y me enviaran al eterno descanso. La urgencia me apretaba el estómago y me coagulaba el cerebro.

El tráfico de hora punta empezaba ya a espesarse en las arterias principales del centro. El tono amenazante que la voz de Humboldt había tenido aquella mañana me resonaba aún en los oídos. Conduje con cautela bajo la luz crepuscular de febrero, cerciorándome de que no me seguían. Hice todo el recorrido hasta Montrose y salí por el parque, girando dos veces sucesivamente antes de comprobar que no llevaba escolta y dirigirme hacia casa de Lotty.

No me extrañó en absoluto llegar antes que ella: para conveniencia de las madres trabajadoras, Lotty mantiene abierta la clínica hasta las seis la mayoría de las tardes. Salí a comprar algo de comida; lo menos que podía hacer para agradecerle su hospitalidad era tener la cena dispuesta. Empecé otra vez con el pollo con ajo y aceitunas que estaba guisando la noche anterior a mi agresión, con la esperanza de que mantenerme ocupada me evitara la fructificación de ideas en el fondo de la cabeza. Esta vez preparé todo el plato sin interrupciones y lo puse a cocer a fuego lento.

Por entonces eran ya casi las siete y media y Lotty seguía sin volver. Empecé a preocuparme, preguntándome si debía llamar a la clínica o a Max. Podría haberse retrasado por una urgencia de última hora, en la clínica o en el hospital. Pero también sería un blanco fácil para cualquier decidido a vengarse de mí.

A las ocho y media, cuando había probado en la clínica y en el hospital sin resultado, salí a buscarla. Su coche se detuvo frente al edificio en el momento en que yo cerraba la puerta del portal.

—¡Lotty! Estaba empezando a preocuparme —exclamé, corriendo a recibirla.

Me siguió al interior del edificio, con paso rezagado, muy distinto a su habitual trote ligero.

—¿Dónde has estado, cariño? —preguntó fatigada—. Tendría que haber recordado lo nerviosa que has estado en los últimos días. Tú no eres de las que te inquietas por unas pocas horas.

Tenía razón. Otra señal de que había dejado atrás el último ápice de racionalidad en mi enfrentamiento con las cuestiones presentes. Entró lentamente al piso, quitándose el abrigo con movimientos pausados y guardándolo metódicamente en un armario de nogal tallado que había en el recibidor. La llevé hacia una butaca del salón. Me dejó que le sirviera un poco de coñac; es el único alcohol que bebe, y solamente cuando se encuentra bajo una tensión extrema.

—Gracias, cariño. Me vendrá muy bien. —Se quitó los zapatos; encontré sus zapatillas ordenadamente colocadas junto a su cama y se las traje.

—He pasado las dos últimas horas con la doctora Christophersen. Es la nefróloga a la que te dije que iba a mostrar los cuadernos de la compañía química.

Se terminó la copa pero movió la cabeza cuando le ofrecí la botella.

—Algo sospeché cuando revisé las anotaciones, pero quería que un especialista me hiciera una interpretación exhaustiva. —Abrió su portafolios y sacó unas cuartillas de fotocopias—. Dejé los cuadernos bajo llave en la caja fuerte de Max del Beth Israel. Son demasiado... demasiado alarmantes para dejarlos circular libremente por las calles de la ciudad a disposición de cualquiera. Éste es el resumen de las notas de Ann, de la doctora Christophersen. Dice que puede llevar a cabo un análisis detallado si fuera preciso.

Me entregó las cuartillas y observé la letra diminuta y cuadrada de la doctora Christophersen. Eran comentarios sobre los análisis de sangre anotados en las páginas de los cuadernos de Chigwell, utilizando los datos de Louisa Djiak y Steve Ferraro como ejemplo. Los pormenores de la química sanguínea no tenían significado alguno para mí, pero el resumen a pie de la página estaba en lenguaje sencillo y era espantosamente claro:

Los documentos muestran el historial sanguíneo de la señorita Louisa Djiak (mujer blanca soltera, un parto) desde 1963 a 1982, último año en que se recogieron datos; y del señor Steve Ferraro (hombre blanco soltero) desde 1957 a 1982. Existen también datos sobre aproximadamente quinientos empleados de la fábrica Xerxes de la compañía Químicas Humboldt para el período de 1955 a 1982. Dichos datos muestran alteraciones en los valores de creatina, nitrógeno de la urea sanguínea, bilirrubina, hematocritos y hemoglobina, y un recuento de leucocitos consistente con el desarrollo de disfunciones renales, hepáticas y de la médula ósea. Una conversación con el doctor Daniel Peters, actual médico de la señorita Djiak, confirma que la paciente le visitó primeramente en 1984, ante la insistencia de su hija. En aquel momento, el médico diagnosticó insuficiencia renal crónica, que ha progresado desde entonces hasta una fase aguda. Otra clase de complicaciones no permitieron que la señorita Djiak pudiera optar a un trasplante.

Los análisis de sangre indican una perceptible lesión renal ya en 1967 (CR = 1,9; BUN = 28) y una lesión grave hacia 1969 (CR = 2,4; BUN = 30). La paciente empezó a experimentar síntomas difusos típicos —picores, fatiga, dolores de cabeza— hacia 1979, pero creyó que estaba pasando por la «edad crítica» y no consideró necesario consultarlo con un médico.

El informe seguía con un resumen similar sobre Steve Ferraro, que terminaba con su muerte a causa de anemia aplásica en 1983. El resto de aquella precisa relación detallaba las propiedades tóxicas de la xerxina, y demostraba que los cambios producidos en la química sanguínea eran consistentes con haber estado en contacto con la xerxina. Leí el documento detenidamente dos veces antes de dejarlo en la mesa y mirar a Lotty fijamente, aterrada.

—La doctora Christophersen ha trabajado mucho, con las llamadas a los médicos de Louisa y Steve Ferraro y todas estas comprobaciones. —Fue el único comentario que pude formular en un principio.

—Estaba horrorizada —totalmente horrorizada— por lo que veía. Le di los nombres de dos pacientes que yo sabía que podían verificarse, y ella ha hecho las indagaciones esta tarde. Por lo menos en los casos de tu amiga y el señor Ferraro parece abundantemente claro que no tenían ni idea de lo que les estaba ocurriendo.

Asentí en silencio.

—Todo ello tiene una cierta lógica espantosa. Louisa empieza a experimentar síntomas vagos que ella cree que son de menopausia —¿a los treinta y cuatro años?—, pero como jamás tuvo una educación sexual como es debido, quizá no sea tan increíble. En fin, Louisa no iría proclamándolo por la fábrica. Muchos de sus empleados provienen del mismo medio que ella, donde todo lo relacionado con las funciones del cuerpo es vergonzante y no se habla.

—Pero Victoria —estalló Lotty—, ¿qué sentido tiene todo esto? ¿Quién, aparte de Mengele, puede ser tan frío, tan calculador para conservar esta clase de historiales y no decir nada, ni una palabra, a las personas afectadas?

Me froté la cabeza. El punto donde había recibido el golpe estaba prácticamente curado, pero ahora que mi cerebro estaba sometido a tal tensión, el golpe me palpitaba de modo sordo, como un retumbar de tambores en la selva de mi pensamiento.

—No lo sé. —El estado enervado de Lotty se me había contagiado—. Comprendo por qué no quieren que salga nada de esto a la luz ahora.

Lotty sacudió la cabeza nerviosamente.

—Pues yo no. Explícamelo, Victoria.

—Daños y perjuicios. Pankowski y Ferraro demandaron por el pago de indemnizaciones a las que creían que tenían derecho; intentaron hacer valer su causa afirmando que sus enfermedades eran consecuencia de haber estado expuestos a la xerxina. Humboldt se defendió con éxito. Según el abogado que llevó el pleito, la compañía tenía dos defensas operativas: la primera, que aquellos dos tipos fumaban y bebían mucho, de modo que era indemostrable que la xerxina les había intoxicado. Y la segunda, que parece haber sido la definitiva, es que su contacto se había producido antes de conocerse la toxicidad de la xerxina. Es decir que...

Mi voz fue apagándose. Comprendí con impresionante claridad por qué era problemático el informe de Jurshak al Descanso del Marino. Estaba ayudando a Humboldt a ocultar las altas tasas de mortalidad y enfermedad de Xerxes para lograr que la entidad aseguradora le aplicara unas cuotas favorables. Se me ocurrían un par de formas para realizarlo, pero la más probable parecía ser que estuvieran sacándole al Descanso del Marino mejor cobertura de la que ofrecían a los empleados. A éstos se les comunicaría que ciertas clases de análisis o ciertos períodos de permanencia hospitalaria no estaban cubiertos. Cuando llegaron las facturas correspondientes pasarían por la entidad garante y allí los amañarían antes de mandarlos a la compañía aseguradora. Consideré la cuestión desde diversos ángulos y seguía pareciéndome prometedora. Me levanté y fui hacia la extensión telefónica de la cocina.

—¿Es decir qué, Victoria? —exclamó Lotty impacientemente a mi espalda—. ¿Qué estás haciendo?

Para empezar apagar el pollo; había olvidado la cena y lo había dejado cocer alegremente en el fuego trasero del fogón. Las aceitunas eran grumitos carbonizados mientras el pollo parecía haberse soldado al fondo del cacharro. Aquélla no era definitivamente la receta más conseguida de mi repertorio. Intenté raspar el revoltijo en el cubo de la basura.

—Anda, olvídate de la cena —dijo Lotty en tono irritado—. Déjalo en la pila y cuéntame todo lo que estás pensando. La compañía sostuvo que no podían hacerse responsables de la enfermedad de nadie que trabajara para ellos si había comenzado antes de 1975, cuando Ciba-Geigy estableció la toxicidad de la xerxina. ¿No es eso?

—Sí, sólo que yo no sabía que hubiera sido Ciba-Geigy ni que el año crítico fuera 1975. Y apuesto a que afirmaron haber reducido la proporción por masa de xerxina hasta lo que fuera entonces el nivel permitido, y que eso es lo que demuestran sus informes a Washington. Los que Jurshak envió a Humboldt. Pero los análisis realizados por PRECS en la fábrica muestran niveles mucho más altos. Tengo que llamar a Caroline Djiak y enterarme.

—Pero Vic —dijo Lotty, raspando distraídamente el pollo de la cacerola—, sigues sin explicarme por qué no quisieron decir a sus empleados que sus cuerpos estaban sufriendo lesiones. Si el nivel permitido no se fijó hasta 1975, ¿cómo podía afectarles *antes* de esa fecha?

—Por el seguro —dije brevemente, buscando el número de Louisa en la guía. No apareció. Despotricando, volví a la habitación de invitados para sacar mi agenda de la maleta.

Regresé a la cocina y empecé a marcar.

—La única persona que puede decírnoslo con certeza es el doctor Chigwell, y ahora mismo anda desaparecido. Y no estoy segura de poderle hacer hablar aun si lo encontrara; Humboldt le asusta mucho más que yo.

Caroline se puso al teléfono a la quinta señal.

—Vic. Hola. Estaba acostando a mamá. ¿Puedes esperar? ¿O te vuelvo a llamar?

Le dije que esperaría.

—Pero lo que pasa —añadí dirigiéndome a Lotty—, es que ahora mismo esos cuadernos pueden significar la quiebra. No necesariamente para toda la compañía, pero sí desde luego para la operación Xerxes. Si todo eso cae en manos de un buen abogado, que se pusiera en contacto con los empleados o sus familiares, el asunto está cantado. Tienen todos esos cuadernos Manville para utilizar como precedente.

No era de extrañar que Humboldt estuviera lo bastante desesperado para buscarme personalmente. Su pequeño imperio estaba amenazado por los turcos. Frederick Manheim tenía razón: debía parecerles increíble que una detective empezara a husmear el rastro de Pankowski y Ferraro y que no estuviera buscando evidencia de los análisis de sangre.

¿Por qué había querido suicidarse Chigwell? ¿Abrumado por los remordimientos? ¿O es que alguien le había amenazado con una suerte mucho peor que la muerte si nos contaba algo a Murray o a mí? La gente con la que había largado el viernes podía haberlo matado ya si pensara que iba a desfondárseles.

No creía que fuera a saber nunca lo que había ocurrido exactamente. Ni veía el modo de seguir el hilo de la muerte de Nancy hasta el gran tiburón. La única esperanza sería que los dos matones que tenía Bobby detenidos cantaran e involucraran a Humboldt de algún modo. Pero no ponía en eso muchas esperanzas. Incluso si hablaran, una persona como Humboldt conocía demasiadas formas para inhibirse de las consecuencias inmediatas de sus actos. Igual que Enrique II. Me estremecí.

Cuando Caroline volvió al teléfono le pregunté si Louisa y ella tenían un folleto donde se enumeraran las prestaciones de Xerxes.

—Dios. Vic, no lo sé —dijo impaciente—. ¿Y eso qué importa?

—Mucho —respondí cortante—. Podría explicarnos por qué mataron a Nancy y un montón más de cosas desagradables.

Caroline emitió un suspiro exagerado. Dijo que preguntaría a Louisa y dejó el teléfono.

Nancy habría estado al corriente de la verdadera cantidad de accidentes de Xerxes porque ella era la encargada del seguimiento de esta cuestión como directora de Medio Ambiente y Salud de PRECS. Por eso, cuando había visto la carta al Descanso del Marino y se había enterado de la estructura de primas de la compañía, había comprendido de inmediato que Jurshak les estaba haciendo algún chanchullo. Pero ¿quién había sacado los documentos de su oficina de PRECS? O quizá los llevara consigo, preparándose para una confrontación con Jurshak, y él se hubiera ocupado de encontrarlos y destruirlos. Pero Nancy se había dejado alguna otra cosa en el coche y allí no habían buscado.

Cuando Caroline volvió al teléfono me dijo que Louisa creía haber traído a casa un volante de propaganda, pero que estaría metido entre sus papeles. ¿Quería esperar hasta que mirara? Le pedí simplemente que lo buscara y lo dejara fuera para que pudiera yo recogerlo por la mañana. Empezó a lanzar una andanada de preguntas. No fui capaz de aguantar la insistente presión de su voz.

—Dale un abrazo a Louisa de mi parte —la interrumpí fatigada, y colgué entre explosiones de indignación.

Lotty y yo salimos a tomar una cena sobria en el Dortmunder. Ambas nos sentíamos excesivamente abrumadas por la enormidad que nos habían revelado los cuadernos de Chigwell para comer con apetito o desear charlar.

Cuando volvimos a casa llamé al señor Contreras. El joven Art se había largado. El viejo había cerrado con llave la puerta delantera y trasera cuando sacó a Peppy a su paseo nocturno, pero Art había abierto una ventana y saltado fuera. El señor Contreras estaba muy afligido; tenía la sensación de haber fracasado la única vez que expresamente había solicitado su ayuda.

—No se preocupe —le dije con convicción—. No tenía posibilidad de vigilarle las veinticuatro horas del día. Vino en busca de protección; si no la quiere, es su pescuezo el que se juega. Usted y yo no podemos pasarnos la vida llevando tijeras en el bolsillo por si se empeña en meter la cabeza por una cuerda.

Eso le animó ligeramente. Aunque se disculpó varias veces más, consiguió hablar de otras cosas; como de lo sola que se sentía Peppy por mi ausencia.

—Ya, yo también les echo de menos a los dos —dije—. Hasta echo de menos su forma de marcarme cuando quiero estar sola.

Rio encantado por aquello y colgó mucho más alegre que yo. Aunque la verdad era que maldito lo que me importaba el joven Art, no estaba segura de cuánto sabía él de lo que estaba yo reconstruyendo. No me agradaba precisamente la idea de que fuera con alguna parte del cuento a su padre.

Mi contestador automático me dijo que Murray había estado intentando ponerse en contacto conmigo. Le localicé y le dije que no había cristalizado nada por el momento. La verdad es que no me creyó, pero no tenía manera de demostrar lo contrario.

37

El tiburón pone carnada

Tenía el cerebro en ese estado embotado y febril en el que duermes como si estuvieras drogado: pesadamente pero sin descansar. La tragedia de la vida de Louisa se insinuaba continuamente en mis sueños; Gabriella me reprendía duramente en italiano por no haber cuidado mejor de nuestra vecina.

Desperté definitivamente a las cinco de la mañana y paseé intranquila por la cocina de Lotty, deseando tener a la perra conmigo, deseando poder hacer algo de ejercicio, deseando encontrar el modo de obligar a Gustav Humboldt a escucharme. Lotty se unió a mí en la cocina poco antes de las seis. Su rostro demacrado delataba su propia historia de noche insomne. Me puso una mano fuerte en el hombro y me lo oprimió suavemente, después procedió a preparar el café sin decir palabra.

Después que Lotty se hubo marchado a sus rondas de primera hora de la mañana en el Beth Israel, fui hacia el sur una vez más para ver a Louisa. Ésta se alegró de verme, como siempre, pero parecía más agotada que en las anteriores ocasiones en que había estado allí. Le pregunté con toda la delicadeza y sutileza que pude el comienzo de su enfermedad, cuando había empezado a sentirse mal.

—¿Recuerdas esos análisis de sangre que solía haceros... el viejo Chigwell el Chinche?

Soltó una risa cascada.

—Ya lo creo. Vi dónde quiso suicidarse el viejo chinche. Apareció en todos los canales de televisión la semana pasada. Siempre fue un hombrecillo débil; le asustaba su propia sombra. No me extrañó que no estuviera casado. No hay mujer que quiera un quisquilla como ése que no es capaz ni de defenderse.

—¿Qué te dijo cuando te sacó sangre?

—Que era una de las prestaciones, decían, un examen físico anual como ése, con análisis de sangre y todo. No era el tipo de cosa que a mí se me habría ocurrido. No sabía que la gente quisiera esas cosas. Pero al jefe sindical le parecía bien y a los demás nos daba igual. Nos sacaba del trabajo con paga una mañana al año, ¿sabes?

—¿Nunca os dieron los resultados? ¿O los mandaron a vuestro médico?

—Anda ya, mujer. —Louisa agitó las manos y tosió fuertemente—. De todos modos, si nos hubieran dado los resultados no habríamos sabido qué significaban. El doctor Chigwell me enseñó una vez mi gráfico y, te digo, para mí como si fuera árabe; ¿sabes esas rayas onduladas que llevan en las banderas y demás? Pues eso me parecieron más o menos los análisis médicos.

Me forcé a reír un poco y permanecí un rato de charla. Pero Louisa se agotaba pronto, y se quedó dormida a mitad de frase. Me quedé a su lado mientras dormía, obsesionada por las acusaciones de Gabriella en mis sueños.

Qué vida. Criada en aquella familia angustiante, violada por su propio tío, envenenada por su jefe, y muriendo lenta y dolorosamente. Y sin embargo, no era una persona infeliz. Cuando se había mudado a la casa de al lado estaba asustada, pero no amargada. Había criado a Caroline con júbilo y había disfrutado de la libertad de hacer su propia vida al margen de sus padres. De modo que quizá mi compasión no sólo fuera impropia sino también condescendiente.

Mientras observaba el subir y bajar del pecho de Louisa con su respiración estertórea, me preguntaba qué debía decir a Caroline sobre su padre. No decirle nada sería una especie de control, una forma de poder sobre su vida a la que no tenía derecho. Pero decírselo me parecía una crueldad sin sentido. ¿Se merecía ella un conocimiento tan opresivo?

Seguía aún rumiando el asunto mentalmente cuando entró corriendo Caroline a mediodía para prepararle la comida a Louisa, un almuerzo ligero sin sal y con viandas más bien exiguas. Caroline se alegró de verme, pero tenía mucha prisa, corriendo como iba entre reuniones.

—¿Encontraste el volante? Lo dejé junto a la cafetera. Quisiera que me contaras qué es lo que te tiene tan excitada; si afecta a mamá tengo derecho a saberlo.

—Si supiera exactamente cómo le afecta te lo diría sin pensarlo; pero hasta ahora no he hecho más que abrirme paso entre la hojarasca.

Encontré el volante y lo estudié mientras Caroline le llevaba la comida a Louisa. Me dejó más perpleja aún de lo que había estado antes: estaban excluidas todas las prestaciones que Louisa recibía regularmente. Atención médica fuera del hospital, diálisis, oxígeno a domicilio. Cuando Caroline entró le pregunté quién pagaba aquellos servicios, por saber si ella se las estaba arreglando para juntar el dinero necesario.

Negó con la cabeza.

—Xerxes se ha portado muy bien con mamá. Pagan todas las facturas sin preguntar. Si no puedes decirme lo que está pasando con mi propia madre, me vuelvo a la oficina. Quizás haya alguien allí que me informe. O quizá contrate a mi propio investigador. —Me sacó la lengua.

—Inténtalo, mocosa... todos los investigadores privados de la ciudad han sido informados de que eres un riesgo grave.

Caroline rio y se fue. Yo me quedé hasta que Louisa hubo terminado su magro almuerzo y se durmió nuevamente. Dejando la televisión encendida como ruido de fondo, salí de puntillas y devolví la llave al saliente del porche trasero.

Hubiera querido entender por qué se habían llevado a cabo todos esos análisis de sangre muchos años antes de que nadie tuviera interés en demandar a la compañía. Presumiblemente guardaba relación con el chanchullo del seguro, pero no veía la conexión exacta. No conocía a nadie en Xerxes dispuesto a hablar conmigo. Quizá lo estuviera la señorita Chigwell, pero sus vínculos habían sido tenues y no precisamente favorables. Ella era mi única posibilidad, no obstante, de modo que hice el largo recorrido hasta Hindsdale.

La señorita Chigwell estaba en el garaje pintando el bote de remo. Me saludó con su habitual aspereza brusca, pero dado que me invitó a tomar el té en su casa supuse que se alegraba de verme.

No tenía ni idea de por qué habían empezado a hacer análisis de sangre en la fábrica Xerxes.

—Lo único que recuerdo es que a Curtis le trastornó mucho porque había que mandar aquellas muestras al laboratorio y llevar un registro aparte de todas ellas, adjudicando números a los empleados y demás. Por eso tenía sus propios cuadernos, para poder seguirlos por el nombre y no tener que preocuparse por el sistema de números.

Estuve sentada en la butaca de chintz durante más de una hora, comiendo un buen montón de galletas mientras ella hablaba de lo que haría si no encontraba a su hermano.

—Siempre quise ir a Florencia —dijo—. Pero ahora soy ya demasiado vieja, supongo. Nunca he conseguido que Curtis aceptara viajar fuera del país. Siempre se teme contraer alguna enfermedad horrible por la comida o el agua, o que los extranjeros le engañen.

—Yo también he querido ir a Florencia; mi madre era de un pueblecito del sudeste de Toscana. Mi excusa es que nunca he tenido dinero suficiente para pagar el billete de avión. —Me incliné hacia delante y añadí persuasivamente—: Usted le ha dado a su hermano la mayor parte de su vida. No tiene que pasar lo que le queda esperando en la ventana con una vela encendida. Si yo tuviera setenta y nueve años y estuviera bien de salud y con algún dinero, estaría en el aeropuerto de O'Hare con una maleta y un pasaporte a tiempo para el vuelo de esta noche.

—Usted probablemente sí —asintió—. Es una mujer valiente.

Me fui poco después de aquello y volví hacia Chicago, otra vez con dolor de hombros. La charla con la señorita Chigwell había sido una apuesta con pocas posibilidades. Podría haberla llevado a cabo por teléfono si no me apeteciera verla, pero aquella infructuosa diligencia al final de una semana difícil me había dejado agotada. Quizás había llegado el momento de entregar a la policía lo que tenía. Empecé a imaginar cómo iba a contarle a Bobby la historia:

«Verás, hicieron toda una serie de análisis de sangre a sus empleados y ahora temen que alguien se entere y les ponga una demanda por ocultar evidencia en cuanto al calibre de la toxicidad de la xerxina.»

Y Bobby sonriendo indulgente y diciendo: «Comprendo que te ha caído bien la buena señora, pero es evidente que le ha guardado rencor a su hermano todos estos años. Yo no aceptaría sus palabras así por las buenas. ¿Cómo sabemos siquiera que esos cuadernos son del doctor? Ella tiene alguna formación médica; podría haberlos falsificado simplemente para buscarle un lío. Entonces él desaparece y ella busca el modo de deshacerse de ellos. Qué puñetas.» —No, Bobby no emplearía palabras malsonantes delante de mí—. «Qué demonios, Vicki, quién te dice que no tuvieron la pelea que colmó el vaso, le aporreó en la cabeza y después se asustó y enterró el cuerpo en Arroyo Salado. Entonces la señorita Chigwell te llama para decirte que su hermano ha desaparecido. Tú estás entusiasmada con la señora; te vas a tragar el cuento como ella quiera contártelo.»

¿Y quién me aseguraba que no hubiera sido así? En todo caso estaba bastante segura de que sería así como Bobby vería el asunto antes de actuar contra una persona tan importante en Chicago como Gustav Humboldt. Podía contarle toda la historia a Murray, pero lejos de compartir la renuencia de Bobby a perseguir a Humboldt, Murray arrasaría como el caballo de Atila sobre las vidas de todos los implicados. No quería darle nada que le impulsara a ir en busca de Louisa.

Pasé por mi casa para animar al señor Contreras por la pérdida del joven Art y ver a la perra. Estaba demasiado oscuro para sentirme cómoda llevándola a dar un paseo, pero era evidente que estaba desarrollando el nerviosismo que siente el animal vigoroso que no hace bastante ejercicio. Un motivo más para desentenderme de Humboldt: poder salir a correr con la perra.

Una vez más inspeccioné las calles de alrededor, pero mis perseguidores no parecían estar por ninguna parte. En cierto sentido eso me alegró menos en lugar de más. Acaso mis amigos estuvieran simplemente esperando a que Troy y Wally salieran bajo fianza. Pero podrían haber decidido que un golpe corriente y vulgar no serviría y planeaban algo más decisivamente espectacular, como una bomba en mi coche o en casa de Lotty. Por si acaso, dejé el coche a cierta distancia de su edificio y cogí el autobús de vuelta a través de Irving Park.

Hice *frittata* para cenar, con más éxito que el pollo, dado que no se chamuscó, pero no podría haber dicho a qué sabía. Le hablé a Lotty de mis diversos dilemas: cómo dar a entender claramente la situación a Jurshak y Humboldt, y si informar a Caroline de que había encontrado a su padre.

Frunció los labios.

—No puedo aconsejarte sobre el señor Humboldt. Vas a tener que pensar algún plan. Pero sobre el padre de Caroline tengo que decirte que, en mi experiencia, siempre es mejor que la gente sepa las cosas. Dices que es una noticia horrible y lo es. Pero no es una débil mental. Y no puedes decidir por ella lo que puede saber y lo que es preferible que no sepa. Para empezar, cabe la posibilidad de que lo descubra de modo mucho más horrendo a través de otra persona. Y para seguir, puede imaginarse sin dificultad cosas mucho más espantosas para ella. De modo que de estar en tu lugar yo se lo diría.

Era una forma de expresar más exactamente mis propios pensamientos. Cabeceé.

—Gracias, Lotty.

Pasamos el resto de la velada en silencio. Lotty repasaba

los periódicos de la mañana, mientras la luz dibujaba pequeños prismas en las medias gafas que llevaba para leer. Yo no hice nada. Sentía como si tuviera la cabeza encajonada en una cobertura de acero: un revestimiento protector para evitar que entraran ideas de ninguna clase. Los residuos de mi temor. Yo lanzaba tarascadas al gran tiburón pero me daba miedo buscar un arpón y atacarle directamente. Detestaba saber que había logrado intimidarme, pero la conciencia de ello no me producía un flujo desbordado de ideas.

El teléfono me sobresaltó sacándome de mis sombrías meditaciones hacia las nueve. Uno del personal de plantilla del Beth Israel no estaba seguro sobre qué hacer con una de las pacientes de Lotty. Ésta habló con él unos minutos, y después pensó que sería preferible que se ocupara ella del parto personalmente y se fue.

Yo había comprado una botella de whisky ayer junto a los alimentos. Cuando Lotty llevaba fuera alrededor de media hora, me serví un vaso y procuré interesarme en las proezas televisadas de John Wayne. Cuando el teléfono volvió a sonar hacia las diez apagué el aparato, pensando que podía ser algún paciente de Lotty.

—Residencia de la doctora Herschel.

—Busco a una mujer que se llama Warshawski. —Era una voz de hombre, fría, distante. La última vez que la había oído me había dicho que todavía no había nacido la persona que pudiera nadar en un pantano.

—Si la veo, le daré cualquier mensaje encantada —dije con toda la serenidad que pude reunir.

—Pregúntele si conoce a Louisa Djiak —dijo la voz fría inexpresivamente.

—¿Y si la conoce? —La voz me tembló pese a todos mis esfuerzos por controlarla.

—A Louisa Djiak no le queda mucho tiempo de vida. Podría morir en su cama sin salir de casa. O puede desaparecer en las lagunas que hay a espaldas de la fábrica Xerxes. Su amiga Warshawski puede elegir. Louisa está en Xerxes en este momento. Está totalmente sedada. Lo único que tiene que hacer —que tiene que decir a su amiga Warshawski que haga— es ir y echarle un vistazo. Si va, esta mujer se despertará mañana en su cama sin saber que salió de allí en ningún momento. Pero si aparece algún policía con Warshawski, van a tener que buscarse a algún hombre rana que quiera zambullirse en xerxina antes de poder enterrar cristianamente a la Djiak. —La comunicación se interrumpió.

Perdí unos pocos minutos recriminándome inútilmente. Había estado tan centrada en mí misma, en mi íntima amistad con Lotty, que no había imaginado siquiera que Louisa pudiera estar en peligro. Pese a haberle contado a Jurshak que tenía conocimiento de su secreto. Si Louisa y yo desaparecíamos, no quedaría nadie que pudiera revelarlo y él estaría a salvo.

Me obligué a pensar serenamente; maldecirme a mí misma no sólo era una pérdida de tiempo, sino que me nublaría la capacidad de discernimiento. Lo primero que tenía que hacer era ponerme en movimiento. Podía esperar al largo trayecto hacia el sur para idear alguna estrategia brillante. Metí otro cargador en la pistola y me la guardé en el bolsillo de la chaqueta, después escribí una nota a Lotty. Me asombró ver que mi letra se configuraba con los mismos trazos alargados y gruesos de siempre.

Iba a cerrar con llave la puerta de Lotty cuando recordé la artimaña que había alejado al señor Contreras del edificio hacía unas noches. No quería meterme en una trampa aquí. Volví a entrar para cerciorarme de que Louisa faltaba realmente de su casita de Houston. Nadie cogió el teléfono. Tras unas cuantas llamadas frenéticas —la primera a la señora Cleghorn para que me diera los nombres y números de alguna persona de PRECS— supe que Caroline había vuelto a la oficina hacia las cuatro. En esos momentos estaba encerrada en el centro con algunos abogados de la Agencia de Protección del Medio Ambiente en lo que tenía aspecto de ser una sesión para toda la noche.

La mujer con la que hablé tenía el número de las personas que vivían en la antigua casa de mis padres, una pareja de apellido Santiago. Caroline le había dado su teléfono a todos sus compañeros de trabajo para un caso de emergencia. Cuando llamé a la señora Santiago me dijo amablemente que se habían llevado a Louisa en una ambulancia hacia las ocho y media. Le di las gracias mecánicamente y colgué.

Hacía casi media hora que había recibido la llamada. Había que ponerse en movimiento. Hubiera deseado compañía para aquel viaje, pero habría sido una crueldad llevarme al señor Contreras: para él y para Louisa. Pensé en amigos, en la policía, en Murray, pero en nadie a quien pudiera pedir que me acompañara en una ocasión tan extremadamente peligrosa.

Miré cautelosamente por el corredor abajo cuando salí de casa de Lotty. Alguien sabía que podía llamarme aquí; podrían atajar descerrajándome un tiro al bajar por la escalera. Mantuve la espalda pegada a la pared, y bajé muy agachada. En lugar de salir por la puerta delantera, bajé al sótano. Avancé con cuidado por la planta oscura, tanteando cautamente las llaves de Lotty para encontrar la que abría el doble cerrojo de la puerta del sótano. Seguí por el callejón hasta la carretera de Irving Park.

Un autobús paró justamente cuando llegaba a la calle principal. Rebusqué en el bolsillo para sacar una ficha de debajo del cargador de recambio y al final logré sacar una sin tener que enseñar al mundo entero mis municiones. Permanecí en pie el trayecto de ocho manzanas hasta el parque Irving, sin ver nada ni de los pasajeros ni de la noche. En Ashland me bajé y fui a por mi coche.

De algún modo, el chirriante motor diesel del autobús me había procurado el ambiente que me hacía falta para tranquilizar mi cabeza del todo, para que empezaran a fluir las ideas. Si habían venido a buscar a Louisa en ambulancia, si estaba completamente sedada, tenían que haber llevado un médico. Y sólo había una opción posible sobre qué médico sería el implicado en aquel infame plan. De modo que había una persona que también tenía parte en esto y a la que no sería un crimen pedirle que compartiera mis riesgos. Por segunda vez en el día salí de la Eisenhower hacia Hinsdale.

38

Shock tóxico

De las zanjas de drenaje que flanquean la carretera de peaje se alzaban gasas de niebla, cubriendo la carretera a retazos de modo que los restantes coches parecían tan sólo velados puntos rojos. Mantuve la aguja de la velocidad señalando el ochenta, incluso cuando la densa bruma cegó la carretera ante nosotros. El Chevy vibraba ruidosamente, impidiendo toda conversación. De vez en cuando, bajaba la ventana y sacaba la mano para tantear las cuerdas. Se habían aflojado un poco, pero la barca seguía en el techo.

Salimos en la calle Ciento veintisiete para seguir la vía hacia el este. Estábamos a unas ochenta millas al oeste de la fábrica Xerxes, pero no hay ninguna autovía que una los lados este y oeste de Chicago tan al sur.

Era casi media noche. El miedo y la impaciencia se habían apoderado de mí con tal fuerza que apenas si podía respirar. Toda mi voluntad se agotaba en el coche, maniobrando entre otros vehículos, saliendo con chirrido de ruedas al cambio de los semáforos, manteniendo la mirada atenta a las posibles patrullas de tráfico para hacer las cincuenta en las zonas de treinta y cinco millas por hora. Catorce minutos después de salir de la carretera de peaje estábamos girando hacia el norte por el estrecho carril en que se convierte Stony Island a esa altura del sur.

Ahora nos encontrábamos en propiedad industrial privada; pero no podía apagar las luces por aquella vía llena de baches y cristales. Me había decidido por una fábrica con aspecto de abandono con la esperanza de que no tuviera vigilancia nocturna. O perros. Paramos el coche frente a una gran barcaza de cemento. Miré hacia la señorita Chigwell. Ella cabeceó sombría.

Abrimos las portezuelas del coche, procurando movernos sin ruido pero más preocupadas por hacerlo con premura. La señorita Chigwell sostenía una fuerte linterna mientras yo cortaba las cuerdas. Dobló una manta sobre el capó para que pudiera bajar la barca resbalando todo lo silenciosamente posible. Después pusimos la manta en el suelo para hacer una especie de soporte para el bote. Yo tiré de él hasta la barcaza de cemento mientras la señorita Chigwell me seguía, con la linterna en alto y llevando los remos.

La barcaza estaba amarrada junto a una serie de travesaños de hierro empotrados en la pared. Bajamos la barca por el costado. Después sujetamos la boza mientras la señorita Chigwell bajaba por los peldaños ágilmente. Yo la seguí rápidamente.

Cada una cogimos un remo. No obstante su edad, la señorita Chigwell remaba con golpes fuertes y seguros. Yo amoldé mi movimiento al suyo, forzándome a no pensar en los latidos incipientes que empezaba a sentir en los hombros todavía no totalmente restablecidos. Ella tenía que utilizar ambas manos para remar, por lo cual yo sostenía la linterna. Nos mantuvimos arrimadas a la margen izquierda; de vez en cuando, yo enfocaba el haz de luz para evitar barcazas y estar al tanto de los nombres de los varaderos que dejábamos detrás. Hacía ya tiempo que la orilla había sido cubierta con cemento: los nombres de las empresas aparecían pintados con grandes letras junto a las escalas de metal que llevaban a sus muelles de carga.

La noche estaba en silencio salvo por el suave golpeteo de los remos al abrir el agua. Pero la densa neblina que llevaba las miasmas del río era un acre recordatorio del laberinto industrial por el que flotábamos. De cuando en cuando un foco penetraba en la niebla, iluminando un gigantesco tubo de acero, una barcaza, una jácena. Éramos los únicos seres humanos que había en el río, Eva y su madre en una grotesca farsa del Edén.

Remamos hacia el norte, pasando ante el desembarcadero de Glow-Rite, dejando atrás compañías de aceros y alambres, plantas industriales de imprenta, de fabricación de herramientas u hojas de sierra, deslizándonos al lado de pesadas barcazas amarradas junto a una fábrica. Al fin, la pequeña y penetrante linterna de la señorita Chigwell iluminó la doble X y la enorme corona que relucían oscuramente entre la bruma.

Alzamos los remos. Yo miré el reloj. Doce minutos para cubrir una media milla aproximadamente. Me había parecido mucho más tiempo. Así uno de los peldaños de hierro al deslizarnos junto a ellos y acercamos la barca con cuidado. La señorita Chigwell amarró la boza con manos experimentadas. El corazón me latía con fuerza bastante para ahogarme, pero ella parecía totalmente serena.

Nos cubrimos las cabezas hasta la frente con capuchas oscuras. Unimos las manos un instante; su compulsivo apretón demostró lo que su impasible rostro ocultaba. Yo señalé el reloj de mi muñeca con un movimiento exagerado y ella asintió tranquila con la cabeza.

Sacando la pistola y quitándole el seguro, ascendí por los travesaños, con la mano derecha libre para poder sentir el gatillo de la Smith & Wesson. Al llegar arriba aminoré el movimiento, levantando cautelosamente la cabeza encapuchada hasta que la orilla me quedó a la altura de los ojos. Si daba un grito, la señorita Chigwell volvería remando lo más rápidamente posible al lugar del coche y daría la voz de alarma.

Estaba en la trasera de la fábrica, en la plataforma de cemento donde había estado atada la barcaza la última vez que estuve en este lugar. Esta noche las puertas de acero que rodeaban el muelle de carga habían sido bajadas y sujetas con candados al suelo. Dos focos en los extremos del edificio recortaban la bruma a mi alrededor. En lo que mi vista alcanzaba no parecía que nadie hubiera anticipado la aproximación por el río.

Deslicé la mano de la pistola sobre la orilla y coloqué la Smith & Wesson ante mi vista mientras me impulsaba para subir a tierra. Rodé por el suelo y permanecí inmóvil hasta contar sesenta. Aquélla era la señal para que la señorita Chigwell empezara a trepar. Apenas pude apreciar el cambio de luz cuando su cabeza apareció por el borde del muelle; una persona que estuviera más alejada no habría podido verla. Esperó otra vez hasta contar veinte y luego se unió a mí en la plataforma de carga.

Las puertas de acero quedaban bajo la sombra que proyectaba el tejado. Nos aproximamos a ellas, procurando no tocarlas; el sonido de un brazo o una pistola al rozar con el metal habría vibrado como una banda de reggae en el silencio de la noche.

Delante de nosotras, los focos hacían pesados cortinajes con la niebla. Sirviéndonos sus pliegues para protegernos, avanzamos lentamente hacia el extremo norte de la planta donde se encontraban las ensenadas de orillas arcillosas. La señorita Chigwell se movía con la quietud experimentada de una mujer que ha pasado su vida entera obligada al sigilo.

Tan pronto como rodeamos la esquina penetramos en niebla más espesa y olores más hediondos. Ninguna luz iluminaba las ensenadas. Percibíamos su corrosiva presencia a nuestra derecha pero no nos atrevimos a utilizar la linterna. La señorita Chigwell se mantenía muy cerca de mí, cogida a mi bufanda, tanteando el terreno con paso felino a mi espalda en la oscuridad de la noche. Tras una eternidad de pasos cautelosos, avanzando lentamente entre surcos, evitando desechos metálicos, alcanzamos el extremo delantero de la fábrica.

Allí la neblina era más tenue. Nos agachamos tras unos bidones de acero y recorrimos detenidamente con la vista sus alrededores. Una sola luz brillaba en la puerta que conducía al patio. Después de mirar un largo rato pude distinguir un hombre de pie junto a la entrada. Un centinela o vigilante. En medio del acceso para coches había una ambulancia. Hubiera querido saber si Louisa se encontraba aún en su interior.

—¿Se va a presentar o no?

La inesperada voz cerca de mí me sobresaltó de tal modo que a punto estuve de caer contra el bidón. Me recuperé, temblando, intentando controlar la respiración. A mi lado, la señorita Chigwell permaneció tan impasible como siempre.

—Sólo han pasado poco más de dos horas. Le damos hasta la una. Entonces decidiremos qué hacer con esa mujer Djiak. —La segunda voz era la de mis anónimas llamadas telefónicas

—Va a tener que ir a la laguna. No nos podemos permitir dejar más rastros.

Ahora que mi corazón había vuelto a un ritmo menos tumultuoso, reconocí al primero en hablar. Art Jurshak, mostrando un fuerte afecto familiar por su sobrina.

—No se *puede*. —El segundo hombre habló con su habitual frialdad desinteresada—. Esa mujer va a morirse pronto de todos modos. Le diremos al médico que le ponga una inyección y la llevamos a su cama. Su hija creerá que se ha muerto durante la noche.

Ante la mención del médico le tocó temblar ligeramente a la señorita Chigwell.

—Tú desvarías —dijo Art colérico—. ¿Cómo vamos a meterla otra vez en la casa sin que te vea su hija? Además, ya sabrá que su madre ha desaparecido: probablemente a estas horas ha despertado a toda la vecindad. Es mejor deshacerse de Louisa aquí y tenderle la trampa a Warshawski en otro sitio. Lo mejor sería que desaparecieran las dos.

—Eso te lo hago yo —dijo la voz fría sin emoción—. Yo las mando al otro barrio a las dos y a la hija también, si quieres. Pero no puedo hacerlo sin saber por qué estás tan desesperado por perderlas de vista. No sería ético. —Empleó esta última palabra sin asomo alguno de ironía.

—Maldita sea, ya me ocuparé yo de todo personalmente —farfulló Art furioso.

—De acuerdo —contestó la voz irritablemente—. De un modo u otro de acuerdo. Me dices lo que saben y adelante, o las matas tú y adelante. A mí me es totalmente indiferente.

Jurshak quedó en silencio un minuto.

—Voy a ver cómo se las arregla el doctor.

Sus pasos resonaron y desaparecieron. Había entrado en el interior. De modo que Louisa no estaba en la ambulancia. Presumiblemente uno de los compinches del hombre de voz inexpresiva esperaba en su interior en lugar de Louisa: habían dejado la ambulancia bien a la vista en medio del patio para que me dirigiera directamente allí.

Cómo pasar ante el hombre de voz fría de la entrada era una cuestión más ardua. Si mandaba a la señorita Chigwell para distraerles, sería una distracción muerta. Me preguntaba si podríamos apalancar una de las puertas o ventanas del costado, cuando el hombre nos solucionó la cuestión. Caminó hasta el centro del patio, allí se detuvo para llamar con los nudillos en la puerta trasera de la ambulancia. Ésta se abrió una rendija. Habló con alguien por la abertura.

Yo toqué a la señorita Chigwell en el hombro. Se puso en pie conmigo y nos apretamos cautamente a la sombra de la pared. Mientras vigilábamos, la puerta de la ambulancia volvió a cerrarse y el hombre de voz fría deambuló hacia la verja de entrada. Tan pronto como estuvo en el extremo más alejado del vehículo yo me agaché todo lo que pude y giré rápidamente la esquina hacia la entrada de la fábrica. Los pasos de la señorita Chigwell resonaron suavemente detrás de mí. La ambulancia nos protegía de la vista del centinela de la puerta y conseguimos meternos sin oír ni una exclamación.

Nos encontramos en una explanada de cemento fuera de la planta industrial. La puerta corredera de acero que separaba la zona fabril de la entrada principal estaba cerrada, pero una puerta contigua de tamaño normal estaba entreabierta. Como una exhalación, nos colamos por ella, cerrándola sin ruido tras nosotras, y nos hallamos de inmediato en la planta.

Caminamos de puntillas, aunque los ruidos que nos rodeaban habrían ahogado cualquier sonido que hubiéramos hecho. Las tuberías despedían sus intermitentes eructos de vapor y los calderos borbollaban ominosos bajo las opacas luces verdes de seguridad. Fritz Lang había sido el inventor de esta sala. En cualquier momento llegaríamos a su final y no veríamos más que cámaras y actores risueños. Me cayó una gota de líquido y di un salto, convencida de que ya me había envenenado con una dosis tóxica de xerxina.

Miré hacia la señorita Chigwell. Ella tenía la vista fija hacia delante, haciendo caso omiso de las expectoraciones emitidas sobre su cabeza tan asiduamente como evitaba los graffiti obscenos garrapateados sobre enormes carteles de NO FUMAR. Súbitamente, ahogó un grito. Seguí su mirada hasta el fondo de la habitación. Louisa estaba allí en una camilla. El doctor Chigwell permanecía en pie a un lado, Art Jurshak al otro. Los dos se quedaron mirándonos, boquiabiertos.

El doctor fue el primero en poder articular palabra.

—¡Clio! ¿Qué haces aquí?

Ella avanzó hacia él ferozmente. Yo la sujeté de un brazo para evitar que se pusiera al alcance de las manos de Art Jurshak.

—He venido a buscarte, Curtis. —El tono de su voz era cortante y resonaba con autoridad por encima del siseo de las tuberías—. Estás metido entre auténtica gentuza. Supongo que te has pasado la última semana con ellos. No sé qué diría nuestra madre si viviera para verte, pero creo que ya es hora de que vuelvas a casa. Vamos a ayudar a la señorita Warshawski a meter a esta pobre enferma en la ambulancia y después tú y yo nos volvemos a Hinsdale.

Yo tenía la pistola apuntando hacia Art. Su cara redonda se había llenado de gotas de sudor, pero dijo beligerante:

—No puedes disparar. Aquí el doctor tiene una aguja lista para inyectar a Louisa. Si disparas, es su sentencia de muerte.

—Estoy emocionada, Art, por tu ternura familiar. Si es la primera vez que ves a tu sobrina en veintisiete años más o menos, tu reacción haría llorar hasta al propio Klaus Barbie.

Art hizo un gesto violento. Quiso gritarme algo, pero los mensajes —culpabilidad por su olvidado incesto, temor a que otros se enteraran de ello, la rabia de verme viva— le impidieron pronunciar nada coherente.

—¿Es esta mujer su sobrina? —inquirió la señorita Chigwell.

—Desde luego que lo es —dije en voz alta—. Y ella tiene lazos contigo aún más íntimos que ése, ¿verdad, Art?

—Curtis, no tolero que mates a esta joven desafortunada. Y si es sobrina de tu amigo, es totalmente inaudito que lo toleres tú. Sería inmoral y absolutamente indigno de ti como heredero de la profesión de nuestro padre.

Chigwell miró a su hermana abatido. Se encogió ligeramente dentro del abrigo y sus brazos cayeron flojos a los lados. Si actuaba ahora, no le haría nada a Louisa.

Estaba preparándome para saltar súbitamente sobre Art cuando vi que la maldad sustituía a la rabia en su rostro: estaba viendo alguien que se acercaba a nuestra espalda.

Sin volverme, cogí a la señorita Chigwell y me escurrí con ella detrás del caldero más cercano. Cuando levanté la vista vi a un hombre con abrigo oscuro caminar hasta la zona donde habíamos estado nosotras. Conocía su cara —la había visto en la televisión o en la prensa o en los tribunales cuando era abogada de oficio—, pero no conseguía identificarla.

—Coño, Dresberg. Te lo has tomado con calma —escupió Jurshak—. ¿Por qué has dejado entrar a esa zorra Warshawski, para empezar?

Por supuesto. Era Steve Dresberg. El Rey de la Basura. Majestuoso aniquilador de las pequeñas moscas que revoloteaban en torno a su imperio de desperdicios.

Dresberg habló con su voz fría e inexpresiva, erizándome el vello del espinazo:

—Ha debido de cortar la valla y entrar cuando yo estaba hablando con los muchachos. Les diré que se ocupen de su coche cuando hayamos terminado aquí.

—No hemos terminado todavía, Dresberg —anuncié yo desde mi rincón—. El éxito se te ha subido a la cabeza, te ha hecho descuidado. Nunca debiste intentar matarme como a Nancy. Te estás reblandeciendo, Dresberg. Ahora eres tú el perdedor.

Mis provocaciones le dejaron indiferente. Después de todo, era un profesional. Levantó la mano izquierda sacándola del bolsillo y apuntó una pistola grande —quizás un Colt 358— hacia Louisa.

—Sal, guapa, o tu amiga enferma se va a morir unos meses antes de lo que le toca. —Ni siquiera me miró; para hacerme saber que yo era en exceso trivial para prestarme una atención directa.

—Estuve escuchándoos a ti y a Art allí delante —grité—. Los dos coincidíais en que estaba ya prácticamente muerta. Pero te conviene acabar conmigo antes porque si le disparas a ella eres carne muerta.

Giró tan rápidamente que no tuve tiempo de tirarme al suelo antes de que disparara. La bala erró el blanco mientras el tiro resonaba por toda la cavernosa sala. La señorita Chigwell, pálida pero severa, se agachó en el suelo junto a mí. Sin que se lo pidiera, sacó las llaves del bolsillo de su jersey. Mientras se deslizaba hacia un lado del caldero que nos escudaba, yo me escurrí hacia el otro. Cuando moví la cabeza salió disparada de detrás del caldero y lanzó las llaves a la cara de Dresberg.

Él disparó en dirección al movimiento. Con el rabillo del ojo vi caer a la señorita Chigwell. Ahora no podía acudir en su ayuda. Salí por detrás de Dresberg y disparé. El primer tiro le atravesó, pero cuando se volvió para mirarme le cogí dos veces en el pecho. Aun entonces, disparó dos descargas antes de desplomarse.

Corrí hacia él y salté sobre el brazo que sostenía la pistola con todas mis fuerzas. Sus dedos soltaron el revólver. Jurshak avanzaba hacia mí, esperando arrancarme el arma de

Dresberg antes de que la alcanzara yo. Pero a mí me impulsaba la furia, dejándome sin aliento, cubriéndome los ojos con un velo de bruma. Le disparé a Jurshak en el pecho. Dio un grito rabioso y cayó a mis pies.

Chigwell había permanecido junto a la camilla de Louisa durante todo el alboroto, con las manos colgando flácidamente a los lados, la cabeza hundida en el abrigo. Fui hacia él y le abofeteé la cara. Al principio mi intención era sacarle de su estupor, pero la furia me consumía de tal modo que empecé a pegarle una vez y otra, chillándole que era un traidor a su juramento, un gusano miserable, y seguí pegándole, una vez, otra. Habría continuado hasta que su cuerpo hubiera hecho compañía a los de Jurshak y Dresberg en el suelo, pero a través de mi ceguera sentí que me tiraban del hombro.

La señorita Chigwell se había tambaleado hasta mí, dejando un reguero de sangre sobre el cemento sucio.

—Es todas esas cosas, señorita Warshawski. Todas esas y más. Pero déjele. Es un viejo y no tiene muchas posibilidades de cambiar a estas alturas de su vida.

Sacudí la cabeza, agotada y enferma. Enferma por el hedor de la fábrica, por la vileza de los tres hombres, por mi propio furor destructivo. Me subió el estómago; brinqué tras un caldero para vomitar. Limpiándome la cara con un Kleenex volví junto a la señorita Chigwell. La bala le había rozado la parte superior del brazo, dejando un pliegue sanguinolento de carne chamuscada pero no una herida profunda. Sentí un poco de alivio.

—Tenemos que meternos en la oficina, en algún sitio donde estemos a cubierto, y llamar a la policía. Hay por lo menos otros tres hombres fuera y usted y yo no podemos enfrentarnos con más matones por esta noche. Tenemos que ponernos en movimiento ya, antes de que empiecen a preocuparse por Dresberg y vengan a buscarle. ¿Puede aguantar un poco más?

Asintió valerosa y me ayudó a forzar a su hermano a que nos llevara a su antigua oficina. Yo empujaba la camilla de

Louisa detrás de ellos. Seguía viva; respiraba con resuello entrecortado y breve.

Cuando estuvimos dentro con la puerta cerrada con llave trasladé a Louisa a la salita de reconocimiento contigua a la oficina. Con las briznas de fuerzas que aún tenía corrí la pesada mesa metálica contra la puerta. Me desplomé en el suelo y tiré del teléfono hacia mí.

—¿Bobby? Soy yo. Siento despertarte, pero necesito ayuda. Mucha ayuda, deprisa. —Le expliqué lo que había ocurrido todo lo claramente posible.

Hice varias intentonas para que me entendiera e incluso así siguió mostrándose escéptico.

—¡Bobby! —La voz se me quebró—. Tienes que venir. Tengo a una mujer mayor con una herida de bala y a Louisa Djiak con alguna droga horrible metida en el cuerpo, y tres matones al acecho en el exterior. Te necesito. —Al fin captó la angustia de mi voz. Apuntó las direcciones para llegar a la fábrica y colgó antes de que pudiera añadir nada más.

Quedé unos momentos con la cabeza entre las manos, sin otro deseo que tumbarme en el suelo y llorar. En vez de eso hice el esfuerzo de ponerme en pie, sacar el cargador medio lleno, y meter otro entero.

Chigwell había llevado a su hermana a la salita de reconocimiento para vendarle el brazo. Fui hacia allí para observar a Louisa. Mientras me encontraba a su lado, sus ojos parpadearon y se abrieron.

—¿Gabriella? —dijo con voz cascada—. Gabriella, ya sabía que no me olvidarías en mis desgracias.

39

Limpieza general

Louisa volvió a dormirse mientras yo sostenía su mano en la mía. Cuando sus débiles dedos se aflojaron me volví hacia Chigwell y le pregunté iracunda qué le había dado.

—Sólo... sólo un sedante —dijo, chupándose los labios nerviosamente—. Es sólo morfina. Pasará el próximo día durmiendo, nada más.

Desde su asiento de la mesa la señorita Chigwell le dirigió una mirada abrasadora de desdén, pero parecía estar en exceso agotada para expresar con palabras sus sentimientos. Le preparé un camastro en la salita de reconocimiento pero pertenecía a una generación demasiado púdica para tumbarse en público. Por el contrario, permaneció erguida en la vieja silla de oficina, cerrándosele los párpados, con la tez empalidecida.

La fatiga se mezclaba con la tensión de la espera produciéndome un frenesí de nerviosa irritación. No hacía más que verificar mis barricadas, pasar a la salita para escuchar la respiración corta y resollante de Louisa, otra vez a la oficina para ver cómo iba la señorita Chigwell.

Por último me dirigí al médico, concentrando toda mi febril energía en arrancarle la información que tenía. Era una historia breve y nada edificante. Había trabajado tantos años en los análisis de sangre de Xerxes que había logrado olvidar un detalle insignificante: no estaba comunicando a los interesados que en su opinión podían estar enfermando. Cuando aparecí yo haciendo preguntas sobre Pankowski y Ferraro, se había asustado. Y cuando aparecieron los reporteros enviados por Murray se había aterrado del todo. ¿Y si se descubría la verdad? No sólo significaría demandas por haber actuado contra la ética profesional, sino horribles humillaciones a manos de Clio: jamás le permitiría olvidar que nunca había estado a la altura de su padre. Aquel comentario le mereció la única, y fugaz, simpatía que sentí por él; tenía que ser un infierno convivir con la feroz ética de su hermana.

Cuando fracasó su intento de suicidio, el médico no supo qué hacer. Entonces había llamado a Jurshak: Chigwell le conocía de su período de trabajo en Chicago Sur. Si Chigwell les prestara un sencillo servicio, conseguirían que las pruebas contra él fueran suprimidas.

No tenía elección, murmuró, dirigiéndose a mí, no a su hermana. Cuando supo que lo único que querían de él es que le suministrara a Louisa Djiak un sedante fuerte y se ocupara de ella en la fábrica durante unas pocas horas, no tuvo inconveniente en acceder. No le pregunté qué había pensado sobre tener que dar el paso siguiente y ponerle una inyección mortal.

—¿Pero por qué? —inquirí—. ¿Por qué montar semejante charada para empezar, si no iban a informar de los resultados a los empleados?

—Humboldt me dio instrucciones de que lo hiciera —balbució, mirándose las manos.

—¡Eso ya me lo imaginaba sin que me lo dijera! —respondí con brusquedad—. ¿Pero por qué demonios le pidió que lo hiciera?

—Tenía... esto... tenía que ver con el seguro —farfulló casi sin abrir la boca.

—Desembucha, Curtis. No te vas a ir de aquí hasta que me entere, de modo que cuanto antes mejor.

Miró a su hermana de soslayo, pero ella seguía pálida y quieta, absorta en su propia nube de agotamiento.

—El seguro —insistí.

—Veíamos... Humboldt sabía... que teníamos demasiadas bajas por enfermedad, que eran muchas las personas que estaban perdiendo horas de trabajo. Primero nuestro seguro médico empezó a subir, a subir mucho, y después Seguros Ajax nos rechazó y tuvimos que buscar otra compañía. Cuando hicieron su estudio, nos dijeron que nuestros riesgos eran excesivos.

Me quedé boquiabierta.

—Entonces pidieron a Jurshak que actuara como agencia garante y manipulara los datos para poder demostrar a otra compañía que eran asegurables.

—Era sólo para ganar tiempo mientras averiguábamos dónde estaba el problema y lo enmendábamos. Fue entonces cuando empezamos a hacer los análisis de sangre.

—¿Y qué pasaba en cuanto a la indemnización al trabajador?

—Nada. Ninguna de las enfermedades era indemnizable.

—¿Porque no tenían origen laboral? —Las sienes me dolían con el esfuerzo de seguir aquella abstrusa historia—. Pero sí lo tenían. Estaba demostrando que lo tenían por los análisis de sangre.

—De ningún modo, joven. —Durante unos instantes se impuso su lado pomposo—. Los datos no establecieron la causalidad. Simplemente nos permitieron hacer proyecciones de los gastos médicos y el rendimiento probable de la mano de obra.

Yo estaba demasiado estupefacta para hablar. Las palabras le salían tan fácilmente que tenía que haberlas pronunciado mil veces en reuniones de comisiones o ante la junta directiva. Veamos simplemente qué costes va a suponer la fuerza de trabajo si sabemos que el X por ciento de los trabajadores estarán enfermos una fracción Y de tiempo. Elaboremos diferentes proyecciones de costes, a mano, una pesadez antes de los ordenadores. Y entonces a alguien se le ocurre una idea brillante: vamos a reunir datos directos y lo sabremos con seguridad.

La enormidad de todo el plan me despertó una rabia homicida. El áspero jadeo de Louisa al fondo añadía ardor a mi furia. Hubiera querido matar a Chigwell de un tiro allí mismo, y después marchar a la Costa de Oro y despachar a Humboldt. Ese canalla. Ese asesino cínico, inhumano. La cólera me invadió como una ola, haciéndome llorar.

—De modo que nadie recibía la debida cobertura médica o de vida simplemente para ahorraros unos cuantos dólares miserables.

—Algunos sí la recibieron —susurró Chigwell—. Suficiente para evitar que determinadas personas hicieran preguntas. Esa mujer de ahí, por ejemplo. Jurshak dijo que conocía a su familia y por eso se sentía obligado a ocuparse de ella.

Ante aquello estaba realmente dispuesta a asesinar, pero un movimiento de la señorita Chigwell captó mi atención. Su rostro macilento no se había alterado, pero al parecer había estado escuchando, no obstante su aparente lejanía. Intentó levantar una mano para detenerme, pero le fallaron las fuerzas. Sin embargo, dijo, con un hilo de voz:

—Lo que estás contando es demasiado infame para hablar de ello, Curtis. Mañana trataremos sobre qué medidas vamos a tomar. No podemos seguir viviendo juntos después de esto.

El médico volvió a desinflarse, hundiéndose en sí mismo sin decir palabra. Probablemente no era capaz de pensar más allá de esta noche, con su amenaza de arresto y encarcelamiento. Tal vez otros horrores estuvieran intensificando la palidez grisácea que le rodeaba la boca, pero no creía que fuera así: no creía que tuviera imaginación suficiente para representarse lo que realmente había estado haciendo en Xerxes en su función de médico. Quizás el hecho de que le pusiera en la calle de una patada la hermana que siempre le había protegido fuera castigo bastante; tal vez aquello le haría más daño que ninguna otra cosa.

Agotada, volví a la sala de reconocimientos para mirar una vez más a Louisa. Su jadeante respiración parecía inalterada. Susurraba en sueños, algo sobre Caroline, no pude entender qué.

Fue entonces cuando empezó el tiroteo. Miré mi reloj: habían pasado treinta y ocho minutos desde mi llamada a Bobby. Tenía que ser la policía. Tenía que ser. Puse en movimiento mis fatigados hombros corriendo la mesa que bloqueaba la puerta hacia atrás. Advirtiendo a mis defendidos que permanecieran donde estaban, apagué las luces de la habitación y me arrastré una vez más hacia la planta. Pasaron otros cinco minutos, y después el lugar se llenó de muchachos de azul. Yo abandoné la protección de un caldero para hablar con ellos.

Pasó algún tiempo antes de que se pudieran aclarar las cosas: quién era yo, por qué estaba el concejal tendido en un charco de sangre junto a Steve Dresberg en el suelo de la fábrica, qué hacían allí Louisa Djiak y los Chigwell. En fin, lo normal.

Cuando Bobby Mallory hizo acto de presencia a las tres empezamos a movernos más deprisa. Bobby escuchó mis preocupaciones sobre Louisa durante unos treinta segundos, después hizo que uno de los hombres llamara a una ambulancia del departamento de bomberos para que la llevara al Socorro del Cristiano. Otra ambulancia había salido ya con Dresberg y Jurshak hacia el hospital del condado. Ambos seguían vivos, pero sus perspectivas eran inciertas.

Saqué un minuto entre la confusión para llamar a Lotty, informarle sobre los datos escuetos de lo ocurrido y de que yo estaba indemne. Le dije que no me esperara, pero en el fondo de mi corazón le rogué que lo hiciera.

Cuando llegó la policía estatal asignaron un coche para transportar a los Chigwell a su casa. Quisieron mandar a la señorita Chigwell al hospital para observación, pero ella insistió inflexiblemente en volver a su propia casa.

Antes de la llegada de Mallory yo había estado diciendo a todo el mundo que Jurshak había atraído a Chigwell a la fábrica con el cuento de haber encontrado un empleado medio muerto en el local. La señorita Chigwell no había querido dejarle ir solo a hora tan intempestiva y los dos se habían encontrado en mitad de un tiroteo. Bobby me miró fijamente, pero al fin accedió a mi versión cuando quedó claro que no iba a sacar nada más del médico y de su hermana.

Bobby me dejó en cuclillas, apoyada cansadamente contra un pilar de la zona industrial mientras él consultaba al comandante del Quinto Distrito. Los destellos que arrancaba la luz a las chaquetas de los uniformes y la ferretería me estaban mareando; cerré los ojos, pero no pude dejar de oír el estrépito, ni de percibir el turbio olor de la xerxina. ¿Cuál sería mi nivel de creatina después de esta noche? Imaginé mis riñones llenos de lesiones: rojos como la sangre y con agujeros negros rezumando xerxina. Alguien me sacudió bruscamente. Abrí los ojos. El sargento McGonnigal estaba de pie junto a mí, su cara cuadrada exhibía una ansiedad infrecuente.

—Vamos fuera; necesitas aire fresco, Vic.

Le dejé que me ayudara a levantarme y fui dando tumbos detrás de él hacia la plataforma de carga, donde la policía había abierto las puertas enrollables de acero que daban acceso al río. La niebla había levantado; las estrellas despedían diminutos alfileres dorados en los cielos contaminados. El aire seguía cargado con el olor de muchos productos químicos, pero con el frío parecía más puro que el del interior de la fábrica. Miré hacia el agua oscuramente centelleante por la luz de la luna, y tirité.

—Ha sido una noche bastante dura.

La voz de McGonnigal tenía el grado de preocupación exactamente adecuado. Hice lo posible por no imaginármelo aprendiendo a dirigirse de aquel modo a los testigos difíciles en algún seminario de Springfield; procuré creer que realmente le importaban los horrores por los que había pasado.

—Un tanto agotadora —asentí.

—¿Quieres contármelo, o quieres esperar hasta que llegue el teniente?

De modo que, efectivamente, eran las lecciones aprendidas en el seminario. Los hombros se me cargaron algo más.

—Si te lo digo, ¿tendré que repetírselo a Mallory? No es precisamente una historia que me apetezca contar más de una vez.

—Ya conoces a los polis, Warshawski: nunca nos conformamos con que nos cuenten las cosas una sola vez. Pero si me la resumes esta noche, te puedo garantizar que servirá por el momento; te llevamos a casa mientras quede aún algo de noche para dormir.

Quizás hubiera un poco de preocupación personal mezclada con lo demás. No la suficiente para inducirme a contarle toda la verdad y nada más que la verdad; en fin, no le iba a explicar lo de los archivos médicos del doctor. Y desde luego tampoco las relaciones de Jurshak con Louisa. Pero después que hube llevado una caja de madera junto a la orilla del agua y estuve sentada, le di más detalles de lo que había pensado en un principio.

Empecé con la llamada de Dresberg.

—Dresberg sabía que Louisa me importaba mucho; mi madre la había cuidado cuando estaba embarazada y habían sido muy amigas. Por tanto debieron comprender que ella sería alguien a quien yo vendría sin duda a socorrer hasta aquí.

—¿Por qué no nos llamaste entonces? —preguntó impaciente McGonnigal.

—No sabía cómo os las arreglaríais en un asalto silencioso. La tenían aquí, en la parte trasera de la fábrica; la habrían asesinado sin más al comprender que los estaban atacando. Quería colarme aquí en persona.

—¿Y eso cómo lo conseguiste? Tenían un vigía donde gira la carretera hacia aquí y había otro tipo a las puertas. No me digas que fumigaste el aire con un amnésico y te metiste delante de sus narices.

Sacudí la cabeza y señalé hacia la barquita que flotaba abajo a nuestro lado. La iluminación de los focos reveló la expresión de incredulidad de McGonnigal.

—¿Remaste río arriba con eso? Venga, Warshawski. Habla en serio.

—Es la verdad —dije tozudamente—. Puedes creértelo o no. La señorita Chigwell vino conmigo; la barca es suya.

—Creí que habías dicho que los Chigwell habían venido juntos.

Asentí.

—Sabía que si te decía la verdad los retendrías a ella y a su hermano aquí toda la noche y son muy viejos para eso. Además, tiene un tiro en el hombro, aunque sólo sea una rozadura. Tendría que haber estado en la cama hace horas.

McGonnigal dio un golpe en la caja con la palma de la mano.

—No tienes la exclusiva de la compasión, Warshawski. Hasta la policía puede mostrar consideración con una pareja tan mayor como los Chigwell. ¿Es que no puedes prescindir de tu mentalidad «anti-cerdos» de los años sesenta durante cinco minutos y dejarnos hacer nuestro trabajo? Podían haberte matado y haber liquidado de paso a la otra mujer Djiak y a tus amigos los viejos.

—Para tu información —le dije con frialdad—, mi padre era policía de patrulla y toda mi vida he llamado cerdos a los policías. Y además, no ha muerto nadie, ni siquiera esos dos mierdas que se lo merecían. ¿Quieres oír el resto de la historia o prefieres subirte al púlpito y seguir predicando?

Se puso muy tieso unos instantes.

—Ya comprendo por qué Bobby se exaspera de ese modo cuando habla contigo. Yo me estaba jactando de que le iba a demostrar al teniente lo que puede hacer un agente joven con una formación sensata con un testigo como tú, y lo he fastidiado en cinco minutos. Termina; no volveré a criticar tus métodos.

Concluí mi relato. Le dije que no sabía cómo se había enredado Chigwell con Jurshak y Dresberg, pero que le habían obligado a venir esta noche para ocuparse de Louisa. Y que la señorita Chigwell estaba inquieta por él, de modo que cuando yo me presenté con la loca propuesta de que nos colásemos en la planta por la trasera, había saltado sobre la oportunidad.

—Ya sé que tiene setenta y nueve años, pero navegar ha sido su afición desde que era niña y desde luego sabe manejar un remo espléndidamente. Entonces, cuando estuvimos aquí, tuvimos un golpe de suerte: Jurshak entró en la fábrica y Dresberg se fue a ver a la gente de la ambulancia. ¿Quién había en su interior? ¿El que os disparó a vosotros cuando aparecisteis?

—No, era el vigía —respondió McGonnigal—. Intentó salir corriendo. Alguien le dio en el estómago.

De pronto recordé que Caroline Djiak no sabía dónde estaba su madre. Le expuse el problema a McGonnigal.

—Por ahora ha debido ya poner en pie de guerra al alcalde. Yo la llamaría si pudiera meterme en alguna de las oficinas.

Sacudió la cabeza.

—Me parece que ya te has movido bastante por esta noche. Enviaré a un hombre de uniforme a su casa; después pueden ponerle una escolta hasta el hospital si quiere. Tú vete a casa.

Me lo pensé. Tal vez fuera mejor no incluir un encuentro personal con Caroline entre las tensiones de la noche.

—¿Podemos recoger mi coche? Está en Stony a media milla aproximadamente.

Sacó su walkie-talkie y pidió un agente de uniforme —mi amiga Mary Louise Neely—. Mary Louise saludó a McGonnigal con brío, pero pude ver que me dirigía miradas curiosas. Tal vez fuera humana, después de todo.

—Neely, quiero que nos lleves a la señorita Warshawski y a mí a la carretera para recoger su coche. Después llévala a la dirección que te dé en Houston —le esbozó la situación sobre Caroline y Louisa.

La agente Neely asintió con entusiasmo: es una suerte ser elegida para una misión especial entre tantos. Aunque no ofreciera más que servicios de transporte, le proporcionaba una ocasión para causar buena impresión a un superior. Neely nos siguió mientras McGonnigal fue a informar a Bobby de lo que íbamos a hacer.

Bobby accedió a regañadientes; no quería contradecir a su sargento delante de mí y de un agente de uniforme.

—Pero mañana hablas conmigo, Vicki, te guste o no. ¿Te enteras?

—Claro, Bobby. Me entero. Pero espera hasta la tarde; seré mucho más cooperadora si puedo dormir.

—Bien, princesa. Vosotros los operadores privados trabajáis cuando os parece y luego dejáis a la policía para barrer los desperdicios. Vas a hablar conmigo cuando a mí me parezca bien.

Las luces volvían a bailarme ante los ojos. Había pasado más allá de la fatiga hacia un estado donde iba a empezar a tener alucinaciones si no me andaba con cuidado. Seguí a McGonnigal y a Neely hacia la oscuridad de la noche sin intentar siquiera responder.

40

Temblores nocturnos

Cuando la agente Neely nos hubo dejado junto a mi coche, saqué las llaves del bolsillo de los vaqueros y se las entregué a McGonnigal sin decir palabra. Éste giró el coche en la explanada llena de surcos mientras yo me recostaba en el asiento delantero, haciendo ceder el respaldo para que quedara casi horizontal.

Estaba segura que me dormiría en cuanto me tumbara, pero las imágenes de la noche no dejaban de explotarme en la cabeza. No el silencioso viaje por el Calumet; eso ya pertenecía al mundo surrealista de los sueños apenas recordados. Louisa tendida en la camilla de ruedas al fondo de la fábrica, la fría indiferencia de Dresberg, la espera a la policía en la oficina de Chigwell. En el momento no había estado asustada, pero ahora los cuadros recurrentes me producían temblores. Intenté apretar fuertemente los brazos contra los lados del asiento para controlar la tiritona.

—Es el efecto de posconmoción. —El tono clínico de McGonnigal me llegó en la oscuridad—. No tienes por qué avergonzarte.

Volví a poner el respaldo en posición vertical.

—Es la iniquidad —dije—. Los horribles motivos de Jurshak para hacerlo, y el hecho de que Dresberg no sea ya un hombre, sino una máquina de muerte insensible. Si hubieran sido un par de desgraciados asaltándome en un callejón, no tendría esta sensación.

McGonnigal alargó un brazo y buscó mi mano izquierda. Me la oprimió tranquilizadoramente pero no dijo nada. Pasado un minuto sentí que sus dedos se ponían rígidos; retiró la mano y se concentró en girar para coger la autovía del Calumet.

—Un buen investigador se aprovecharía de tu cansancio para conseguir que le explicaras cuáles son esos horribles motivos de Jurshak.

En la oscuridad, me preparé, procurando poner a funcionar la cabeza. Nunca se debe hablar sin pensar. Primero la policía te agota, después te muestran un cierto afecto, y después te hacen desembuchar.

McGonnigal puso el Chevy a ochenta por hora, pero bajó a setenta cuando empezó a vibrar. Privilegio de la policía.

—Supongo que tienes listo algún cuento falso —prosiguió—, y realmente sería brutalidad policial el pretender que te mantengas alerta cuando estás tan cansada.

Después de aquello la tentación de decirle todo lo que sabía se hizo casi irresistible. Me forcé a contemplar lo poco del paisaje que se veía desde el encajonamiento de la carretera, para alejar el cuadro de la mirada desorientada de Louisa al confundirme con Gabriella.

McGonnigal no volvió a decir nada hasta que estuvimos pasando las salidas del Loop y entonces fue sólo para preguntarme la dirección de Lotty.

—¿No querrías volver conmigo al Parque Jefferson en vez de a tu casa? —me preguntó inesperadamente—. ¿Para tomarte un coñac y tranquilizarte?

—¿Y cantar todos mis secretos en la cama a la segunda copa? No, no te ofendas, pretendía ser una broma. Es que en la oscuridad no se nota.

Tenía un aspecto tentador, pero Lotty me estaría esperando con ansiedad. No podía dejarla plantada. Intenté explicárselo a McGonnigal.

—Ella es la única persona a quien jamás he mentido. Es —no mi conciencia— la persona que me ayuda a comprender quién soy verdaderamente, supongo.

No respondió hasta que no entramos en Irving Park saliendo de Kennedy.

—Ya. Lo comprendo. Mi abuelo era así. Estaba procurando ponerme en tu situación y que él estuviera esperándome; yo también tendría que volver.

Eso sí que no lo enseñaban en el seminario de Springfield. Le pregunté más sobre su abuelo. Había muerto hacía cinco años.

—La semana antes de que me llegara el ascenso. Estaba tan enloquecido que a punto estuve de renunciar; ¿por qué demonios no me lo dieron cuando él seguía vivo para verlo? Por entonces le oí decir: «¿Tú qué crees, Johnny, que Dios gobierna el universo pensando en ti?» —Rio suavemente para sí—. ¿Sabes una cosa, Warshawski?, jamás le he contado eso a nadie.

Detuvo el coche frente a casa de Lotty.

—¿Cómo vas a volver a tu casa? —pregunté.

—Humm, voy a pedir un coche patrulla. Se alegrarán de salir del caos del centro para llevarme.

Me alargó las llaves. Bajo la luz de sodio vi sus cejas arquearse interrogantes. Me incliné por encima del divisor de los asientos, le abracé y le besé. Olía a cuero y a sudor, olores humanos que me impulsaron a deslizarme aún más cerca de él. Permanecimos así durante varios minutos, pero el cenicero del divisor se me estaba clavando en el costado.

Me retiré.

—Gracias por la carrera, sargento.

—Ha sido un placer, Warshawski. Estamos para servir y proteger, ya sabes.

Le invité a subir y llamar a un coche desde casa de Lotty pero dijo que lo haría desde la calle, que necesitaba el aire fresco de la noche. Se quedó mirando hasta que abrí las cerraduras del portal, después esbozó una despedida con la mano y se fue.

Lotty estaba en su salón, vestida aún con la falda oscura y el suéter que se había puesto para ir al hospital hacía siete horas. Hojeaba las páginas de *The Guardian,* poniendo una débil pretensión de interés en los males de la economía escocesa. Dejó el periódico en cuanto me vio entrar.

Acurrucarme en sus brazos fue como volver al hogar; me alegré de haberme decidido a regresar en lugar de irme con McGonnigal. Mientras Lotty me refrescaba la cara y me daba leche caliente, le conté el relato de la noche, el extraño viaje río arriba, mis temores, el indomable valor de la señorita Chigwell. Frunció el ceño intensamente al conocer la traición del médico a su juramento hipocrático. Lotty sabe que hay médicos inmorales pero no le gusta que se lo recuerden.

—Lo peor fue cuando Louisa despertó y creyó que yo era Gabriella —dije mientras Lotty me llevaba a mi habitación—. No quiero sentirme otra vez allí, ¿sabes?, otra vez en Chicago Sur enmendando los entuertos de los Djiak como hizo mi madre.

Lotty me quitó la ropa con experimentadas manos clínicas.

—Es un poco tarde para preocuparte por eso, cariño; es exactamente lo que has estado haciendo todo el mes.

Hice una mueca. Quizás hubiera sido preferible que me fuera con el sargento después de todo.

Lotty me tapó con la ropa de la cama. Me quedé dormida antes de que hubiera apagado las luces, sumiéndome en sueños de enloquecidos viajes en bote, de escalar farallones mientras era atacada por águilas, de Lotty esperándome en la cima y diciendo: «Un poco tarde para preocuparse, ¿no crees, Vic?»

Cuando desperté a la una de la tarde no me sentía descansada. Permanecí tumbada un rato en un letargo soñoliento, dolorida mental y físicamente. Hubiera querido quedarme allí indefinidamente, quedarme dulcemente dormida hasta que volviera Lotty para ocuparse de mí. Las últimas semanas me habían robado toda capacidad para encontrar placer en mi trabajo. Y hasta todo motivo para seguir en él.

Si hubiera podido seguir los sueños de mi madre, habría sido la Geraldine Ferrar de mi generación, y habría compartido momentos entrañables con James Levine en un escenario de conciertos. Intenté imaginar cómo sería; tener talento, ser un personaje mimado y rico. Si alguien como Gustav Humboldt quisiera buscarme las cosquillas, haría que mi agente de prensa pergeñara unos cuantos párrafos para el *Times* y llamaría al superintendente de policía —que sería mi amante— para que le apretaran algo las clavijas.

Y cuando estuviera agotada, sería otra persona la que se tambaleara hasta el cuarto de baño con los pies muy hinchados para despejarse la cabeza bajo el grifo de agua fría. Ella haría mis llamadas telefónicas, mis recados, sufriría horrendas penurias en mi lugar. Si tuviera tiempo, le daría las gracias generosamente.

A falta de un abnegado Bunter como aquél, llamé yo misma a mi contestador automático. El señor Contreras había telefoneado una vez. Murray Ryerson había dejado siete mensajes, cada uno progresivamente más enfático. No quería hablar con él. Nunca más. Pero dado que tendría que hacerlo en algún momento, lo mejor sería terminar con ello cuanto antes. Le encontré hecho una hiena en la redacción del centro.

—Has colmado el vaso, Warshawski. No puedes pretender que la prensa te ayude sin cumplir tu parte del acuerdo. Esa lucha de Chicago Sur es noticia rancia. Los tipos electrónicos ya la tienen. Te ayudé con la condición de que me dieras una exclusiva.

—Póntela donde te quepa —dije yo desabrida—. Has sido un cero a la izquierda para mí en este caso. Te quedaste con mis pistas y no me devolviste nada. Me he adelantado a ti en llegar a la meta y ahora te cabreas. Mi única razón para llamarte es por mantener abiertas las líneas de comunicación para el futuro, porque puedes creerme, ahora mismo no tengo excesivo interés en hablar contigo.

Murray empezó a rugir, pero sus instintos periodísticos vencieron. Puso el freno y empezó a hacerme preguntas. Pensé en relatarle mi paseo en barca a media noche por el brumoso, el pestilente Calumet, o la total fatiga de espíritu que sentí tras haber hablado con Curtis Chigwell. Pero no quería justificarme ante Murray Ryerson. Así pues, le conté todo lo que había dicho a la policía, junto a una vívida descripción de la pelea alrededor de los calderos de disolvente. Me pidió que fuera con un fotógrafo a la fábrica Xerxes para mostrarle dónde había transcurrido y se indignó ante mi negativa.

—Eres un jodido vampiro, Ryerson —dije—. La clase de tipo que pregunta a las víctimas de un desastre qué sintieron cuando vieron a sus maridos o hijos estallar en el aire. No vuelvo a esa fábrica ni así me den el Premio Nobel de la Paz por hacerlo. Cuanto antes olvide el sitio, mejor para mí.

—De acuerdo, Santa Victoria, tú dedícate a dar de comer al hambriento y cuidar al enfermo. —Me colgó el teléfono de un golpe.

La cabeza seguía pesándome. Fui a la cocina y me preparé una cafetera llena. Lotty me había dejado una nota con sus trazos gruesos y negros junto a la cafetera: había desenchufado el teléfono antes de irse, pero habían llamado Murray y Mallory. Lo de Mallory ya lo sabía, claro está, pero Bobby había sido lo bastante compasivo para no perseguirme después del primer mensaje. Sospechaba que había intervenido McGonnigal y se lo agradecí.

Revisé la nevera pero no logré interesarme en ninguno de los saludables alimentos de Lotty. Al fin me acomodé en la mesa de la cocina con un café. Sirviéndome de la extensión de la encimera, llamé a Frederick Manheim.

—Señor Manheim. Soy V. I. Warshawski. La detective que fue a su oficina hace unas semanas para hablar de Joey Pankowski y Steve Ferraro.

—La recuerdo bien, señorita Warshawski; recuerdo todo lo relacionado con esos dos hombres. Lo sentí al leer que había sido usted objeto de una agresión la semana pasada. No tendría nada que ver con Xerxes, ¿verdad?

Me recosté en la silla, intentando encontrar un punto cómodo para los doloridos músculos de mis hombros.

—Por una extraña serie de coincidencias, sí. ¿Qué le

parecería recibir todo un cargamento de datos de los que se deduce que Químicas Humboldt conocía los efectos tóxicos de la xerxina ya en 1955?

Quedó en silencio un rato largo, después dijo cauteloso:

—¿No será esto una broma suya, señorita Warshawski? No la conozco lo bastante para saber qué clase de sentido del humor tiene.

—Nunca he tenido menos ganas de reír. Lo que tengo delante es un despliegue tal de cinismo que cada vez que lo pienso me consume la ira. Mi antigua vecina de Chicago Sur se está muriendo ahora mismo. A los cuarenta y dos años parece una abuela que ha pasado los estragos de una guerra. —Me interrumpí.

Lo que realmente quiero saber, señor Manheim, es si está dispuesto a organizar y dirigir la acción en nombre de cientos de antiguos empleados de Xerxes. Y es posible que también algunos actuales. Piénselo bien. Podría absorberle toda su vida durante los próximos diez años. No podría hacerlo solo desde sus locales; tendría que contratar investigadores y asociados y ayudantes legales, y tendría que librarse de los peces gordos que querrán quitarle de en medio porque habrán olido las gratificaciones de contingencia.

—Me lo está poniendo verdaderamente apetecible. —Rio suavemente—. Ya le conté la amenaza que recibí cuando estaba preparando la apelación. No creo que tenga alternativa. Quiero decir que no veo cómo voy a poder perdonármelo si se me presenta la oportunidad de ganar el caso y lo dejo pasar simplemente por no renunciar a la tranquilidad profesional. ¿Cuándo puedo recibir el cargamento?

—Esta noche, si puede acercarse con un coche hasta el Sector Norte. A las siete y media, ¿de acuerdo? —Le di la dirección de Lotty.

Cuando hubo colgado llamé a Max al hospital. Tras unos minutos dedicados a mi aventura de la noche pasada —que aparecía en la prensa de la mañana con datos escuetos— accedió a hacer una copia de los documentos de Chigwell. Cuando le dije que me pasaría por allí a última hora para recoger los originales, protestó delicadamente: sería un placer traérmelos a casa de Lotty.

Después de aquello no podía postergar más una conversación de hombre a hombre con Bobby. Le localicé por teléfono en el Distrito Central y quedé en reunirme allí con él dentro de una hora. Eso me dio tiempo para ponerme a remojo en la bañera de Lotty con el fin de calentar algo mis doloridos hombros y de llamar al señor Contreras asegurándole que estaba viva, moderadamente bien, y que volvería a casa a la mañana siguiente. Él se lanzó a una prolongada y nerviosa perorata sobre lo que había sentido al leer las noticias de la mañana; yo le interrumpí suavemente.

—Tengo una cita con la policía. Voy a estar muy cogida todo el día, pero mañana nos tomamos un buen desayuno y nos ponemos al corriente.

—Me parece estupendo, muñeca. ¿Torrijas o tortitas?

—Torrijas. —No pude evitar la risa. Gracias a ella llegué al cuartel general de la policía con ánimo lo bastante alegre para enfrentarme a Bobby.

Su orgullo estaba gravemente herido por haber trincado yo al Emperador de la Basura. Dresberg había llevado por la calle de la amargura a lo mejor de Chicago durante años. Cualquier detective privado que lo hubiera cogido con todas las de la ley habría sido un golpe para Mallory. Pero el que tuviera que ser yo le había alterado de tal modo que me hizo quedar allí cuatro horas.

Bobby en persona me interrogó, mientras la agente Neely tomaba notas; después entraron relevos de la División del Crimen Organizado, seguidos de la Unidad de Funciones Especiales, terminando con una entrevista acompañada con un par de federales. Por entonces me había vuelto el agotamiento con todas sus fuerzas. Empecé a adormecerme entre preguntas y se me hacía difícil recordar lo que iba a revelar y lo que había decidido guardarme para mí sola. La tercera vez que los federales tuvieron que agitarme para despertarme pensaron que ya se habían divertido bastante e instaron a Bobby a que me mandara a casa.

—Sí, me da la impresión de que ya tenemos todo lo que nos va a contar. —Esperó hasta que la oficina quedó vacía y después dijo nervioso—: ¿Qué le hiciste anoche a McGonnigal, Vicki? Me hizo saber con toda claridad que no estaba dispuesto a estar presente mientras hablaba contigo.

—No le hice absolutamente nada —dije, arqueando las cejas—. ¿Es que se ha vuelto jabalí o algo así?

Bobby me miró ceñudo.

—Si pretendes acusar de algo a John McGonnigal, que es uno de los mejores...

—Circe —apunté de inmediato—. Eso es lo que hizo con la tripulación de Odiseo. Supongo que estabas pensando en eso. O algo por el estilo.

Bobby entornó los ojos pero no dijo más que:

—Vete a casa, Vicki. Ahora mismo no tengo fuerzas para tu sentido del humor.

Estaba ya en la puerta cuando Bobby encendió su último detonador.

—¿Conoces bien a Ron Kappelman? —Su voz tenía un tono estudiadamente distraído que me puso alerta.

Me volví para mirarle, con la mano aún en el picaporte.

—He hablado con él tres o cuatro veces. No somos amantes, si es eso lo que quieres saber.

Los ojos grises de Bobby me midieron fijamente.

—¿Sabes que Jurshak le hizo algunos favores cuando le contrataron como abogado de PRECS?

Sentí que se me desfondaba el estómago.

—¿Como por ejemplo?

—Ah, pues darle vía libre para hacer toda la reforma de su casa. Esa clase de cosas.

—¿Y a cambio?

—Información. Nada fuera de la ética. No pondría en peligro la posición de sus clientes. Sólo contar en la oficina del concejal los movimientos que estaban considerando. O qué movimientos podría hacer una investigadora privada listilla como tú.

—Ya veo. —Me costó un esfuerzo pronunciar las palabras, no digamos ya que la voz me saliera firme. Me apoyé contra la puerta—. ¿Cómo sabes todo eso?

—Jurshak ha hablado mucho esta mañana. No hay como el miedo a morir para que la gente empiece a largar. Claro está que los tribunales se lo cargarán todo, por ser información extraída bajo coacción. Pero ten cuidado con quién hablas, Vicki. Eres una chica lista; una señorita lista. Estoy incluso dispuesto a admitir que has hecho algunas cosas bien. Pero eres una sola persona. Sencillamente, no puedes hacer el trabajo por el que pagan a la policía.

Estaba excesivamente fatigada y abatida de espíritu para discutir. Me sentía demasiado mal hasta para pensar que se equivocaba. Los hombros se me hundieron, deambulé con torpeza por los largos corredores hasta el aparcamiento y salí hacia casa de Lotty.

41

Una criatura sensata

Cuando llegué a casa de Lotty, Max estaba ya allí. Estaba tan deprimida tras mi charla con Mallory que hubiera preferido anular mi cita con Manheim: porque ¿qué podía hacer una persona sola? Pero el caso fue que no tuve tiempo más que para explicar a Lotty quién era Frederick Manheim y por qué le había invitado cuando éste apareció. Su rostro redondo y grave estaba acalorado por la excitación, pero estrechó la mano de Max y Lotty cortésmente y le entregó a ésta una botella de vino. Era un Gruaud-Larose del 78. Max levantó las cejas con apreciación, por lo que supuse que sería un buen vino.

Mientras hablábamos en la cocina empezó a reanimarse mi decaída autoconfianza. Después de todo, el papel de Kappelman me había inquietado en todo momento. No era fracaso mío. Sencillamente, Bobby había querido mortificarme porque le había parado los pies a Steve Dresberg mientras que él y sus cientos no habían conseguido ni tocarle.

Hice unas tortillas a la francesa mientras Max abría el vino, dejándolo respirar con reverencia. Mientras comíamos en la mesa de la cocina hablamos de cuestiones generales; el vino era demasiado espléndido para contaminarlo con xerxina.

Después, no obstante, nos trasladamos al salón. Yo relaté la historia en beneficio de Max y Manheim. Cómodamente instalada en el sofá cama, expliqué lo que había sabido por Chigwell: que habían hecho aquellos análisis porque habían detectado sus altas tasas de enfermedad ya en 1955.

—Tendría que intentar ponerse al habla con Ajax. Ellos llevaban los seguros médicos y de vida de Xerxes en aquellos momentos. Sé que acudieron al Descanso del Marino en 1963 con pruebas de lo buenos y puros que eran, pero si nos enteramos de por qué se desentendió Ajax de ellos en los años cincuenta, es posible que le echemos mano a algún trapo sucio que explique por qué decidieron buscar en la sangre en lugar de... no sé, cualquier otra cosa.

Manheim, apoyado en los codos sobre el suelo, estaba lógicamente muy interesado en lo que contenían los cuadernos de Chigwell. Lotty le esbozó los datos, pero le advirtió que tendría que buscarse un batallón de especialistas.

—Yo soy de medicina prenatal, ¿sabe? De modo que lo que le estoy diciendo es lo que he sabido por la doctora Christophersen. Necesitará mucha gente: hematólogos, un buen patólogo renal. Y sobre todo, va a necesitar un equipo dedicado a medicina del trabajo.

Manheim asintió con seriedad a todos sus consejos. Sus rosadas mejillas de querubín se volvieron de un rojo más intenso mientras llenaba cuadernos legales con sus notas. De cuando en cuando me hacía alguna pregunta sobre la fábrica y los empleados.

Por último, Lotty puso fin a la entrevista: tenía que levantarse temprano, yo era su paciente y no estaba capacitada para otra sesión de toda la noche, y demás. Manheim se puso en pie renuente.

—No vaya hacer nada apresurado —me advirtió—. Quiero verificar a fondo los datos, encontrar el laboratorio que llevó a cabo los análisis de sangre, esa clase de cosas. Y voy a tener que consultar a un especialista en leyes medioambientales.

Levanté las manos.

—Ahora es su criatura. Haga con ella lo que le parezca. Pero tenga siempre presente que Gustav Humboldt no va a sentarse con los pies en alto mientras usted reúne pruebas; yo diría que ha encontrado ya el modo de ponerle mordaza al laboratorio. ¿Quiere una última oportunidad para retirarse?

Reflexionó un minuto escaso, después sonrió a su pesar.

—Me he pasado ya bastante tiempo sentado sobre las posaderas en Beverly; no puedo renunciar a esto. Siempre que esté dispuesta a darme su apoyo moral de vez en cuando.

—Sí, claro, por qué no —accedí todo lo persuasivamente que pude. No quería que los tentáculos de Chicago Sur siguieran alargándose para estrangularme.

Cuando Manheim se hubo marchado yo me fui a la cama, dejando a Max en el salón con una de las botellas de coñac de Lotty. Ésta entró un momento cuando terminé de lavarme los dientes para decirme que Caroline había llamado mientras me encontraba en la policía.

—Quiere que la llames. Pero como estaba enfadada y se puso algo brusca, creí que no le vendría mal esperar.

Sonreí.

—Ésa es mi Caroline. ¿Dijo algo de Louisa?

—Yo supongo que dado que durmió durante todo el drama no le habrá afectado realmente. Que duermas bien, cariño.

Cuando me levanté por la mañana Lotty ya se había ido. Yo deambulé sin finalidad por la cocina, bebiendo café. Empecé a prepararme una tostada y entonces recordé la promesa de desayunar con el señor Contreras. Llené mi maletín pausadamente. Cuanto más tiempo permanecía en casa de Lotty menor era el interés que sentía en ocuparme de mí misma. Había que marcharse antes de caer en una irremediable lasitud.

En deferencia al espíritu aseado de Lotty, quité las sábanas de la cama y las envolví con las toallas que había utilizado. Le dejé una nota diciéndole que me lo había llevado todo a casa para lavarlo. Ordené otros rastros de mi presencia lo mejor que supe y me fui a la calle Racine.

El júbilo del señor Contreras al verme sólo fue igualado por el de la perra. Peppy saltó para lamerme la cara, mientras su cola dorada aporreaba la puerta con vigor suficiente para cerrarla. Mi vecino me quitó la ropa sucia de las manos.

—¿Son éstas las cosas de la doctora Lotty? Yo te las lavo, niña. Después de desayunar te apetecerá descansar, repasar el correo, hacer lo que quieras. ¿Entonces se ha terminado el caso? ¿Todo atado con esos dos canallas en el hospital? Tenía que haber sabido que tú te ocuparías de esos tipos, pequeña. Y no preocuparme tanto por ti. No me extraña que te sacudieran.

Le pasé un brazo por los hombros.

—Ya, todo parece estupendo ahora que casi hemos acabado la batalla. Pero dispararle a alguien en una situación así es pura suerte, porque no puedes tomar puntería. Podría ser yo la que estuviera en cuidados intensivos en lugar de Dresberg si la suerte hubiera caído del otro lado.

—¿*Casi* hemos acabado? —Sus ojos de un pardo desvaído mostraron inquietud—. ¿Quieres decir que esos tipos siguen buscándote para liquidarte?

—Al revés. Hay un viejo tiburón blanco dando coletazos en el agua. Dresberg y Jurshak eran sus compinches. Quién sabe lo que todavía puede guardar en su cueva. —Procuré mantener un tono de voz despreocupado—. Pero vamos, yo he venido aquí a comer torrijas. ¿Dónde las tiene?

—Claro, niña, claro. Está todo listo; esperaba a que llegaras para encender la plancha. —Se frotó las manos y me hizo entrar apresuradamente.

De algún rincón de su vida había sacado un mantel de lino blanco. Había quitado de la mesa del comedor todas las revistas y cachibaches que por lo general la atestaban y la había cubierto con el mantel. En el centro había un florero con claveles rojos. Me sentí conmovida.

Se hinchó de orgullo ante mis cumplidos.

—Eran cosas de Clara. Nunca les di mucha importancia, pero no pude apartarme de ellas y dárselas a Ruthie cuando murió; para Clara eran casi un tesoro y no creía que Ruthie pudiera apreciarlas como se merecían.

Salió hacia la cocina y volvió con un vaso de zumo de naranja natural.

—Tú siéntate aquí, niña, y yo te preparo el desayuno en dos patadas.

Frió un montón grande de bacon y un número pantagruélico de torrijas. Comí todo lo que pude y le compensé contándole mi viaje nocturno por el Calumet. Él se debatía entre la admiración por la proeza y los celos por no haberle elegido a él para acompañarme, con llave inglesa y todo.

Disimulé noblemente un estremecimiento ante la idea.

—Creí que sería injusto para Peppy —respondí—. Si a los dos nos mataban o nos inutilizaban, ¿quién iba a cuidar de ella?

Aceptó la explicación reticente —y algo receloso— y me pidió que le contara otra vez cómo había disparado sobre Dresberg. Finalmente, hacia las doce, consideré que había pasado ya bastante tiempo con él y me escapé a mi casa. El viejo había dejado el correo muy ordenado dentro de mi piso. Revisé las cartas rápidamente; ninguna personal. Ni una sola. Tan sólo facturas y ofertas. Irritada, las arrojé todas a un lado, entre ellas la factura de mi teléfono. Los periódicos podían esperar; los leería más adelante para ver cómo habían cubierto lo de Xerxes.

Mis habitaciones tenían el extraño aspecto de un lugar que llevas algún tiempo sin visitar: me resultaban en cierto modo ajenas, como si alguien me las hubiera descrito pero no las hubiera visto nunca en realidad. Paseé de un lado a otro con inquietud, intentando volver a asentarme en mi propia existencia. Y procurando no pensar en la próxima posible intentona de Humboldt. No lo conseguí del todo. Cuando a las dos sonó el timbre de la puerta me sobresaltó levemente. Esto no puede seguir así, Victoria, me reprendí. Fui decidida al teléfono interior y lo descolgué.

La voz de Caroline vibró con sonido metálico. Si algo hacía falta para devolverme la confianza en mí misma, sería una pequeña refriega con ella. Me preparé para el combate y apreté el botón.

La oí subir por las escaleras con paso lento y pesado, muy distinto a su habitual trotecillo. Cuando subió el último tramo y pude verla, comprobé que tenía una expresión sombría. El corazón se me encogió. Louisa. La salida del martes por la noche había sido demasiado para su debilitado organismo y había muerto.

—Hola, Caroline. Entra.

Permaneció en la puerta.

—¿Tú me odias, Vic?

Arqueé las cejas sorprendida.

—¿Por qué demonios me preguntas eso? Creí que venías a morderme por exponer a Louisa a tantos estragos hace dos noches.

—No fue culpa tuya. Sino mía. Si te hubiera dicho lo que estaba pasando... Estuvieron a punto de matarte por mí. Dos veces. Y todo lo que se me ocurrió fue chillarte como la niña malcriada que siempre me has dicho que era.

Le pasé el brazo por los hombros y la arrastré dentro de la casa. Lo último que quería ahora era que el señor Contreras nos oyera y subiera de un salto. Caroline se apoyó en mí y me dejó que la llevara al sofá.

—¿Cómo está Louisa?

—Está otra vez en casa. —Caroline se encogió de hombros—. En realidad hoy parece que está un poco mejor. No recuerda nada de lo ocurrido, y lo que fuera que la inyectaran le ha hecho dormir mejor de lo normal.

Cogió un ejemplar de *Fortune* y empezó a retorcerlo.

—La policía vino nada más llegar yo a casa y ver que faltaba. Había estado en una reunión maratoniana en el centro, ya sabes, repasando toda la cuestión del reciclaje con los abogados de la Agencia de Protección del Medio Ambiente. Creí que mamá habría tenido una crisis y que los vecinos o tía Connie se la habrían llevado al hospital.

Yo asentí con la cabeza.

—Lotty me dijo que habías llamado ayer con un mensaje iracundo. No me encontraba con fuerzas para hablar contigo.

Me miró a los ojos por primera vez desde su llegada.

—No me extraña; estaba tan furiosa que habría escupido sapos y culebras y algo más. Iba dirigiéndote un vocerío mientras me acercaba a la Ayuda al Cristiano. Pero cuando llegué allí no pude pensar más que en ti y en tu madre, cuidando de mamá durante tantos años. Y después pensé en todo lo que estabas pasando por nosotras en estas últimas semanas. Y sentí una vergüenza horrible. Nada de esto habría pasado si no te hubiera empujado a buscar a mi padre pese a que no querías hacerlo.

Le cogí una mano y la apreté.

—Yo también he estado furiosa a rabiar contigo; probablemente te he echado más maldiciones que tú a mí. Y no llevo precisamente una aureola. Si hubiera abandonado cuando me lo dijiste nunca me habrían dejado por muerta en el pantano y Louisa no habría sido secuestrada.

—Pero la policía nunca habría averiguado la verdad —protestó—. Nunca habrían encontrado al asesino de Nancy, y Jurshak y Dresberg seguirían reinando en Chicago Sur. No tendría que haber sido tan cobardica. Debí contarte las amenazas a Louisa para empezar, para que no hubieras ido dando palos de ciego.

Comprendí que necesitaba decirle que había descubierto quién había dejado a Louisa embarazada, pero no parecía encontrar las palabras para hacerlo. O era el valor lo que no encontraba. Mientras me empeñaba en buscarlo Caroline dijo súbitamente:

—Le he comprado cigarrillos a mamá. Recordé lo que dijiste la primera noche que viniste, que no le iban a poner peor de lo que estaba y era posible que la animaran. Y he comprendido que lo que pretendía era tenerla bajo mi poder, quitándole una cosa que podía producirle algún placer.

Sus últimas palabras me trajeron a la cabeza los consejos de Lotty con gran claridad.

Tomé aliento y dije:

—Caroline, tengo que decirte algo; sí he descubierto quién es tu padre.

Sus ojos azules se oscurecieron.

—No es Joey Pankowski, ¿verdad?

Sacudí la cabeza.

—Me temo que no. No hay modo fácil de decir esto, ni de oírlo, pero estaría muy mal de mi parte no hacerlo; sería una forma repugnante de controlar tu vida.

Me miró gravemente.

—Adelante, Vic. Creo que... que soy más madura que antes. Puedo soportarlo.

La cogí por ambas manos y le dije suavemente:

—Fue Art Jurshak. Es tu...

—¡Art Jurshak! —estalló—. No te creo. ¡Mamá no hubiera coincidido con él jamás! Te lo estás inventando, ¿no es cierto?

Moví la cabeza.

—Ojalá fuera así. Art... es... esto... tu abuela Djiak es su hermana. Él pasaba mucho tiempo con Connie y Louisa cuando eran pequeñas, y los Djiak pretendieron no darse cuenta de que estaba abusando de ellas. A tus abuelos les aterra todo lo que tenga que ver con el sexo, y tu abuelo en especial tiene horror a las mujeres, o sea que contaron una historieta nefanda de que había sido culpa de tu madre cuando se quedó embarazada. Aunque cortaron las relaciones con Art, fue a Louisa a la que castigaron. Son una pareja realmente detestable, Ed y Martha Djiak.

Sus pecas se destacaban como lunares sobre la palidez de su rostro.

—Art Jurshak. ¿Ése es mi padre? ¿Estoy emparentada con él?

—Te ha dado algunos cromosomas, chiquilla, pero no estás emparentada con él, de ningún modo ni manera. Tú eres tu propia persona, lo sabes, no la suya. Ni de los Djiak. Tienes agallas, tienes integridad y, sobre todo, tienes valor. Nada de eso tiene ninguna relación con Art Jurshak.

—Yo... Art Jurshak... —Soltó una especie de ladrido de risa histérica—. Todos estos años he creído que había sido tu padre el que preñó a mamá. Que por esto tu madre se había portado tan bien con nosotras. Creía que en realidad tú y yo éramos hermanas. Ahora veo que no tengo absolutamente a nadie.

Se levantó y corrió hacia la puerta. Yo corrí tras ella y la cogí del brazo, pero se libró de mí y abrió la puerta con fuerza.

—¡Caroline! —Me lancé escaleras abajo tras ella—. ¡Esto no cambia nada! ¡Siempre serás mi hermana, Caroline!

Permanecí en la acera en mangas de camisa, contemplándola con impotencia mientras arrancaba el coche precipitadamente calle abajo hacia Belmont.

42

Obsequio de Humboldt

Creo que la última vez que me sentí así de mal fue el día después del funeral de mi madre, cuando su muerte se me hizo súbitamente real. Quise llamar a Caroline, a su casa y a PRECS. Tanto Louisa como una secretaria accedieron a transmitirle un mensaje, pero donde quiera que se encontrara Caroline no deseaba hablar conmigo. Unas mil veces pensé en llamar a McGonnigal, y pedir a la policía que estuvieran al tanto; pero ¿qué podían hacer ellos por un ciudadano atormentado?

Hacia las cuatro pedí a Peppy al señor Contreras y me la llevé al lago en coche. No tenía ánimos para correr, aunque la perra los tenía en abundancia, pero me hacía falta su afecto silencioso y la anchura del cielo y el agua para aliviar mi espíritu. No era impensable que Humboldt, un mal perdedor a todas luces, tuviera algún sustituto de Dresberg, de modo que mantuve una mano sobre la Smith & Wesson en el bolsillo de la chaqueta.

Tiré palos a la perra con la mano izquierda. A ésta no le pareció gran cosa la distancia a la que cayeron, pero fue a buscarlos de todos modos para demostrarme su falta de resentimiento por ello. Cuando hubo agotado una parte de sus excedentes de energía, nos sentamos mirando al agua mientras yo sostenía la pistola con la mano derecha.

En algún punto remoto de mi mente sabía que debía

idear el modo de tomar la iniciativa con Humboldt, para evitarme tener que ir por ahí con la mano en el bolsillo el resto de mis días. Podía acudir a Ron Kappelman y obligarle a hablar, para saber cuánto había estado revelándole a Jurshak sobre mi investigación. Tal vez incluso supiera el modo de llegar hasta Humboldt.

La perspectiva de entrar en acción me parecía tan imposible que sólo con pensarlo se me cargaron los párpados y se me nubló el cerebro. Incluso la idea de ponerme en pie y caminar hasta el coche me iba a exigir mayor esfuerzo del que podía realizar. Me habría quedado allí mirando a las olas hasta la primavera si Peppy no se hubiera hartado y hubiera empezado a darme empujoncitos con el hocico.

—No lo entiendes, ¿verdad? —le dije—. A las perras retreiver no les crean mala conciencia los cachorros de sus vecinos. No se sienten obligadas a cuidarlos hasta la muerte.

La perra convino conmigo alegremente, con la lengua fuera. Paseamos hasta el coche; o, mejor dicho, yo paseé y Peppy danzó en espiral a mi alrededor para asegurarse de que no me perdía ni volvía a caer en estado catatónico.

Cuando llegamos a casa el señor Contreras salió apresuradamente con las sábanas y las toallas de Lotty ya limpias. Le di las gracias como mejor supe, pero le comuniqué que deseaba estar sola.

—Y quedarme un rato con la perra. ¿De acuerdo?

—Claro, claro, niña, desde luego. Lo que quieras. Echa de menos tus carreras, eso sin duda, o sea que probablemente se quedará contigo encantada, para cerciorarse de que no la has olvidado.

De vuelta en mi piso, volví a intentar hablar con Caroline, pero o no estaba o se negaba a hablar conmigo. Descorazonada, me senté al piano y empecé a trabajar en *Ch'io scordi di te*. Era el aria predilecta de Gabriella y convenía a mi ánimo de melancólica autocompasión el tocar la pieza entera, y después aplicar mi empeño en cantarla. Sentí en los párpados el escozor de mis lágrimas de lástima sentimentaloide y volví a la parte central, donde es más melódica la frase de la soprano.

Cuando sonó el teléfono salté hacia él anhelante, segura de que sería Caroline dispuesta a hablar conmigo al fin.

—¿Señorita Warshawski? —Era la voz temblona del mayordomo de Humboldt.

—¿Sí, Anton? —Mi tono era sereno, pero una descarga de adrenalina despejó mi estado letárgico como los rayos del sol la niebla.

—El señor Humboldt desea hablar con usted. Por favor, no se retire. —La voz denotaba una gélida desaprobación. Tal vez creyera que Humboldt tenía intención de convertirme en su querida y temiera que yo fuera de clase demasiado baja para el estilo del Roanoke.

Pasó alrededor de un minuto. Intenté hacer que Peppy viniera al teléfono y me hiciera de secretaria pero no mostró el más mínimo interés. Al fin, el pastoso barítono de Humboldt vibró en el auricular.

—Señorita Warhsawski. Le quedaría muy agradecido si me hiciera una visita esta noche. Hay alguien conmigo que se arrepentiría mucho de no conocer.

—Vamos a ver —respondí—. Dresberg y Jurshak están en el hospital. Troy está detenido. Ron Kappelman ya no me interesa demasiado. ¿Quién le queda?

Soltó su risa espontánea para demostrarme que los pequeños contratiempos del lunes no eran ya más que un recuerdo lamentable.

—Es usted siempre muy directa, señorita Warshawski, Le aseguro que no habrá tiroteos si es tan amable de hacerme la visita.

—¿Cuchillos? ¿Jeringuillas? ¿Calderos de productos químicos?

Volvió a reír.

—Digamos simplemente que se arrepentiría usted toda la vida si no se entrevistara con mi visitante. Le enviaré un coche a las seis.

—Es usted muy amable —dije oficiosa—, pero prefiero conducir yo. Y voy a llevar un amigo.

El corazón me latía cuando colgué, y por la cabeza me

pasaron toda clase de conjeturas desmelenadas. Tenía a Caroline de rehén, o a Lotty. No podía verificar lo de Caroline, pero sí llamé a Lotty a la clínica. Cuando vino al teléfono, sorprendida por mi premura, le expliqué dónde iba.

—Si a las siete no has tenido noticias mías, llama a la policía. —Le di los números de casa y de la oficina de Bobby.

—No irás sola, ¿verdad? —me preguntó Lotty con ansiedad.

—No, no, me llevo a un amigo.

—¡Vic! ¿No será el viejo entrometido? Va a ser más traba que ayuda.

Reí levemente.

—No, estoy totalmente de acuerdo. Me llevo a uno que es callado y fiable.

Sólo después de prometerle que la llamaría tan pronto como saliera del Roanoke accedió a que fuera sin escolta policial. Cuando colgamos me volví hacia Peppy.

—Venga, chica. Vas a conocer las guaridas de los ricos y poderosos.

La perra se mostró interesada como siempre en cualquier expedición. Me observó, con la cabeza ladeada, mientras comprobaba la Smith & Wesson una última vez para cerciorarme de que hubiera una bala en la recámara, después saltó escaleras abajo delante de mí. Conseguimos salir sin dar el parte al señor Contreras; estaría en la cocina preparando la cena.

Miré a mi alrededor cautelosamente para asegurarme de no estar metiéndome en una trampa, pero nadie acechaba. Peppy saltó al asiento trasero del Chevy y nos pusimos en marcha hacia el sur.

El portero del Roanoke me saludó con la misma cortesía paternal que en mi primera visita. Al parecer, Anton no le había informado de que yo era un peligro para la sociedad. O quizás el recuerdo de mi propina de cinco dólares dominara sobre cualquier mensaje desagradable del piso doce.

—¿El perro viene con usted, señora?

—Sonreí.

—El señor Humboldt nos está esperando.

—Desde luego, señora. —Nos dejó en manos de Fred en el ascensor.

Yo avancé con gracia experimentada hacia el banco del fondo. Peppy se sentó a mis pies, con la lengua colgando, jadeando ligeramente. No estaba acostumbrada a los ascensores, pero encajó su suelo trepidante con la serena apostura de un campeón. Cuando fuimos depositados olisqueó el suelo de mármol del vestíbulo de Humboldt, pero se irguió a mi lado cuando Anton abrió la ornamentada puerta de madera.

Anton contempló a Peppy fríamente.

—Preferimos que no suban perros, dado que sus hábitos son poco previsibles y controlables. Pediré a Marcus que lo mantenga en el vestíbulo hasta que se vaya usted.

Yo sonreí un poco brutalmente.

—Me parece que los hábitos incontrolables van a combinar a la perfección con el estilo de su jefe. No entro sin ella, de modo que considere si Humboldt tiene mucho interés en verme.

—Muy bien, madame. —El hielo de su voz había alcanzado la gradación Kelvin—. ¿Quiere seguirme?

Humboldt estaba sentado frente a la chimenea de la biblioteca. Bebía de un vaso pesado de cristal tallado —whisky con soda, me pareció—. El estómago se me revolvió cuando le vi, volviendo a invadirme la ira, sacudiéndome todo el cuerpo.

Humboldt miró severamente a Anton cuando Peppy entró pegada a mi talón izquierdo, pero el mayordomo dijo con voz distante que yo rehusaba entrar sin ella. Humboldt cambió inmediatamente de personaje, preguntando amablemente el nombre de la perra y procurando hacer aspavientos sobre su estupendo aspecto. Ésta, sin embargo, había percibido su hostilidad y no respondió. Yo caminé ostentosamente por la habitación con ella, invitándola a husmear en los rincones. Corrí las pesadas cortinas de brocado, pero daban al lago; no había lugar alguno donde pudiera esconderse un tirador emboscado.

Solté la cortina.

—Me esperaba a medias una descarga de fuego de metralleta. No me diga que mi vida va a caer en la monotonía.

Humboldt soltó su risita honda.

—Nada le afecta, señorita Warshawski, ¿no es así? Es usted realmente una mujer extraordinaria.

Me senté en la butaca frente a Humboldt; Peppy se puso delante de mí, mirando a uno y otro con preocupación, la cola baja. Le acaricié la cabeza y se sentó sobre las patas traseras, tensa.

—¿Su misterioso invitado no ha llegado aún?

—Mi invitado no va a moverse. —Rio suavemente para sí—. He pensado que usted y yo charlemos un ratito antes. Quizá no sea necesario traer al invitado. ¿Whisky?

Sacudí la cabeza.

—Sus refinadas bodegas me están despertando ideas que sobrepasan mis ingresos; no puedo permitirme acostumbrarme a ellas.

—Sí que podría, señorita Warshawski. Podría, insisto, si dejara de ir por ahí con esa desmedida propensión a buscar camorra.

Me recosté en el asiento y crucé las piernas.

—Eso sí que es realmente indigno de usted. Yo me esperaba que me abordara usted de forma mucho más espléndida, o al menos más sutil.

—Venga, venga, señorita Warshawski. Reacciona usted con excesiva rapidez la mayoría de las veces. Podría hacer cosas peores que escucharme.

—Pues sí, supongo que podría seguir una gira de los Cubs. Pero será mejor que hable de una vez para que sepa si voy a tener que estar sorteando las balas de sus secuaces toda la vida.

Humboldt se resistía a alterarse.

—Ha estado prestando mucha atención a mis asuntos recientemente, señorita Warshawski. De modo que le he devuelto el cumplido interesándome mucho por los suyos.

—Apuesto a que mis pesquisas han sido mucho más

apasionantes que las suyas. —Mantuve la mano sobre la cabeza de Peppy.

—Es posible que tengamos ideas distintas de lo que puede ser apasionante. Por ejemplo, me intrigó sobremanera saber que debe usted un total de quince mil dólares de su piso y que no le resulta fácil pagar las mensualidades de la hipoteca.

—Por Dios, Gustav. No va usted a someterme a la monserga de que va a hacer que el banco me anule la hipoteca, ¿verdad? Ya empieza a aburrirme.

Él prosiguió como si no hubiera hablado.

—Sus padres han muerto los dos, tengo entendido. Pero tiene una buena amiga que es para usted como una especie de madre, creo... una tal doctora Charlotte Herschel. ¿Sí?

Cerré los dedos con tal fuerza en el pelo de Peppy que ésta dejó oír un pequeño gemido.

—Si algo le ocurre a la doctora Herschel... *cualquier cosa*... desde un pinchazo de rueda hasta que sangre por la nariz... usted estará muerto en las siguientes veinticuatro horas. Es una profecía de hierro forjado.

Volvió a soltar su risa espontánea.

—Es usted tan activa, señorita Warshawski, que se imagina que los demás somos todos igualmente dispuestos. No, estaba pensando más en la vida profesional de la doctora Herschel. Si podrá conservar la licencia.

Esperó a que volviera a producirse mi reacción, pero logré recobrar la suficiente presencia de ánimo para permanecer en silencio. Cogí el *New York Times* de la mesita que nos separaba y empecé a hojear la sección de deportes. Los Islanders iban viento en popa; qué decepcionante.

—¿No siente usted curiosidad, señorita Warshawski? —preguntó al fin.

—No especialmente. —Empecé a disertar sobre las perspectivas de los Mets después de su concentración para el entrenamiento—. En fin, hay tantas cosas rastreras que podría hacer usted que sería una pérdida de tiempo pensar con cuál de ellas ha topado esta vez.

Dejó el vaso de whisky con un golpe seco y se inclinó hacia delante. Peppy gruñó levemente con la garganta. Yo deposité lo que parecía ser una mano tranquilizadora en su cabeza: es difícil imaginar que un perro retreiver vaya a atacar a nadie, pero si no te gustan los perros puede que no lo sepas.

Humboldt no perdía de vista a Peppy.

—¿De modo que está dispuesta a sacrificar su casa y la carrera de la doctora Herschel por su obstinado orgullo?

—¿Qué es lo que quiere que haga? —dije con irritación—. ¿Tirarme al suelo con una pataleta? Estoy dispuesta a creer que tiene usted muchos más medios que yo en poder, dinero y demás. Si quiere restregármelo por las narices, no se corte. Pero no espere que reaccione como si me emocionara.

—No saque sus conclusiones con tanta prisa, señorita Warshawski —replicó quejumbroso—. No le faltan alternativas. Simplemente no quiere enterarse de cuáles son.

—Muy bien. —Sonreí vivazmente—. Cuéntemelas.

—Primero haga que el perro se tumbe.

Le hice a Peppy una señal con la mano y obedientemente se echó en el suelo, pero sus cuartos traseros siguieron tensos, listos para saltar.

—Le estoy ofreciendo posibilidades. No debe reaccionar tan rápidamente a la primera. Ése es uno solo de los cuadros, ¿comprende?, su hipoteca y la licencia de la doctora Herschel. Hay otros. Podría pagar su deuda y tener aún dinero suficiente para comprarse un coche más adecuado a su personalidad que ese Chevy viejo; como ve, he estado haciendo mis indagaciones. ¿Qué coche le gustaría, de tener la oportunidad?

—Huy, pues no lo sé, señor Humboldt. No lo he considerado detenidamente. Quizás ascendiera a un Buick.

Humboldt suspiró como un padre decepcionado.

—Debería escucharme con más seriedad, jovencita, o se va a encontrar pronto sin alternativas.

—Está bien, está bien —dije—. Me gustaría llevar un Ferrari, pero ése ya lo tiene Magnum. Entonces un Alfa... O sea, que me da el piso y el deportivo y la licencia de la doctora Herschel. ¿Y qué quiere de mí como muestra de agradecimiento por tanta generosidad?

Sonrió: todo el mundo puede ser presionado o comprado.

—El doctor Chigwell. Un hombre dispuesto y trabajador, pero, dicho sea, no de gran valía. Desgraciadamente, tener que contratar a un doctor en una zona industrial no da acceso a médicos del calibre de la doctora Herschel.

Dejé el periódico y las caricias a la perra para demostrar que era toda atención.

—Fue anotando datos sobre nuestros empleados de Xerxes durante años. Sin mi conocimiento, claro está; no puedo estar al tanto de todos los detalles de una operación de las dimensiones de Químicas Humboldt.

—Usted y Ronald Reagan —murmuré compasiva.

Me miró receloso, pero yo mantuve una expresión de interés atento en la cara.

—Sólo recientemente he conocido la existencia de estas notas. La información que contienen es inútil porque es totalmente inexacta. Pero si cayera en manos indebidas podría parecer muy perjudicial para Xerxes. Podría resultarme difícil demostrar que todos los datos que reunió eran falsos.

—Especialmente a lo largo de un período de veinte años —dije yo—. Pero si obtuviera esos cuadernos, ¿dejaría en paz mi hipoteca? ¿Y retiraría toda amenaza contra la doctora Herschel?

—Y habría además una bonificación para usted por todos los trastornos de que ha sido objeto por el exceso de celo de algunos de mis amigos.

Metió la mano en el bolsillo de la chaqueta y me alargó un papel escrito para que lo inspeccionara. Tras echarle un vistazo desinteresado lo dejé caer en la mesita que había entre los dos. Me costó trabajo aquella impasibilidad: el documento representaba dos mil acciones de preferencia de Químicas Humboldt. Cogí el *Times* nuevamente y busqué el resumen de la bolsa.

—Cerró a 101 3/8 ayer. Una bonificación de doscientos

mil dólares sin gastos de corretaje. Estoy impresionada. —Me recosté en la butaca y le miré directamente a los ojos—. El problema es que podría doblar la cantidad sólo con estafar a Químicas Humboldt. Si el dinero fuera muy importante para mí. Pero es que no lo es. Y además no ha tenido ni una mierda de éxito con los cuadernos, porque ya están en manos de un abogado y de un equipo médico de especialistas. Está usted muerto. No sé qué le costarán los próximos pleitos, pero quizá medio billón no sea una cifra desorbitante.

—¿Prefiere dejar sin trabajo a su amiga, la mujer que ha sido como una madre para usted, en beneficio de unas personas que no conoce y que no son dignas de su consideración en todo caso?

—Si ha hecho indagaciones sobre mí ya sabrá que Louisa Djiak no es una simple conocida —respondí agriamente—. Y le desafío a que idee cualquier trampa contra la doctora Herschel que su fama de probidad no pueda superar.

Sonrió de un modo que le prestó un fuerte parecido con un tiburón.

—Vamos, señorita Warshawski. Debe aprender a no precipitarse. Yo jamás haría una amenaza que no me supiera capaz de cumplir.

Tocó un timbre empotrado en la repisa de la chimenea. Anton apareció tan rápidamente que debía estar merodeando por el vestíbulo.

—Trae a la otra visita, Anton.

El mayordomo inclinó la cabeza y salió. Volvió unos instantes después con una mujer de unos veinticinco años. Su cabello castaño estaba peinado en una permanente corta que le rodeaba toda la cabeza de apretados ricitos, dejando excesivamente al descubierto su enrojecido cuello. Era evidente que se había tomado muchas molestias sobre su aspecto; supuse que su vestido de volantes de acetato sería el mejor que tenía, dado que los toscos zapatos de tacón alto habían sido teñidos del mismo color azul turquesa. Bajo la densa máscara de maquillaje que cubría su acné tenía una expresión beligerante y algo asustada.

—Le presento a la señora Portis, señorita Warshawski. Su hija fue paciente de la doctora Herschel. ¿No es eso, señora Portis?

Ella asintió con la cabeza vigorosamente.

—Mi Mandy. Y la doctora Herschel hizo algo que no tendría que haber hecho; una mujer mayor con una niña. Mandy estaba chillando y llorando cuando salió de la sala de reconocimiento, tardé varios días en tranquilizarla y enterarme de lo que había pasado. Pero cuando me enteré...

—Se fue al abogado estatal y presentó un informe completo —terminé yo suavemente, pese a la rabia que hacía arder mis mejillas.

—Como es natural, estaba demasiado afectada para saber qué hacer —dijo Humboldt con tal untuosidad que me dio ganas de matarle a tiros—. Es muy difícil acusar a un médico de cabecera, especialmente cuando tiene los apoyos con que cuenta la doctora Herschel. Por eso doy gracias por mi posición, que me permite ayudar a una mujer como ésta.

Yo le miré incrédula.

—¿De verdad piensa que puede llevar a los tribunales a alguien del buen nombre de la doctora Herschel con una mujer como ésta de testigo? Un abogado experto la haría pedazos. No es usted solamente un egomaníaco, Humboldt; encima es estúpido.

—Tenga cuidado a quién llama estúpido, joven. Un abogado experto puede descomponer a cualquiera. Pero no hay nada que despierte la animadversión de un jurado más rápidamente. Y además, ¿qué tal le iría la publicidad al trabajo de la doctora Herschel? Especialmente si se unen a la señora Portis otras madres con hijas que la doctora haya tratado. Después de todo, la doctora Herschel tiene casi sesenta años y no se ha casado: el jurado empezaría sin duda a sospechar de sus inclinaciones sexuales.

Las palpitaciones de mi garganta latían tan violentamente que apenas podía respirar, no digamos ya pensar. La perra gimoteaba levemente a mis pies. Me forcé a acariciarla delicadamente; eso me ayudó a recuperar un ritmo cardíaco más pausado. Me levanté y fui hacia el teléfono que había en la mesita en un rincón, con Peppy pegada a mis talones.

Lotty seguía en la clínica.

—¡Vic! ¿Estás bien? Son ya casi las siete.

—Estoy bien físicamente, doctora Herschel. Pero mentalmente estoy algo trastornada. Necesito explicarte algo y conocer tu reacción. ¿Tienes una paciente llamada señora Portis?

Lotty se quedó algo perpleja pero no hizo preguntas. Volvió al teléfono de inmediato.

—Una mujer que vino a verme una vez hace dos años. Su hija Amanda tenía ocho años por entonces y vomitaba mucho. Yo insinué la posibilidad de problemas psicológicos y aquello la hizo salir de allí resoplando.

—Pues Humboldt se la ha sacado de algún escondrijo. Y la ha convencido para que sostenga que abusaste de su hija. Sexualmente, ¿comprendes? A menos que le entregue las notas de Chigwell.

Lotty quedó en silencio un momento.

—¿Mi licencia a cambio de los cuadernos, en otras palabras? —dijo por último—. ¿Y pensaste que tenías que llamarme para contestar?

—No me sentía capacitada para hablar en tu nombre en una cuestión así. Me ofrece también doscientos talegos en acciones, para que te hagas una idea del calibre del soborno. Y mi hipoteca.

—¿Está contigo? Dile que se ponga. Pero debes saber que voy a decirle que no tuve que pasar por ver cómo los fascistas mataban a mis padres para ceder ante ellos a mi vejez.

Me volví hacia Humboldt.

—La doctora Herschel quiere hablar con usted.

Se incorporó en la butaca poniéndose en pie. Casi el único indicio de su edad era el esfuerzo que le costaba levantarse. Yo me situé junto a él mientras hablaba con Lotty, con aliento corto y jadeante. Pude oír el conciso contralto de Lotty explayándose, sermoneando a Humboldt como si fuera un mal estudiante, aunque no distinguía las palabras exactas.

—Está cometiendo un error, doctora, un error muy serio —dijo Humboldt con gravedad—. No, no, no voy a tolerar más insultos por teléfono, señora.

Colgó y me dirigió una mirada furibunda.

—Esto lo van a sentir. Las dos. Creo que no aprecia el calibre de mi poder en esta ciudad, joven

Las venas del cuello seguían palpitándome.

—Son tantas las cosas que no aprecia usted, Gustav, que no sé siquiera dónde empezar. Está usted muerto. Acabado en esta ciudad. El *Herald-Star* está investigando sus conexiones con Steve Dresberg y créame, las encontrarán. Puede que usted crea que están enterradas bajo siete capas de tierra, pero Murray Ryerson es un buen arqueólogo y ya le están ardiendo los dedos. Pero hay más; es el fin de su compañía. Su pequeño emporio químico no es bastante fuerte para absorber el golpe cuando todos los casos de la xerxina empiecen a rodar. Puede que tarde seis meses, puede que dos años, pero va a tener que hacer frente a medio billón en demandas, por lo menos. Y va a ser como hacer blanco con ratas en un barril el demostrar que hubo alevosía por su parte. Esa empresa que ha levantado, va a ser como la calabaza de Jonás, que creció en una noche y se pudrió en otra. Es usted carne muerta, Humboldt, y está tan loco que no es capaz siquiera de oler la putrefacción.

—¡Te equivocas, zorra polaca! ¡Te voy a demostrar lo equivocada que estás! —Lanzó el vaso de whisky al otro lado de la habitación donde se estrelló contra una de las librerías—. Te voy a hacer pedazos con la misma facilidad que a ese vaso. Gordon Firth no va a volver a contratarte. Te vas a quedar sin licencia. No vas a tener otro cliente en tu vida. Te voy a ver en Madison Oeste con los demás borrachos y vejestorios y me voy a reír. Me voy a reír a carcajadas.

—Hágalo —dije ferozmente—. Estoy segura de que sus nietos disfrutarán mucho con el espectáculo. En realidad, estoy convencida de que querrán oír toda la historia de cómo envenenó a la gente para maximizar su maldita rentabilidad.

—¡Mis nietos! —rugió—. ¡Si te atreves a acercarte a ellos ni tú ni tus amigos vais a volver a pasar una noche tranquila en esta ciudad!

Siguió vociferando, con una escalada de amenazas en las que incluyó no sólo a Lotty sino a otros amigos cuyos nombres habían desenterrado sus chupatintas. El pelo del pescuezo de Peppy empezó a levantarse y gruñó alarmantemente. Yo mantuve una mano en su collar y apreté el timbre de la chimenea con la otra. Cuando Anton entró señalé hacia los cristales rotos.

—Supongo que querrá recoger eso. Y creo que la señora Portis se sentiría mejor si la llevara con Marcus para que le buscara un taxi. Ven, Peppy.

Nos fuimos todo lo rápidamente posible, pero me pareció seguir oyendo los gritos maníacos hasta el vestíbulo.

43

Borrón y cuenta nueva

Lotty y yo pasamos los siguientes días con mi abogado. No sé si fueron los esfuerzos de Carter Freeman, o los de Anton, o simplemente que la escena del Roanoke la había aterrorizado, pero la señora Portis perdió todo interés en demandar a Lotty. Más trabajo nos costó lo de mi hipoteca; durante unas semanas pareció que tendría que buscarme una casa de alquiler. Pero Freeman consiguió arreglar ese asunto también de algún modo. Tengo la sospecha de que él personalmente me avaló, pero cuando intento preguntárselo arquea las cejas, pretende no saber nada y cambia de conversación.

Pasado un período corto mi vida recobró su curso normal: correr con Peppy, pasar tiempo con los amigos, romperme el corazón con los equipos de deportes de Chicago en general —los Black Hawks en aquella temporada en particular—. Volví también al carácter normal de mi trabajo, indagando en el fraude industrial, realizando pesquisas sobre los antecedentes de candidatos para puestos económicos delicados, ese tipo de cosas.

Me esforcé mucho por mantener a raya todo pensamiento de Humboldt o Chicago Sur. En circunstancias normales no habría dejado que los cabos sueltos se me fueran de las manos al finalizar el caso, pero sencillamente me sentía incapaz de tolerar nuevas inmersiones en la antigua barriada. De modo que resolví dejar el papel de Ron Kappelman en aquel embrollo como interrogante sin respuesta. Si la acusación de Bobby era cierta, en el sentido de que hubiera estado facilitando a Jurshak datos sobre mis movimientos, habría sido de justicia que me fuera a Pullman a pedirle cuentas. Pero simplemente carecía de la energía mental necesaria para seguir más adelante. Que el fiscal estatal esclareciera todo ello cuando Jurshak y Dresberg fueran juzgados.

El sargento McGonnigal fue otro cabo suelto que no llegué a atar. Le vi con Bobby un par de veces mientras pasaba por interminables declaraciones e interrogatorios. Fue más bien frío conmigo hasta que comprendió que no iba a irme de la lengua sobre su lapsus en decoro policial de aquella noche. Con el tiempo comprendí que no me convenía intimar demasiado con un policía, por muy sensible que fuera, pero nunca hablamos del asunto.

Hacia mayo, con los Cubs rivalizando ya por la última posición, Químicas Humboldt se cotizaba en los cincuenta y muchos. Frederick Manheim había consultado a los suficientes expertos en derecho y medicina para que los vientos comerciales llevaran rumores de posibles dificultades hasta Wall Street. Manheim vino a entrevistarse conmigo un par de veces, pero yo estaba harta hasta el fondo de mi alma de Humboldt.

Le dije a Manheim que testificaría en cualquier juicio sobre mi parte en sacar a la luz pública la conspiración, pero que no contara conmigo para ninguna otra clase de ayuda. De modo que no sabía lo que Humboldt estaba haciendo para preparar el contraataque. Unos cuantos días después de nuestro último encuentro supe por unos subtítulos de la prensa que estaba recibiendo tratamiento por estrés en Passavant, pero dado que el *Herald-Star* publicaba una foto de él haciendo el lanzamiento inaugural de los Sox el primer día de temporada, supuse que ya se había recuperado.

Por aquellos mismos días, mientras los Cubs se trasladaban hacia el norte desde Tempe, recibí una postal de Florencia. «No esperes hasta los setenta y nueve años para verla», rezaba el breve mensaje escrito con los alargados caracteres de la señorita Chigwell. Cuando regresó unas semanas después me llamó.

—Sólo quería decirte que ya no vivo con Curtis. Le compré su parte de casa. Él se ha mudado a una residencia de jubilados en Clarendon Hills.

—¿Y te gusta vivir sola?

—Me encanta. Sólo hubiera querido hacerlo hace sesenta años, pero entonces no tuve el valor. Quería decírtelo porque te lo debo a ti, porque me demostraste que las mujeres pueden llevar una vida independiente. Eso es todo.

Colgó el teléfono mientras yo enunciaba una protesta incoherente. Sonreí ligeramente; brusca hasta el fin. Deseé ser así de fuerte dentro de cuarenta años.

Lo único que realmente me inquietaba era Caroline Djiak; no conseguía que quisiera hablar conmigo. Había reaparecido tras un día de ausencia, pero no se ponía al teléfono, y cuando fui hasta la calle Houston me cerró la puerta en las narices, sin permitirme siquiera ver a Louisa. Yo no hacía más que pensar que había cometido un terrible error; no sólo por contarle lo de Jurshak, sino por haber insistido en mi obstinada búsqueda cuando ella pretendía que la interrumpiera.

Lotty sacudió la cabeza seriamente cuando me mostré preocupada por ello.

—No eres Dios, Victoria. No puedes apartar y elegir lo que es más conveniente para las vidas de los demás. Y si te vas a pasar muchas horas en esa autocompasión lacrimógena, hazme el favor de hacerlo en otro sitio; no es un espectáculo muy apetecible. O busca otra clase de trabajo. Tus obstinadas búsquedas, como tú las llamas, surgen de una fundamental claridad de visión. Si has perdido esa aptitud, no estás ya capacitada para tu quehacer.

Sus tonificantes palabras no acabaron con mis dudas, pero con el tiempo disminuyeron mis preocupaciones sobre Caroline. Cuando ella llamó a principios de junio para decirme que Louisa había muerto, conseguí aceptar su desabrida conversación con relativa ecuanimidad.

Fui al funeral en San Wenceslao, pero no a la casa de Houston para el refrigerio posterior. Los padres de Louisa presidían la ocasión, y tanto si fingían un pío dolor como si murmuraban solapadas censuras contra la divina providencia me costaría un gran esfuerzo contener mis deseos de liquidarlos.

Caroline no hizo el menor intento de hablar conmigo durante el funeral; cuando llegué a casa aquella lacrimógena autocompasión que me había suscitado había sido sustituida por un sentimiento anterior, más conocido: irritación por su ñoñería. Por eso, cuando la encontré esperándome a la puerta alrededor de un mes después, no la acogí precisamente con los brazos abiertos.

—Estoy aquí desde las tres —me dijo sin más preámbulo—. Me estaba temiendo que no estuvieras en la ciudad.

—Siento no haberle dejado mi horario a tu secretaria —respondí irónica—. Pero es que no me esperaba este placer.

—No seas cruel, Vic —me rogó—. Sé que me lo merezco; me he portado como un auténtico trasero de mula durante los últimos cuatro meses. Pero necesito disculparme o explicarme... o... en fin, no quiero que sólo te irrites cuando pienses en mí.

Abrí la puerta del vestíbulo.

—¿Sabes una cosa, Caroline?, esto me recuerda irresistiblemente a Lucy y Charlie Brown con la pelota de fútbol. Lucy está siempre prometiéndole que *esta* vez no la va a retirar justo cuando él va a lanzarla de una patada, y siempre la retira, y Charlie Brown acaba siempre cayéndose sobre las posaderas. Tengo la sensación de que voy a terminar de culo una vez más, pero sube.

Su fácil rubor le cubrió el rostro.

—Vic, por favor; sé que me merezco todo lo que me digas, pero he venido a disculparme. No me lo pongas más difícil de lo que ya es.

Eso me calló la boca, pero no aquietó mis recelos. La conduje en silencio a mi piso, le preparé una Coca mientras yo me preparaba un ron con tónica, y la llevé al pequeño saledizo que me sirve de porche trasero. El señor Contreras nos saludó con la mano desde sus tomates, pero permaneció allí. La perra se acercó para unirse al grupo.

Después que hubo acariciado las orejas a Peppy y bebido su Coca, Caroline respiró hondo y dijo:

—Vic, siento de verdad haberte dejado con tres palmos de narices el invierno pasado, y... haberte evitado después. Por alguna... alguna razón hasta después de la muerte de Louisa no he podido verlo desde tu punto de vista, comprender que no estabas burlándote de mí.

—¡Burlándome de ti! —Me quedé atónita.

Se volvió a poner de color grana.

—Yo creía que... como tenías un padre tan encantador. Yo quería tanto a tu padre, que deseaba que fuera también el mío. Por las noches al acostarme me lo imaginaba, me imaginaba lo bien que íbamos a pasarlo cuando estuviéramos todos juntos en una sola familia, él y mamá y Gabriella. Y tú serías mi hermana de verdad, y no te fastidiaría tener que cuidarme.

Me tocaba a mí sentirme avergonzada. Quise susurrar algo y por último dije:

—No hay niño de once años que quiera cargar con el cuidado de un bebé. Supongo que si hubieras sido mi hermana de verdad me habría fastidiado más en lugar de menos. Pero no me burlaba de ti por tener... un padre distinto al mío. Jamás me cruzó por la mente.

—Esto lo sé ahora —dijo—. Pero he tardado mucho en entenderlo. Era yo la que me sentía humillada por la idea de que Art Jurshak fuera... bueno... le hubiera hecho eso a mamá. ¿Comprendes? Después, cuando murió, comprendí de pronto lo que debió ser para ella. E hizo que me diera cuenta de que había sido una mujer extraordinaria, porque era una excelente madre, y era animosa y sabía amar la vida, y más cosas. Le habría resultado tan fácil ser una persona agresiva y amargada y desquitarse conmigo.

Me miró con seriedad.

—Y entonces la semana pasada fui... fui a ver al joven Art. Mi hermano, supongo que será. Reaccionó muy bien al asunto, aunque se veía que le estaba costando un infierno. Tener que hablar conmigo, quiero decir. La infancia, para él, fue horrible. Art no era padre de ninguna clase. Se casó simplemente para que los Djiaks no le estropearan la carrera política, y cuando nació el joven Art se trasladó a la habitación de invitados. Jamás quiso saber nada de su propio hijo. De modo que en un sentido algo demencial veo que estaba mejor antes. Ya sabes, sólo con mamá. Aunque... aunque no hubiera sido su tío, habría sido mucho peor vivir con él que criarme sin padre.

Sentí un nudo en la garganta.

—Estos cuatro últimos meses no he tenido más que recriminaciones, pensando que había cometido el colosal error del ego maníaco al seguir con el caso cuando me pediste que lo dejara. Y después al contártelo todo.

—No —dijo—. Me alegro de saberlo. Era mejor enterarse con certeza, en lugar de darle vueltas a la cabeza, incluso si lo que yo me contaba era muchísimo mejor que la realidad. Además, si Joey Pankowski hubiera sido mi padre de verdad, habría sido un mal bicho al instalarnos a mamá y a mí en la puerta de al lado de Gabriella y tuya.

Rio, pero yo le cogí la mano y se la sostuve. Pasados unos instantes dijo titubeante:

—Me... me resulta difícil hablarte de esto, después de todos los insultos que te he dirigido por abandonar el barrio. Pero yo me voy también. En realidad me voy de Chicago. Siempre quise vivir en el campo, el campo de verdad, de modo que me voy a Montana a estudiar ingeniería forestal. Nunca lo he admitido porque creía que si no era como tú, y hacía algo de activismo social, tú, ya sabes, me despreciarías.

Yo emití un chillido inarticulado que hizo saltar a Peppy.

—No, Vic, en serio. Pero después de todo lo que he estado pensando, pues, he visto que tú nunca pretendiste que yo fuera igual que tú. Era todo parte de los líos de mi coco, pero creía que si hacía lo mismo que tú me querrías lo bastante para dejarme ser realmente parte de tu familia.

—Ni lo sueñes, pequeña; quiero que hagas lo que te convenga a ti, no lo que me convenga a mí.

Asintió.

—Por eso he solicitado plaza allí y estoy solucionando todo aquí rápidamente; me marcho dentro de dos semanas. He encargado a los padres de mamá que vendan la casa de Houston y con eso tengo dinero para empezar. Pero quería decírtelo personalmente, y espero que dijeras de verdad lo de que siempre serás mi hermana, porque, bueno, por lo que sea, espero que fuera en serio.

Me arrodillé junto a su silla y la abracé.

—Hasta que la muerte nos separe, chiquilla.

Índice

OTROS TÍTULOS
DE ESTA COLECCIÓN

ADN ASESINO

PATRICIA CORNWELL

Un investigador federal se ve obligado a regresar a su ciudad desde Knoxville (Tennessee, EE UU), donde está terminando un curso en la Academia Forense Nacional. Su superior, la fiscal del distrito, es una mujer tan atractiva como ambiciosa, que tiene previsto presentarse al cargo de gobernadora. A modo de aliciente, para ganarse al electorado, la fiscal planea poner en marcha una nueva iniciativa en la lucha contra el crimen llamada «En Peligro» y cuyo lema es: «Cualquier crimen en cualquier momento.» La candidata, que bajo ese pretexto electoralista ha estado buscando la manera de utilizar una tecnología de vanguardia para el análisis de ADN, topa con un asesinato no aclarado cometido veinte años atrás en Tennessee. Si la fiscalía resuelve ese caso, su carrera política se beneficiará claramente.

LA SALA DEL CRIMEN

P.D. James

El Dupayne, un museo privado dedicado al periodo entre 1919 y 1939, acoge, además de obras de arte, biblioteca y archivo, una Sala del Crimen donde estudiar los casos más sonados de la época. Todo cambiará en esa institución con el aviso de su cierre inminente y el descubrimiento del cuerpo calcinado de una de las personas más estrechamente vinculadas a ella. ¿Se trata de un asesinato, de un suicidio, de un accidente?; y ¿por qué esta muerte recuerda tanto a uno de los sucesos ilustrados en la Sala del Crimen?

Dalgliesh emprende la ardua tarea de estudiar un caso que, a medida que se complica, amenaza con destruir la vida íntima de este célebre, y ahora enamorado, detective y poeta de Scotland Yard.